生活的 大智慧

進入自性佛 ①

大覺悟 著

作者簡介

　　本書的作者（筆名：大覺悟），是真正「實契究竟之真理，和生命真實的覺悟」。並深入「完全的，看」中。已臻「究竟如如的內涵」心境！故名之「大覺悟」之心境！

　　本書的書寫，是作者在「完全用看的，流露內涵」中，得到完全同體分明，「廣大智慧的流露」！再配合究竟平等現象，菩提造化之緣起。透過不斷的寫書。完全能夠印契現象。真理事實菩提造化的配合！所以自然法爾圓融中，寫下，「共六冊之整套叢書」。

　　為了利益今生如夢幻，所有人類之覺醒。作者大膽的，不顧世間的利害得失，與可能之批判。希望這一套叢書，能夠幫忙所有深陷無明，

迷失輪迴的人。真正在「自心迷幻的，內在世界裡面」。能因此，達到「究竟的覺悟」！

作者，俗稱鄭老師。在「人世間歷經四十年來的生活淬煉，與廣大利害得失的考驗」。在「生活中，如實的。深研探討真相」。見到「真正覺悟真理生命，流露的跡象」。曾經經歷，「神通萬法不可思議的迷失，以及現象兵法誘導的迷縛」。最後，在「長久無明賴耶的迷失」中。剎那驚醒的，「奮起覺悟，與究竟不用識之實踐」！

在「今生世間長久無明迷失的當下中，深契究竟菩提造化之緣起。與究竟真理的完成」！

所以，在「實契當下生活中，平等深入，通達佛道之緣起。與文字造化之敘述」；皆有「獨創平白的，語言表達」。這是作者「獨到自創」的內涵！

但是，其中究竟過程之描述。卻是緣起「自然法爾造化，菩提之圓融」。能保證當下現象，「幻如平等」中，各自展現自覺，「自性佛」之深契。與「自證它覺」之深印！能因此「擴大的改變命運，與自性佛之造化」！

本書十大特點

一、為完全「絕無僅有」，流露的自覺！「從今生中，當下了解。前世的來源」。更因此「了解到自己的感受和觀念。是如何因此，而如是無明的。選擇和判斷」。「如何因此，在死後的空間中」。進入到「如同，釋迦佛所講的停止輪迴」！更因此，「分明自在的永恆中，進入到究竟覺悟的佛地」！這本書保證，「絕對有實力、有真實之內涵，與自印之能力」。幫忙今生中，能夠溫飽外。還能夠得到，究竟「最深的生命覺悟」！皆在如是，「剎那當下」中，「實入永恆的自覺」！

二、「什麼是無明」，能朗然之呈現？「如何在今生無明的感受中，看到前世在今生，所流

露的痕跡」？而且能夠在「當下現象」中，「明白如何，突破自己的無明」。更而因此，達到「理性之分明」！甚至「經常使用的，理性判斷。與種子之體性相。都能夠超越」！更因此「進入，完全沒有阿賴耶識，種子存有的。究竟覺悟」中！

　　三、絕對能夠讓每個人，「就在自心的，當下內心世界中。實質之自在，而分明的；真正突破，無明迷縛之超越」！「能夠因此自印，分明的自覺」。了解「誰是你，你又是誰」的真諦？「如何深契，真理分明中。如同三世一切諸佛，同體平等之真如」。做到「真正如如，不動的內涵」？這絕對不是「理論上的，吹噓」！絕對超越，「能在不用苦修」中。能「深契剎那的，自覺」！因此當下，「進入覺悟」時。即在「究竟覺悟的超越」！真正「成就真實」。「同體分明

的，大智慧」！

　　四、這本書能夠讓所有的人，「花最少的時間，超越無明之迷失。得到最大的覺悟」！「實質自心中，真正實印分明的成就自己」。從「無明到達分明；從分明到達光明；再從光明到達究竟，沒有種子存有的地方。更而到達，究竟如如不動的內涵」！就在「當下，能成就最深究竟的，平等覺悟」！這是世間「所有一切法門中，從來沒有的，不思議造化」！皆是「究竟自覺自在，同體智慧，廣大的流露」！

　　五、不論「貧富尊卑，或者沒有修持過」。只要「今生能信入眾生本有，究竟自性佛之平等功德」。在「毫無差別」的自性中！只要能作到「真正的用心」。更想要「了解生命。更而，想要成就真理」。皆能因此，完成「自在，自性佛之內涵」！「就在當下自心世界裡面，能真正自

印，分明的找到。究竟的自性佛內涵」。並且「就在當下世間現象，與感受中。能因此，究竟平等的。進入絕對的覺悟」！也就是當下，「深契自覺分明」中。能因此，「進入到究竟自性佛的，自在精神之空間」中。這是本書，最「奧妙與殊勝」的地方！

六、我們「不談論神通萬法的迷失；也不迷失向外崇拜，宗教之信仰與教育」。我們「只談論，當下的賴耶深入」。與「直入」！在究竟深契中，「當下，究竟內心的覺悟」！「世間的一切，皆帶不走」！一切，皆「從自己今生的，當下中。著手」！就在「內心，自在的覺悟，與分明」中。因此，產生「真正，同體一如。平等之進入，與廣大自性佛的內涵」！而且「成就了以後，能帶走的是。究竟自在的覺悟，和廣大的光明」！當下，「不管生前死後，都能進入如如，

永恆的心境中」。就如同「釋迦佛所覺悟的」心境！本書保證，「絕對實在，而不吹噓」！只要「真誠向道」，「真正有心」！一定能「在本書」中，找到「真實之印證，與究竟之體悟」！

七、「如果能夠覺悟分明，書中所描述之真理」。即使「癌症，甚至所有的疑難雜症等」。都會因此，「莫明的改變。而健康」！因為「所有病因，皆是無明阿賴耶識種，體性相之糾纏和迷失」所引起的！當「深然進入，完全沒有種子的內涵」中。就能「完全，沒有病了」！所以這本書，能真實說明。在「今生之淬煉中」，當下能「專門介紹，究竟的真理」！並在「當下的今生中，能覺悟到。究竟真理的，內涵」！因此，若能「不迷失於法、相、神通等。與所有相關的，導引術」。即能「在究竟畝空之實踐中。能夠達到，最深的覺悟」。更因此，不再迷於「中

間過程，十一個法界的迷失」！

八、只要「有心追尋真理」，除了「能見到書中之直看，與所述之真理表達」。更有大覺悟本人，親自「隨問即答」之深印教導！如是，「開班授課」之方便安排！保證「今生，自在之自覺中，能實入」。「自印自心，當下之實入。與今生覺悟之深契」！更在「究竟真理，同體之自在」中，廣見「自然法爾圓融，菩提造化不思議神變之展現」！更因此現象法爾中，「印證見到」。廣大「吉祥如意，圓滿造化」之來皈體證！

九、凡事要「光明正大」。是作者一向「待人處世之道」！並因此，捨離、摒棄了，昔邪師的一切教導。在「本有賴耶識的迷信」，與傳統的「尊師重道」裡面。因此覺悟到，「真正的正道，在廣大光明的自心中。而不是損人利己」！

「所有大道的精華，就在究竟光明正大的實踐」中！因此，作者「念茲在茲的，希望他的跟隨信入者，一定要自在自覺的，真實做到」。「究竟深入，真實廣大的，光明正大」中。只有深契，當下之「光明正大」，才是真正契合「通達佛道」的真正內涵。也是真正能作到，究竟平等契合「無我、無法、無無常」的真諦，實踐！一切在「完全捨離」，與不糾纏利害得失之迷失中。只有「廣大的光明體」，才是究竟之真諦！如此，不僅「在人世間能夠通達。甚至在十一個法界，都能夠通達無礙」！所以「光明正大之行持，才是最究竟的真理」！

十、本書，能夠真正「改變無明迷縛之命運」！我們人類，就是「迷失在累劫無明，自我的種子。和從小到大，長久迷失的無明」中。這個就是「累劫輪迴，本來的命運」！作者也是這

樣，長期深陷「本來無明的迷失」中。他在「長久的迷失淬煉，和不斷的覺悟」中。終於，找到真正「不用識的，光明正大」！因此深契「真正的覺悟」！「不用識與不用種子」，就能「改變本來往昔，迷縛的無明」！所有「迷縛堅固之命運」，皆能因此而，「任運的，通達智慧，無礙」中！一切之究竟，都是「光明、與廣大的變化。與自然法爾的，緣起任運」！所以，能因此「智慧菩提的，改變命運」。這是「必然」的結果！更能，自然緣起「吉祥、如意、圓滿」的菩提造化！

見證實例

【蔣女士之見證】

一年前，醫生宣佈我得到了「二個癌症」，其中一個是「第三期」。醫生甚至還預告，恐怕「活不過半年」！

聽到這個「晴天霹靂」的消息，一時之間，真是惶恐無助的，「難以招架」，腦袋「一片空白」！

在我最無助、迷失、徬徨的時候。謝謝、感恩鄭老師，分明之指引。「教導當下突破本來的無明迷失，實然進入，自性佛的心境自在深契」中。讓我了解「得到二個癌症，前世今生的相應受用中，如是因緣」？因為「累劫以來，相應迷失自己，生生世世所含藏無明的種子」。今生因

此，因緣中年時，「前世癌症種，今生開花展現的發病」！若沒有「賴耶識種，突破自覺的連根拔除」，與超越。「即使經治療除毒，而癌症好了。只是一時表面肉體內涵的展現」。可能因緣種子存有之繼續，「還會復發」！

我就是「傻傻」的，經「教導的方式」實契心中，自覺的。去做「不要迷縛本來無明」的工夫！當下「不斷的，再再的，看破自己」！不要被自己，本來無明迷縛的「感受，觀念、和現象所套牢」！「經一段時間，約半年左右」，竟然自在堅固工夫行持的覺悟中。經自性佛，自在放光之照明。自然自覺中，漸漸的痊癒！或許有人會不相信，但是「我的癌症。真的，就是這樣好了」！

「一年後的我。工作和生活，就跟普通人一樣」。甚至「比一般人更健康」！最重要的，竟

然心境安定。經常「活在喜悅」中！所以對於鄭老師的感謝，不是「三言兩語」可以道盡的！希望有緣人，亦「因此信入」，得到如此「真理的造化與福報」！

【陳小姐之見證】

認識鄭老師，讓我因此分明的，漸漸改變了「自己本來無明迷失的種性與個性」。及「累世莫明迷失的無明」。從小到大沒有人告訴我，這個「無明的事實」！只有鄭老師「願意以智慧之知見」，分明的「照明」指引我。讓我在自心的受用中，分明自覺的「看到自己，本來之無明與所有的習性和種性之相貌」。

從此能「分明自覺」的，不再「跟著長久無明迷失的自己走」！直接當下，時時能從「想

法、觀念和內心」中。經過覺悟之自覺，當下超越中，「全部的改變」！因此分明的，「當下能深契」。進入究竟真理「自性佛的自在精神」中。也就是能時時分明自覺的。「瞬間進入，自在的廣大，究竟光明體的空間」中！

這個屬於自己，充滿「安定、喜悅、和光明」的「精神空間」！真是「無法用言語來形容」的！只有「真正進入者」才能自在其中的，「體會其中之奧妙」！

更神奇的是，當進入全體皆是，「自性佛」的精神領域以後。整個人變得「更年輕、更漂亮而有氣質」了！別人誤以為用了什麼「保養品」！其實能「深契自在」的涵養時，「自然心相一如中，同體進入自性佛中」。自然整個精神，就能展現「神清氣爽，廣大靈明」之奧妙！

感恩鄭老師的教導，讓我不用經過苦修。

就能進入「如此不可思議的自在心靈境界」。
如是，究竟真理之覺悟中。自然廣大的「身心
靈」，與整個「氣質，都改變了」！恆常，皆在
「永恆之安定與喜悅」中！凡事，皆在「廣大的
看中」。朗然分明！

【黃小姐之見證】

　　從小，無論有沒有現象相應的出現。自己
「常常莫明生出，自然的感受和觀念」。自己卻
莫明的，「不斷的迷失，糾纏其中，無法分明
的出離」。自己時常因此，「感到困擾，與迷
惑」！從師長、父母、書本中。均無法找到，
「如何出離而分明如此的感受，與觀念等。得
到，究竟之答案」。
　　在大學讀心理系時，發現「心理學、哲學

的探討思維，仍然侷限在唯識使用之觀念、感受等。唯識意識之活動中」。每個人還是「堅持著自己原本的個性、觀念、感受、決定等，但還是，有很多無明的苦惱」。都是對於「世間的名利、權勢、地位、事業仍在乎著」的迷失！如是，「糾纏不清的，無法突破。自我長久的無明」中！

　　直到我遇到鄭老師的指引。從鄭老師的「智慧言語上，照明我。長久無明內在所相應的事實受用。與累劫迷失種子有之事實」。在花果性相的現象，與感受中。終於，明白了，「自有，生生世世的習性、感受、與觀念」中。涵存著「種子之體性相，諸相」。在如何分明的，「做到不迷」中。因此，讓我在往後的人生中。終於，見到，更因此，找到「何去何從」究竟真理的答案。我的心。因此，「不再徬徨與迷失」！我的

內心中，終於「能分明自覺的，自在安定」了！我終於分明的，離開了「對於世間一切的，內外唯識迷執的，比較與迷失」。非常感恩鄭老師。

希望有緣人，能從這本書的內容中。得到究竟解決，「累劫無明，在今生心靈所產生之問題」與答案。能夠「真正做到自覺之自在。更不迷一切的無明自我。因緣、與法的困縛」！

【葉女士之見證】

「有生就有死，既然會死，又何必生」？「死後，什麼都帶不走。又為何而爭」？這是我「對生命，始終無解的困惑」！卻是「自在覺悟」的相對！

幸遇鄭老師指引。他告訴我：「妳常常在種菜」。最懂得「什麼種子，就能種出，什麼

的菜」！同樣的，每個人的內心，都「深藏著生生世世，無明的唯識種子」。它是「無明花果性相，迷執輪迴的主因」！在前世，而今生中。「相應現象之因緣，自然會開花和結果」之展現！再加上世間，「知識和觀念的薰習與迷縛」。如此「內感外應，外感內應」的。讓我們長期「處在無明之唯識迷失」中。而活在其中，卻「無明其中的，不自覺」！

鄭老師開啟了我「內心深處，始終無解的答案」。自然找到如同釋迦佛所要追尋的「究竟真理」！「從此對生命的真理，就在當下之其中現象中。如是究竟平等中，自然自在，不再徬徨迷失」！

只要「相信本書」之真義，同樣也能因此信入實踐中，自覺自在的「啟發，幫助各位讀者」！當下，就在自心找到「自無明受用，與當

下現象受用的，同體。能因此得到，究竟深契真
理之答案」！

【楊先生之見證】

　　從小到大，碰到任何事情。我都「使用自
己的觀念與認知」去面對。以及「用過去的經驗
判斷，去處理，面對問題」。「事情如意，就高
興」。「碰到不如意，與困難時。就惶恐與憤
怒」。心情，一直「處在好與不好的輪迴迷失」
中！

　　認識鄭老師後。令我「深契覺悟」之指引。
見到，本來，一直迷縛心境中。而脫離不開無明
的我，自見覺明，是本來累劫迷失，為無明的
我」！當下，覺悟分明時。「從此，能離開本來
無明的我」！當下，因此，覺悟進入到「究竟之

真理，與究竟不動的心境」中！內心因此，「皆是遍處，廣大自然之緣起。整個全體，充滿著，安定與喜悅的自在」！

「人生，百年一場空」！就算再怎麼努力，最後「錢還是帶不走」！唯有「把握當下，將有限的時間，換取尋找精神生命之不滅真理」！如此實踐，才是「究竟全體，真正的財富」！

【黃女士之見證】

以前的我，只要「碰到不如意的現象，就莫明的，發脾氣和煩躁」。我還跟鄭老師埋怨說：「我從來沒有快樂過」！

鄭老師告訴我：這就是你自己「累劫的前世。累積著生生世世，糾纏無明迷縛，種子」！「要真實，看破它！不要被它迷」！在當下，生

  生活的大智慧：進入自性佛 ❶

活中，能真正作到，回畝「自心安定，與究竟真理之覺悟。與深契當下，自在的如如涵養」中。

　　當我覺悟「當下今生現象中，究竟真理之發現」。「更因此，回到自己內在，真正的安定。與究竟真理，不動的心中」。當下因此。在「本來不如意的現象」中，自然能，自覺的，轉成。「吉祥、如意、圓滿」的菩提造化出現！甚至「困擾，我多年的狹心症」。因為「找到自己的自性佛」廣大的照明。也因此「自然中，在廣大光明的，照明中。痊癒了」！

　　今生能幸遇鄭老師之指導，是我永恆中，最大的福報！他所教導我們的，「當下面對生活中，如是究竟平等；人生之智慧」。是能夠在「當下現象與今生中。真實平等的進入」。就在「剎那當下」中，究竟的，「自性佛」平等的覺悟中！

希望大家要把握這個「千載難逢」的好機會！如是信入，「自在的覺悟，與自覺實踐中」。回皈「究竟之真理，與自在的進入自性佛」的，「本來面目」內涵！

　　【劉小姐之見證】

　　記得小時候，就常會思考：「我」是誰？「我為什麼會是我這種個性」，而不會是「別人般的個性」？宇宙那麼大，而我「何去何從」？

　　隨著時間之遷移，慢慢的長大中。這個疑問，藏在我「百思不解」的思想中。直到30年前，我認識了鄭老師。他解答「困惑我，多年來的，疑問」！原來「累劫無明，而今生的生命活動」，皆一直在無明賴耶識種不斷花果性相展現的輪迴中。因此，無明受用的迷失中，無法超脫

生活的大智慧：進入自性佛❶

自己。原來自然相展現無明的命運。鄭老師卻能讓我分明的受用分明中。自見諸相非相中，真理真正存有的看到。

　　原來在我無明受用的自然，感受與觀念中。竟是源自「生生世世的，無明迷失糾纏種子」，體性相之表達！當下因此，幫助我在自心中，看懂「這一切之花果性相表達，皆是自己的原始無明」相應作用。如此，長久無明的迷失著，卻無法分辨，自己本來之無明。而因此，今生茫然的生活！

　　即使6年前相應前世而今生之因緣，展現受用中。見到「得了癌症」的事實。「我從埋怨，卻感到感恩癌症」之因緣出現！因為在「長久迷失癌症的受用中，見到當下，一時痛苦而無明其中的苦惱。如此深陷，迷縛其中的相中，而無法分明」。

當我因此迷失中，「進入分明，不被相迷時」！我就因此，當下覺悟究竟平等的事實，「分明的超脫了，自己原本無明束縛的原始無明」！當下，進入到，「本來俱足如來功德，如是如如」的安定真理中。

　　更因此自見，得到「自在照明之治療」！因此，自在其中的，「自我療癒」著！從「生病的過程中，不斷超越突破的痊癒」著。而自覺的，深契究竟，絕對真理的覺悟。

　　更因此見到，「人生的無常」。與「百年人生中，終須老死之事實」！只有「進入如如不動的覺悟」空間。才是我「今生究竟夢醒的印證」！我很幸運及感恩，今生能遇見鄭老師的指導。

　　更經鄭老師「無私的，把他的覺悟，編寫成冊」。只要好好研讀，每個信入者，一定能做到

「回皈自覺中，自在的，進入自性佛的，當下真實心靈境界」中！

這亦是鄭老師「廣大心願之實踐」－願天下所有人，皆能覺悟「回皈本來面目的，究竟平等，與深契如同三世諸佛的，功德造化」！

【古先生之見證】

小時候的我，心中莫明的觀念和想法是：「所有的名利和事業，到頭來終是一場空」！連「觀念、感受和想法，也是一場空」！「既然一場空，那麼活在這個世間的意義和價值是什麼」？我「為什麼又無法停止這些感受、觀念和想法呢？」這些問題，一直困擾著我！

即使當了國小老師，過著安定的生活。還是無法解決，我「心中的茫然，和徬徨」！我始終

找不到「人生的目標」！

　　直到遇見鄭老師。分明自覺的，告訴我們：他「歷經四十年的生活淬煉，和不斷的覺悟」。終於找到當下，「深契幻如平等中」。當下，「究竟絕對的真理」。在當下的今生中，能因此，真實的進入。如是自在，「自己永恆的，自性佛」中！

　　因此，「人生的命運，從此改變」。不再「永生輪迴」之迷失！而是能當下，深契自在。究竟真實覺悟的，「進入永恆」中！更能因此，「緣起菩提之造化」，與「自然法爾圓融之圓滿」！這才是今生，來到世間自覺中，「最大的意義和目的」！

　　感恩鄭老師在我心中，自覺的指點。讓我不再徬徨今生之「無明受用，與莫明之迷失」！因此自覺，書中每一字句。都是鄭老師「廣大實契

覺悟」後的心境！「自然從心中，皆是廣大的看中內涵。與究竟光明，與智慧的流露」！

　　希望信入之讀者，能夠作到自覺，「如同書中所述」。「在自心中，自覺的」，試著去做！相信一定會，「有所體悟」！更而，真正作到「停止無明輪迴」。如同釋佛最終，「究竟真理之覺悟」！

目錄

作者簡介　2

本書十大特點　5

見證實例　13

第一章　前言　32

第二章　開宗明義　52

第三章　論述無明的必要　78

第四章　無明（上）　95

第五章　無明（中）　118

第六章　無明（下）　150

第七章　真理文字論　184

第八章　覺悟（上）　208

第九章　覺悟（下）　240

第十章　實踐　271

第十一章　全然　329

第十二章　「無明相應與真理緣起」之異　386

第十三章　涵養　433

第十四章　結論　528

附錄

一、工夫涵養心境　606

二、本來如是，完全不糾纏的大自在，不動涵養皈體　607

三、獻給實入「完全不糾纏迷失，平等究竟皈體」，佛心之
　　不動，如如者　609

四、覺心不動　611

五、幻種滅盡　613

六、真如自性　614

七、工夫實踐　615

八、恆融十一法界・平凡生活如如　616

九、自覺涵養如如緣起圓融・造化覺他處處吉祥如意　617

十、空中本質　620

前言

　　「本書」，和其它書籍的「表達方式，是截然不同」的。書中每一個「句子、段落、起承轉合」等，都是真實「工夫涵養」的，「內涵、過程、階段」。和究竟真理「心境的體悟」。

　　所以，讀者在「閱讀本書」時，不要像「看小說」一樣，「輕輕帶過、快速的看」。要深入「絕對，同體一如」的，「回看自心，與真實自覺的覺悟」。從「相對的立場」現象中，轉變成「絕對的融合，和實踐」。

　　經過如是，「慢慢體悟，與重複回看，自心的看」。在「看」的同時，「思想不要，往外比較」。要「真正實踐，回看」，深入「回到究竟體悟，深契自己的心中」！就是把「書中的內

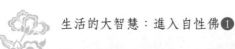

容」，回畈自心，真實之體悟，「融合，與淬煉」。在自己「究竟無性相，畈體究竟之回畈」涵養，深契「廣大全體究竟體的，自心中」。如是，「自覺的感受、和究竟同體分明智慧，深契平等的，究竟覺悟」。

依照書中「所講述的工夫，與確切涵養」的過程，深契自心，「純然無性相，畢竟空體的，究竟之淨化」。就在「自己的心中」，「慢慢的體會，和自覺」。

就會進入「書中所描述」的，「回畈自心」，「自在覺悟之心境」。深契「不斷自覺的超越，與不斷覺悟究竟的突破」。更「不斷的進入，無性相，畢竟空體」的涵養。

進入「完全沒有迷失」，自己的「感受、觀念、現象、看法、想相」等。和完全「不要累劫前世的，迷縛」。更而，「無性相，畢竟空體，

究竟之覺悟心境。」再再的涵養擴充，「真正廣大究竟，光明體之如如」內涵。

讓「自在無性相的，畢竟空體之心境，能像火山爆發般，長久蘊藏之能量」一樣。「能自然放出，廣大究竟光明體的內涵。與廣大放光的，遍照照明」！

要「如何看這本書」呢？譬如，當讀者看到，書中所載，「如何進入無性相，畢竟空體」這個段落的敘述時。就深契「眼睛閉起來，去回看，自受之自覺覺悟」。「享受那個段落，實契之心境」，「每一段落文字，與真實覺悟內涵之敘述」。再回看分明之覺悟，「那個段落，起承轉合，所寫各階段的，內容」。完全「深契真實之心境，用看」的。「全然的，實踐」中！

就是「從相對，變成絕對」的，真實「體悟之自覺，與過程之工夫涵養」。「不斷過濾的，

究竟之覺悟，與破相」！如是「照明自己」，
「自以為迷失的用識思想」。再進入到，「究竟
覺悟超越的，深契」。真正實入，「所謂真實之
深契，無性相之畢竟空體」內涵。

　　「無性相，畢竟空體」之深契，也就是「進
入到，究竟完全之捨離，與不要」，如是自我之
「感受、觀念、想相、看法」等。如是，深契
「自在，與自覺之心境」。因為「無性相畢竟空
體」故，如是，「真正深入究竟，沒有相的迷
失」，如是，「究竟真正的，空體」之內涵。

　　如是，完全沒有一切「感受、觀念、現象」
之相。所以才能「在自心，無性相蘊積」涵養之
工夫，「能廣大涵養的，含藏迸放出，像火山爆
發能量般，一樣的放光」狀況。如是「自然全體
的展現，與廣大遍照之照明作用」！

　　接著，讀者會想「如何才是真正自己，能深

契自覺分明的，無性相，畢竟空體」？就把「眼睛閉起來，順著文章段落之體悟，與每個文字章節之敘述」。在「圓融之體悟，與自心明覺」中，「真實的，回看自己」。

「從這星期以來，所有自己的，感受、觀念、和現象等」，如何從「相對的受用，變成絕對的回眿。與當下自心之體悟，與過程工夫之涵養分明」。

於是，整個「心境，如是文字段落之自然體悟，回眿自覺的，進入到，完全沒有，看法迷縛，與迷失的精神狀況」。如此，「延續著文章之表達，卻在自心自在的，覺悟分明，廣大之自精神」。

「真正實踐淬煉，進入真實順序般，不同段落精神之延續」。到究竟「無性相，畢竟空體，究竟自心，自覺之體悟」。與「廣大內涵之自同

體分明，照明之智慧」。

當進入到「無性相，畢竟空體的內涵時，就不斷深入渾然忘我法的，去享受這種畢竟空體」之內涵。究竟「純粹廣大全體之光明體，與如是絕對廣大精神，安定之感覺」。「不斷的涵養無性相廣大的，畢竟空體之精神體，內涵」。

就會像「火山爆發一樣，經過積久工夫之蘊育，與無性相之能量涵養，自然因此，緣起遍照，與隨緣之放光」。這個就是「畢竟空體，如如究竟，廣大全體之光明體」。如是，究竟內涵的進入。

當進入「畢竟空體，如如的內涵，涵養後，就是在究竟廣大全體之光明體」中。「走到哪裡，雖然內心中，沒有動；如是究竟廣大全體的光明體，卻在遍照的，放光」中。如是緣起，「放光之遍照，就產生照明菩提，造化之作

用」。

就在「現象中，就在感受中；與如如究竟光明體」的遍照中，當下的，面對它。然後「又回復到，究竟無所得，究竟平等的，覺悟」！

如是，「如如不動的，涵養絕對之廣大」。從「相對性相的相應，與受用裡面，回復到當下，究竟自心之體悟，與不動如如涵養之自覺」中。

如是「究竟絕對的涵養中。就能，不斷緣起遍照，菩提造化之擴充」！與涵養「絕對，究竟全體之光明體。如是，如如不動之涵養，與照明之緣起」，與「廣大之遍照」！

當「真正能覺悟，這段文章的內涵時。則能，自心體悟的知道，如何自覺之實踐。和全然涵養，當下之覺悟」！就可以「打開眼睛」。繼續閱讀「下一個章節和段落」。再回皈「打開與

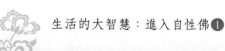

閉上眼間之平等，再次進入捨離一切無明之迷
失。與自心分明之自覺，與究竟體悟之平等」
中！

　　看這本書，不是要跟別人「炫耀」，「已
經讀了多少」。而是「自己要從本書中，循序
閱讀。回皈自心體之自覺。如是真實內涵之受
用」。「從相對的無明，與相應現象裡面。進
入到當下，究竟平等之自心，與絕對光明的體
悟」。到深契「絕對的覺悟，與絕對全體，究竟
光明體」的真理！

　　所以，要「慢慢的回看，自心體的自覺」。
更「深入自心，究竟之覺悟」。「當下，其中之
現象，用心的體悟，這本書究竟之論述，與究竟
覺悟之真諦」！

　　即使每天才看「文章中的一句話、二句話、
或一段話」，都沒有關係！主題是「要把文章真

正的內容，深契真正回眸，在自心之自覺，與究竟體悟分明的，明覺」！「順著章節、段落之心境寫實，去真正體悟，與消化」！然後，「每天在自己的生活中，自覺的回看，與分明」！

在「當下之精神領域中，真實覺悟的淬煉著。而能究竟當下，實契，真實之進入」！到「究竟覺悟之平等，自己的心境中，如是自覺的，究竟全體，絕對光明體」的深契。

再者，「不要用相對，對立的方式，去看這本書」。要能夠「在回看中，自心究竟，自覺之分明」。深入「絕對，同體一如中，與書中之段落渾然，與循序的，看」中！

如是「真實深契，進入究竟絕對體，沒有對立」中。才不會「和這本書的真實體悟內容，產生理論以為，隔閡之斷層」。這是因為「存在現象中，有對立，就有無明」之存有！就有「自覺

深契中，無法明白」的空間。與「理論之無明存有，存在其中」！

　　所以，「看這本書，要從相對理論，以為觀念的相應態度中。當下深契，變成自他同體一如的。由自覺，而絕對之自心」。「用心的，全然融合，和究竟如實的，實踐」！在「看」中，就在究竟絕對之自在心中，如是究竟真理之歷練，和體悟」！就在「自心，如是全體，絕對體的，實踐」。在「廣大深遠自在的，看」中。

　　能夠「究竟看到，整個究竟全體，永恆的光明體」。如何「在無性相，畢竟之空體。見到真理體，與究竟之覺悟。能出現在，自己心中」！

　　「當下現象，自然中，廣大之無性相，就是永恆究竟的光明體」。「當下，就在看中，渾融全體，廣大之其中」。如是，「遍照見到，整個的放光，與菩提自然法爾之圓融」！

所謂「進入到究竟之絕對，就是當下現象相對變化自然中，能進入到，究竟絕對體之回皈」！如是，「同體一如，廣大全體光明體」的，自心中。

　　如是深契「究竟無性相的，畢竟空體。完全沒有相之迷失，也沒有一切內涵的迷縛」。如是，「究竟自在體，與廣大之遍照」中！

　　只有「究竟廣大，和絕對的光明體。在完全如如不動之內涵，與不會主動中。都是究竟不動，自然逆轉，反造化轉化之涵養」！當下，「現象，和空間的好壞變化，完全回皈，無性相的，不迷失中。都是廣大自在的，究竟精神體之展現」。

　　整個「眾生，都是全體一如的，和萬物全體，都是渾然一體。完全究竟，無性相」的！就是「深契同體進入，與究竟絕對體的，涵養」中。

完全「沒有相對的相應。如此，究竟覺悟平等，久遠工夫的，絕對體之涵養。進入到絕對，不動如如之涵養」！就能「緣起遍照中，廣大放光之照明。與同體分明智慧，自然法爾之圓融」！

當「進入絕對，渾然同體時。對相對的一切，感受、觀念、現象等，都要深契，進入到無性相，畢竟空體的究竟覺悟平等」。「完全沒有相對，與無明的隔閡」！

就是「真正的進入無性相，廣大全體光明體的，畢竟空體中。這就是真正之自在，與自心之究竟自覺」。如是「究竟廣大之遍照，與自然法爾現象的，菩提圓融」！

「絕對究竟，如如的涵養內涵，就在當下相對的無明現象中、與無明之相應，如是自在的，淬煉著」。「如是當下，進入到絕對的，究竟平

等的覺悟。能夠廣大全體之光明體自在」中。

　　如是「絕對，無一切之性相。則能深契當下，現象的本身，就是究竟無性相，廣大的自己。已經深契，完全究竟之當下，進入真實之絕對」！自然「能真正看到，如是無性相，究竟光明體，全體真正佛的，究竟無性相之身體」。

　　本書「內容所載，完全是進入到，無性相畢竟空體，與如如的涵養後。自然能廣大之放光，與遍照之照明」！與緣起「同體之智慧菩提造化。如是自然法爾現象，與圓融的智慧。不斷的，從自心中流露」！

　　就像「緣起遍照，寫書時，廣大的心中，自然流露著、流暢的明白」！什麼是「生命的真相」？諸如「究竟如如的涵養，就是真實體性的，內涵」。「體，是指究竟光明體。祂能緣起遍照放光的，菩提造化之顯相。叫作體性一如

的，自然內涵之展現」！

　　究竟「如如境界的，平等中，就是真正進入究竟，絕對的平等光明體，與緣起中。就是深契整個都是遍照，與究竟之光明體」中。就「如同，進入到，太陽裡面」一樣！能「廣大的遍照，與緣起照明萬法」！

　　「如如的照明，遍照，能夠究竟平等，緣起十一個法界的，自然法爾圓融之現象，又回皈究竟一場空，無性相，與如夢幻究竟之覺悟」。叫作「深契，究竟無所得」中！

　　如是「究竟如如光明體，無所得擴充，廣大的涵養。就是進入到更廣大，無性相，畢竟空體裡面。祂能遍照緣起，與廣大的放光」中！因為祂，「就在整個全體究竟光明體中，深契，自然體性之流露」。

　　「一真法界，是性相一如之造化」。「性，

是指放光。祂所放的光，是自在光明的，放光」
中（註：不是光明體的放光）。在「光明底下，所
照明的一切相，都是無二平等的光明相。叫作入
不二平等的，真相之諸相」中。即是「廣大自
在，無二平等，如是，廣大的，放光造化」！

「類佛的內涵和境界，就是微細糾纏相應，
一真法界的好壞、是非、善惡等。把一真法界的
造化，當成迷縛性相的，依靠以為是」之迷失！
如是，「微細相依，無明的迷失，如是自己相依
的心境，和內涵迷縛之相」！

如是「微細的糾纏，相依一真法界，而迷縛
其中著，就在十法界之識法界。如是，心靈之境
界，叫作阿賴耶識體，空空」之心境！

「類菩薩的內涵和境界，就是迷失，糾纏相
依類佛。如是，微細相依，迷失的心境」！「阿
羅漢和辟支佛的內涵和境界，就是無明迷失，糾

纏相依，類菩薩的心境。而無明性相的，迷縛其中」！

若深契「不斷迷失的，最深縛的無明之糾纏；就被地獄道」所困縛！所以，「究竟原始之無明，就是這樣無明相依之迷失，相應生成」的。「一念無明，就是在念、想中，活在其中、而迷在其中。如是，一時無明中，迷失的，忘記捨離」！

所以，「唯識迷相之無明糾纏，自然產生識法界的十法界」。與「如部之一真法界」。本書，不談「十一法界，中間過程之修持。直接不浪費光陰的，深契」。如何進入到，「真正的佛，與究竟的光明體，涵養深契。和無性相之畢竟空體」。就是「當下現象中，直入，深契之自在」。完全沒有，十一個法界性相之迷失！

當「覺悟，深契體性，究竟真理時，即能捨

離十一個法界的一切性相。當下，回到自心體」
中！達到「究竟無性相，畢竟空體」之究竟體
悟，平等」中。

　　當讀者之「自心，能工夫自覺之深契。如是
自在，無性相畢竟空體，與如如的涵養」時。由
「性相而體性的，也能夠深契究竟皈體，自在之
緣起。如是，廣大之放光體，與遍照之照明」！
自然「菩提遍處，造化之展現」。

　　讀者「若能夠真正回皈，自心體。透過書中
所講述的，無明、覺悟、實踐、涵養、結論等。
依序之內涵、過程、和階段」之涵養。「在自心
體中，不斷的落實、歷練、與體會」！

　　到自在，「究竟全體光明體的，涵養。深然
見到，究竟真正的光明體。和廣大之遍照，與廣
大放光的菩提造化」！

　　當達到「如如之心境涵養，和究竟光明體之

 生活的大智慧：進入自性佛❶

內涵時。如是生死、現象、累劫所有的無明；當下，都深契究竟之停止。當下，即能進入自在之究竟，與全體光明體」中！如是，「永恆的，究竟覺悟平等」！

在「究竟的光明體，和放光之遍照，也就是深契一體兩面，究竟之平等」！如是「廣大，究竟涅槃的心境」。

「究竟光明體，是整個廣大堅固光明體的凝聚。也就是堅固同體，光明體，分明的智慧」！「自然死後，脫離了肉體。整個全然之全體精神體，當下，皆在永恆中！皆在廣大自在，永恆，無性相之悠遊」。

於當下「十一個法界，深契剎那之永恆。能成為廣大之大自在」者！只有「這個純粹精神體，與究竟之光明體，才是真正永恆不變的，自在」！

這本書，寫得「很複雜，每一個段落，都有重複的內容。但是都是用，不同的角度，去重複，如是不同之內容事實，與重複」！以便能，深契「更深分明之體悟，與究竟覺悟自在之平等」！

「目的，就是要大家，堅固分明的，透過不同之角度，與現象，來自覺分明。與真正因此，能究竟覺悟分明的，回到自己究竟光明體」！如是，「自在涵養，體性之展現，自覺的內涵」心中！

從「無明之突破，到分明之自覺，到究竟之覺悟。更到究竟真理的，光明體」！「目的就是，透過看這本書以後，能因此循真理，道路的。真正，回見落實到，自己究竟光明體」的，心中！

能「真實的做到，深契究竟真理，與真實

  生活的大智慧：進入自性佛❶

光明體的。如是，體性真實的，進入。也就是當下，自心全體，全然之實踐」。能「分明智慧的，同體進入到究竟，真正無性相，畢竟空體的，自性之佛身」！

因此，「不管別人有何看法，甚至批判指教等。只要能貢獻給別人，究竟之真理，和真相之實惠智慧」。這才是「真實真理中」，「最有意義」的！

希望讀者「在看這本書時，能夠有耐心的、與如實的自覺工夫，實踐自心之體悟」！更自在的，「體悟、淬煉、破相、和轉化」！讓「累劫如夢幻，本來的無明，能達到究竟當下，廣大全體，光明體的，深契」！這才是「本書進入自性佛，如實實踐的，真正目的」！

開宗明義

　　本文之落筆，「與其它修道的典籍，更而先聖先賢等經典，甚而佛經、道經等；完全皆不同」!?完全「秉持著，內心自然如如，遍照之照明。如是整個，廣大之真相，與真實之真理流露」。

　　平白的描述中，「清楚表達著，如何是唯識之無明識種」。與「如何，含藏於，廣大累劫之識田」。更而「如是，當下之覺悟，深契進入自如如之涵養」。如是，「更深入無所得，廣大之真理，與再再之涵養。真實見到，究竟之空中本質，與發現究竟真理之定義」!?

　　如是，經由「許多白話發明之詞句，來深入表達敘說。如是真理，廣大究竟光明體之本

質」。內容「皆是，廣大真實究竟之光明體。與如如之廣大遍照照明」！

描述著「內心，究竟真實之體悟。與當下，如夢幻之過程，與究竟覺悟之捨離」！如是，透過「識田識種之必須捨離，與當下究竟之覺悟」。因此，「當下能深契，究竟之深入，與真理之照明」。

如是「照明各個心境，真實見到，真相之階段」！？不能「以經驗，與無明識種之沿襲。以及昔日大師聖賢等，因緣文化之累積。與無明唯識，常用昔性，單純的角度」來看。

唯有「實契，自入真實，遍照受照明之內涵。才能真實進入自然文字般若，與同體分明智慧之實契」心中！方才能，「各自在之自心，與廣大照明之發現。與究竟真理，廣大光明體之實契，與究竟真實」之體悟！

惟「自入其心之照明，與各境之分明者。方才能分明的自見自心，與實入真理之內涵，如是真工夫之落實」。吾人亦不迷失「往昔之唯識，與無明相應之怪力亂神」。

　　在「相應無明，因此，自執自迷，與自定義中。皆是，無明自廣大之研習，如是自以為之神通，與導引」！只有能「深契究竟，分明之深入，自覺悟。方才能真實，一切自如如之涵養」！

　　如是，「本來俱足緣起，自在之造化，與功德菩提，神通之內涵」！其實「真正的神通大法，惟能自在，深入廣大無我亦無法，畢竟空體完全之工夫」中。方才能「真正緣起遍照，進入如如之涵養。與自然法爾之圓融」。因此，「自在之廣大照明。如是，體性一如的，自明之圓融」中!?

惟「真正能實契，究竟無識田，與輪迴看破之停止。方才能當下，無性相，深入究竟空體。究竟光明體之實臻」。自然如是，「俱足自然法爾任運，皈體涵養，究竟無所得」中！

　　方才於「廣大究竟光明體，與大自在遍照，廣見緣起，菩提造化之展現」。更「實入其中，同體分明，廣大智慧之任運，與無礙之法爾現象圓融。完全無所得」中。「自然圓融之廣大神通造化。如是自在，吉祥如意圓滿，而通達無礙」！

　　此中，「各個不同之識與如，十一法界之心境」，與「當下深契，自然法爾現象之圓融。能緣起廣大神通造化菩提」之不思議法!?

　　如同釋迦佛所定義之「十法界，與一真法界，如是十一法界，中間過程等」。當下，「所謂，各自之神變造化。與所謂緣起，神通菩提造

化之不思議法」！

　　因此，「敬請見聞，與信入真理之實證者，能多加包涵。如是省略探討，中間過程，十一法界」之內涵。當下直入，「究竟覺悟，與捨離之超越」工夫中！更「因此當下，直入佛道之涵養」。

　　如此「平凡文句之表達。惟字字句句，皆是實入深契，識與如超越之覺悟」。「各種覺悟之當下，直入不同之照明。緣起究竟真實之情境，與突破之描繪。難免詞不達意，無法盡全體，俱足之表達」！

　　更而「所描述者，皆是深契體悟，自覺自醒之心境。與工夫之涵養」。惟有「深入信入者，能真實用心，與回觀的用工夫。因此，真實受用，如是自覺之自證」！

　　方才能於「各自之自心，同體，各自之契

入。真實各自之體悟，自在之驗證」！？望「參之」。而非以「往昔研習經典學問等方式，如是唯識之經驗。積識，習識的，表面知見的，忽視過」。

「必須忍耐，累劫無明之自識種，如是學習花果知見，與昔性之觀念等。更而，積久工夫，容忍的，捨識用智。深契進入當下，完全無我亦無法，與無無常的，實踐中」。如此「包容，其中文字的內涵，與描述。以及逐步深入，究竟體悟之自心深契。如是內心，自在之廣大遍照，與文句描述，深入之實踐等」！

仍是「自無知的，卻自認能應用的，以為著。深處於此，長久自以為的研習，仍是，自無明之識田」。自「無奈無明，自識之相應著，卻仍是迷茫之自以為」。仍是「自迷失以為，修道之生活」著！？

在「世間，到處充滿著，追尋物質經濟，與不同種類生活」的活動。對於「生命的真相，與究竟真理之追尋，雖經歷諸多世間大師，與往昔聖賢法王經典等。卻仍是無人，能真正深契，究竟之覺悟，與分明之教導」。

平凡「生活習性中，無明相應，自然的流行」著！如是，在「廣大世界，共通之無明，平凡，而茫然，無明的使用」著。如此「習慣性的生活，如是人類的生活。仍繼續的，迷失於，無明之自識」中！?

「自我，而自增上，因緣的；希望能於，自識以為之研習中。行持修行出，一番造化」！但仍「迷縛，如是自識，無明之識田，與識種」！?

如此「無明迷失之茫然，於無明之用識，自然長久之無明。必定因此，用識之遮障，如是真實之真理」！

如是「自執之無明意識，與經常使用之無明。如是識種花果的，無明之無知，以為。茫然於成功與失敗之命運」。如是「無明之以為，自我之歷練」。

　　「雖曾精研聖賢著述之古籍，與占卜術數之閱覽。更而繼續深入，佛經之研習」。如此，「用識的。仍然無法進入，真正捨識。深契無性相皈體，究竟體性之作用」。

　　在「受用不迷，與不用識。雖經大師、聖賢經典等教誨，但仍是阿賴耶識之使用。繼續無明之用識，與傳承」！如是「無明傳承識種之繼續。如此自我意識，以為之研習。卻仍是，繼續迷失，在無明」中。

　　「處於，自莫明所以，與真相之為何」中。仍在「自意識的用識思惟。仍是自無明識種，花果之流露。與無明識田相應的，執持」著！如是

「推衍延伸著，仍是長久無明自以為之用識執持」!?

在「無法分明，仍自迷失，唯識以為。無明之分析狀況。卻因此決定，反方向工夫之實踐，與突破」。在「大膽的超越。如是，拋棄我執與法執」之堅持！

用「捨無明，而入出離中。深契，無無明之工夫，與當下，突破無明的，用識」！自然「深契，究竟。臻光明」之方式。

因此；在「究竟捨離的，用工夫。深契進入，究竟無識。更因此自見，深入無識。而自如之心境」。更而「自如如，廣大涵養的，淬煉。更臻究竟真理體，自在之心境」！

就在「當下現象，卻是真實究竟之覺悟。如是深契十一法界，完全之捨離」。當下「實臻，大膽的突破」！卻是「不得已，反向之突破」！

竟然「究竟無性相的，寂滅。深契究竟覺悟之分明，自入捨離」行！如是「究竟破滅，本來如夢幻。無明之性相。當下，深契如如之內涵涵養。自然，全然，全體。皆是，廣大究竟之光明體」！究竟「純粹精神，心境之實臻」！

三十年前，「歷經自以為，與自識之判斷，如是義氣能交之友人。並因此自認定，而自以為」著。更因此，「尊之以友與師之尊敬」。在「深信不移中，逐漸受其影響。更自以為的，用識經常的，受用著。其奧妙不思議變化道之教導」！並於「無明自意識之受用中。自擴充著，好奇之以為。如是以為正道，隨順著，迷失之流行」。

更在「自識無明之分析著，仍是堅持，無明累劫識種，義氣之互信」。更而，「在無明，自唯識之信入。接受，導引般之引導。接受著，莫

明奇幻，無明不知。何所從來的迷失」！

在「莫明中，卻是無明唯識之以為。如是長久無明相應著。完全深陷，無明用想的，作前提。於無明，識種花果般的，延伸之迷失」。如是「無明導引術，無明性相之識變」教導!?

事後，「深契究竟覺悟之捨識，與深契究竟真理。真實心境之實踐」，方才「自明之覺悟。如此，無明用識之作用。與導引之延伸。於無知無明，隨順識相之轉動。皆深陷，逐漸。無明唯識，更深迷」中！「自深陷的，仍在無明，自識田。與種相的，延伸迷失」中。

卻是「無明其中的相應。更無知其中的，迷失」。在「累劫昔性，與尊師重道。與死忠種識，習性之深信」。「更因此，以他為主的。深信不疑」！

在「自信以為，與自唯識分析的自入。自意

識的，無明之用識，與堅持著」。如此，「無明之信仰，如是無明信心之迷幻」!?

　　完全是「無明用識的，受束縛著。卻仍是堅持，自以為，尊師重道著。與長久信心不疑，理應如此的心態」。「更在，自我無明意識之迷失。仍自識體，而用識的，自堅固之信心」!

　　「自以為著，習慣本來之傳統，與應有之正道正法。而仍是自陷其中，自用識無明之受用」著。仍「堅固著，自迷執的。本來的看法」!?

　　因此，「長久無明，受其誤導著。深契，仍是用識之無明原地」。卻仍是「自輪迴無明識種，花果性相之繼續」!

　　更於「傳授，諸相因果之變化，與轉相識變著。無明之自識體。仍繼續的，處在自無明之用識」!「自習性用識的，仍是自識。更深無明之自以為」著!

為了「追尋究竟之真理，如是自祕心中。仍是自追尋絕對真理，強大之堅持。仍是努力尋找著，生命真相之追尋。與究竟真理之答案」！

　　最後只有，「尋找聖賢經典。更深入，進入心經之深研」。在「無明自識之研析中，深契認識論之研究。更而，深入自覺。與究竟實踐，自在心中之覺悟」！

　　在「經久之研習，與認知。更而深研理解，經文知識的努力。如是自祕心中；仍是莫明。此經典內涵，真義之展現」！仍是「無明自用識的，仍在自無明。與自識之莫明所以」！

　　「再深入之認識，與佛經般若深藏之了解。仍自用識的，以自認識的研習。了解其內涵」。如是「用識，研析著。知識般的，探討著」。

　　吾人「經由讀書之認知，而積聚知識。成為自判斷，自認識之基礎。卻仍是自無明用識中，

唯識之命運。仍在無明深陷，無法出離」！如是，「用識之無明相應，與輪迴之迷縛」。

由「認知」、「知識」、「想像」、「觀念」、「經驗」等，「自意識種，花果性相轉化之活動」！皆是「無明阿賴耶識體，體性相之活動，如是自然，廣大十法界之範疇」。

如是因緣著，「認知」、「知識」、「想像」、「觀念」、「經驗」等，「用識之作用。與自意識思惟，相應自然之意識變現。如是自識縛，無明之作用著」！如此「用識，自然之體性象相的；自意識的，無明」著。

人生之「修道」、「行善事」、「作惡事」、「世間自然之善惡作為，與戒定慧」等，若「不能離識、捨識皈空。更而，究竟滅空，入定等。皆仍非真正究竟之覺悟」！

歷經長久「以為行善，用功的努力；仍是自

處於無明之自識，與用識」中。若能「深契，自
超越以為之識種相。與捨離工夫之涵養。即能突
破迷縛無明，深契當下究竟之覺悟中」!?

　　在「自用識之使用；歸納而做結論。如此經
驗思維的，卻仍是唯識論的束縛」著!?仍在「自
用識之生活。仍繼續著自無明識種，體性花果性
相之延伸」。仍是「無明相應，而經驗受用之生
活」著!?

　　在「自我以為，自知識理解用識之使用；大
膽的，參考佛經記載諸聖者之心境。自突破著，
自我之出離」。於「究竟深契，真正無性相。深
契之實踐，與究竟的覺悟平等」。

　　在一切，「究竟覺悟之自捨識。該皈於如何
捨離之作為。才是深契覺悟，究竟之心境」!?更
而「深入無識。無無明盡心境之契入」！

　　如此「究竟無識之心境，與無性相之究竟。

與絕對真相體之精神領域」。如是「廣大究竟光明體，全體全然之實踐」!?

在「自不迷，與不用，如是十法界，假之心境」。更「深契，空空自如，一真法界，真之心境」。如是「分明深入，真假法界的突破」。「當下深契，真正行入中道的，真理真實之內涵」！

一切，皆是「無識」、「無性相」、究竟「畢竟空體」。絕對「如如，廣大光明體」之自在。如是「廣大緣起遍照，菩提造化之展現」。

如是「自見，與自看」中。自然遍照緣起，自然法爾現象之圓融，「廣大吉祥如意，菩提造化光明之流行。在直視的，廣見看中。能因此，分明照見，往昔的生活諸相。能一一，照明顯相，同體之分明智慧，與畢露之分明」！

在直入，「究竟覺悟之捨識不用。如是自

然的，自如如之涵養。與遍照緣起，菩提之造化」。在「自然緣起的一切中，皆是放光，廣大的遍照」。

　　如是「歷歷在目」！展現出，「一切諸象相的，自然造化。回畋自看，皆是萬化佛意，自然菩提之造化。同體智慧分明，造化之顯明」！更於「剎那中，念念。皆是覺悟的明見」！

　　往後，「皆是廣大自在體之真理，與究竟真實之精神體領域」。「更在此中，皆是真實究竟。廣大全體，理體之光明」！

　　再再「完全無所得之究竟，皆是自性佛，廣大擴充之涵養。能自然，深臻究竟。皆是般若分明，智慧之同體。當下，皆是究竟全體光明體。真理真實之實踐」！最後，「終於在自空中本質，真理之定義。完全深契，究竟之覺悟」。「遍處遍照的，皆是，究竟佛地者，能深契之自

在」。

在自「究竟捨識不迷，實踐之工夫，於外現象、內受用。與自觀念、不思議性相之出離。剎那當下，深契究竟之絕對」。能「究竟覺悟，深契平等」！

更在「廣大之遍照，與隨緣；如是，同體分明智慧，與自然法爾現象之圓融」!?

自能「因此究竟深層的，覺悟。覺醒的，深入著。自然皆是，生活在真理定義。與廣大全體，光明體之究竟」！「如是，廣大之遍照，與緣起菩提造化。自然法爾現象，圓融之任運，如是吉祥如意、與智慧之圓滿」。「如是，泯相，皈體的。而究竟廣大，同體一如。廣大真實，體性之全然實踐」！

「廣大遍處皆是，緣起遍照之照明。亦如是自然諸象相，菩提造化，自然法爾現象，圓融之

轉化」著。卻是「究竟心境，一切即一，與一即一切之畈一」。廣大究竟體，無所得之涵養。再再之展現！

深契「無我，亦無法。實臻究竟，真實之真理。自然遍照，菩提之造化。廣大緣起的，來畈。更而深然此中，皆是終畈究竟。吉祥如意，智慧圓滿」的造化！？如是，緣起「自然法爾現象，圓融之來畈」！

於「如是，當下無二平等中。吉凶、好壞、是非、貧富、壽夭、真假、對立等。終能深契，究竟平等，空中本質。絕對真理、無極至極之定義」！如是「涵養，覺心不動之真理。深契絕對，究竟如如體」之涵養！

久之，「自然之真相，於究竟無所得之實踐。自然再再的，深入廣大之圓融，與無罣礙」！「萬法如是，泯相滅盡的。如是深入，滅

而不滅，與不生之真理」。如是「當下之剎那，
緣起遍照之遍處。皆如是同體分明之智慧，自然
之出現」！

　　深契，「自在之覺悟，剎那之頓覺。廣大
如夢幻。當下，自如如，無所得之涵養」。皆在
「剎那，自見」！

　　若能因「此文之出現，如是信入之實踐，共
襄盛舉的，深入」。更無性相之深入。因此自入
其中的，實踐！豈非「人人，皆能如夢幻之迷失
中。究竟無性相之覺悟行持」。

　　豈非，「大眾皆能，入此無性相。光明真實
體，與緣起遍照。緣起現象，菩提造化，自然法
爾之圓融」。如是「深契，究竟無所得真相。與
究竟回皈，廣大平等之實入」。「同體，全體廣
大，光明體」之同樂乎！

　　若能「實入，如此真正的覺悟，剎那緣起

遍照，皆是菩提造化之自然法爾，現象之圓融。豈非實契，當下永恆。剎那今生之得渡」！深契「究竟覺悟，平等自在之大樂」哉！

能「無所得，真相體的實踐。享受究竟涅槃，自在之心境。更於今生本來空幻，自短暫之生命。能當下，迅速無性相，畢竟空體，究竟覺悟之真理」。令「廣大信入者，能因此信入真理。完成無性相，皈體之實踐」！而「當下之剎那，皆能實入永恆之空中本質。與本質真理」之深契。

如是，「自然法爾的現象圓融，卻是自在之禪定。卻是任運之無礙。皆能，如是自禪定般深祕之心境」！即是，「諸佛之究竟涅槃」！

因此可知，「許多參研佛法、道法、術法、修持者，經常陷於經典研析，與經驗理論中。而用識的，仍是無明識種花果性相的，自以為著。

仍是自無明，此識縛相。而如此無明的，自修煉」著！仍在「自識的，用工夫」著!?仍是「自無明之在識，與用識」！

「大多修行者，亦皆是行入禪中。而進入識空相，與不動相中。仍是自持，自識之以為。而深契想，與相之泯滅」！更在「自持，自識空之定中。仍是，自識空之活動」著。「自以為不思議，神通之想。與諸想相之導引。實際上，皆仍在自以為想。與不思議之自用識心境」！

仍是，「如夢幻般的，參研著。如此之自以為。如是，不思議之導引。與相應著，幻相。卻仍是自恃，自無明用識之繼續」。仍「無明，自恃以為著」。更而「以氣飽神足，氣色飽滿之外相，而自識認為，法相之莊嚴」！因此，更加深「用識空，入定的」。深契，「端正，靜坐」中！

「自定之本質。非是靠無明之忍耐，與用識之工夫手法。如是，戒定慧等工夫，而得」。而「無性相之大定體，究竟涅槃者；則是究竟覺悟平等。深契，宇宙生命究竟。與究竟體之真理」！能工夫「無性相，畢竟空體。而究竟無所得。再再涵養，真相體，究竟覺悟，平等之自涵養」！

　　望「有緣者，能自反觀，實看。一切所謂，識以為之神通萬法，與六通明之用識等。仍在無明識體，相應之心境」中！除非「真正，深契用看的。究竟無性相之深定中。方才能，實入本來無一物之究竟覺悟」！方才能「深入廣大究竟全體之光明體。如是廣大遍照之自明，遍處。如此，方才是究竟真理之真實體性」！

　　隨著「廣大究竟光明體之精神領域，與放光照明之擴充。由世界、宇宙，更而無量宇宙。

更而無量諸象相，空間的菩提造化之擴充。有如一鏡，而無量鏡般之重重無盡。廣大大圓鏡之照明，與顯相鏡子般。互相之輝印，與反射菩提之造化」。

更而「全體大日菩提般的，由一而無量的。自建立著自廣大，無量菩提之大日」。如是「大日照明菩提，廣大之妙受用。安立於，不思議廣大。自然法爾現象，圓融之空間」中。

「深契進入，廣大覺悟。一切無所得，自如如之涵養。由識體空，識體空空，更而如體空，如如。如是覺悟平等，究竟真實之真相。妙不思議」。亦是「究竟涅槃」之展現！

如是「菩提緣起，不思議造化之受用。如是象相菩提造化之擴充涵養。更而妙不思議，無量菩提，造化之擴大」。如是「自然法爾現象之圓融，與隨順之圓滿」。

於「六根，十八界法之應用，諸象相之造化而言；皆是妙象相般。如是由一，而一切的。卻當下剎那，又如是一切，皈一」的!?「更而，皆是永恆，與剎那之平等。皆在當下」！

　　如是，「廣大光明菩提，造化之展現。自然緣起遍照身體，逐漸之淨化。如是奇妙又自然，變異中，自然自是的。神清氣爽般，真似神仙之在世」。「身體輕盈，年輕，又健康」!?

　　又「如是的，展現著。自然由內而外的，擴充諸相。與象相間，人事地物等；皆是迎福去凶，大吉之象相」來皈!?如是，「吉祥如意圓滿菩提，自然法爾現象造化之展現」！

　　如此「自然之清靜無為，轉化。不修，而自然修；不練，而自然練的。自然皆是，緣起自在，神通之廣大」！皆是「諸象相，吉祥如意，智慧圓滿。廣大光明造化，變異之法爾自然」！

更而「無所得，無性相大定之受用。皆如是，同體光明智慧之任運無礙。更在全體全然，法爾自然現象，菩提造化的展現。自然如是，同體深妙智慧。分明之圓融」。如是，「究竟涅槃，自然真相之表達」著!?更能「再回皈深臻，更廣大真理，究竟之定義。因此究竟大覺悟的平等，深契。更而再再緣起，廣大光明遍照之流行」。

論述無明的必要

「無明之定義，為生活在現實中，自然於感受、觀念、因緣、現象等，無知無明的活在其中。卻不能分明」。其「識種之來源與相應。亦無法分明，其中之判斷，與抉擇」！

而累劫人類的「無明相應，皆是因緣累劫無明相應之阿賴耶識種，花果性相之表達」。如是「表達，肉身之觀念、感受、因緣、現象、變化等。如是無明，活動之受用相應」，表達中。

當下，「自無明選擇的，於利害得失、是非善惡等。無明相應判斷之決定，與命運之抉擇著。於人生表相活動之無明其中，用識之活動」！卻是「人類無知究竟真理第一因。與無明之判斷，與因緣等之使用」。

原來，「皆是無明其中，如是昔性。累劫無明之使用」。如是，「用識識種之花果性相受用等」。如是其中，「自以為肉身，無明用識之受用。於觀念、感受、現象等用識中。自以為深在其中，理性分明之表達」決定！

　　所以「無明其中，如夢幻之當下。卻是究竟平等，分明覺悟者，能因此深契。廣大究竟光明體」真理之真實。於繁雜「無明當下，今生人類之活動。如是無明用識，昔性無明之使用。活在其中，如夢幻迷縛之無明」。更因此「破相超越的，分明認知。如是，突破此無明」之狀況！

　　如是「活在其中，卻是莫明其中。仍是自以為肉身，自然習慣之反應。如此，不能分明之因緣受用狀況。即是從種子之原始無明，而後花果性相之活動無明」！仍是，「繼續活在此無明。而後見到出生之無明，與死後之無明」！

皆在「如是，繼續如夢幻，茫然之無明狀況。繼續用識，花果性相的；如此一生之無明活動」！「當下因此，能找到無無明的，識分明。與明白狀況」！?

　　本書「長篇大論的論述，無明用識的一生。相應想相，與無明狀況」。「主題，希望能透過昔邪師，長久為內心慾望；所作之兵法用詐」安排。更「突顯出受詐的我們，皆是在無明的迷失，與用識之久遠中。表達著累劫，迷失無明昔性之自然。如是無明之迷縛」其中。

　　卻是，「長久無明，迷失莫明，單純之個性。於茫然無知無明之接受，與用詐之迷失中。無明，無知之信入！仍然，皆是累劫無明相應。與阿賴耶無明用識，以為的昔性」。為長久「無明自以為之迷失。與自迷失糾纏之迷縛；如是仍在，無明的狀況」。

因此，「長久迷失，皆在無明，容易之信入。如是，受縛於自用識。與無明其中之分析」。而仍是「自以為的，無明之狀況。只能繼續如此，無明自以為的，相信」著！如是，「長久無明，信入之堅固」！

　　如此，「繼續內外的，無明之輪迴。長久相應著，如此自然無明之其中。描述著，現象之無明。為無明之基礎」！「如是真相，以啟大家，能深入本來，無明之真相。而如是，識分明」中！

　　如是「長久無明，輪迴之當下。即能因此，深契當下；幻如平等之深契。直入無明」中。而「當下深契實相，與中道之涵養。究竟深契無明，進入絕對之當下」！

　　因此，「直入突破，無明如夢幻之必須。方才能覺悟，深契究竟。真理光明，當下之絕

對」。如是，「無明，而光明的，廣大遍照。緣起之菩提造化」！

如是緣起「絕對究竟光明體，真理如如之涵養，廣見遍照，菩提造化之照明。能見到無明，如夢幻。更因此深契，往昔故事。無無明真理之事實」！亦「因此進入，真實覺悟。工夫內涵之心境」。

直入「廣大無明，當下之識分明。與更深自覺，工夫之再再。如是長久無無明盡之工夫，因此深見。往昔無明，故事之必要」！如是「當下，才能究竟，平等之真理真相。與真實之因緣果報」！

所以，透過「無明生活之今生寫實，雖然繁瑣不堪。卻是如夢幻今生，無明之身歷其境！累劫而今生，人類如是本來，無明文化」之影響！？以至「無明，不知覺中。仍在長久無明用識，昔

性之以為」！

如是「今生無明，繼續長久之迷失。於人類昔性，無明相應之今生生活」！若沒有「如此長久的，無明迷失過程之現象。怎能自覺突破，與經過淬煉。本來無明之迷失!?而深契究竟之覺悟」！甚而，「當下深契究竟廣大全體之光明體。如是直入當下究竟，絕對之真理」!?

透過「超越如夢幻，中間之過程，與當下覺悟的努力。如此，深契平等，無明角度的進入。當下深契，究竟之覺悟。如是因此，究竟之識分明」！更而「當下，平等究竟。最終，深契究竟，全體之光明體」。

如是，「究竟真理，廣大照明遍處。緣起平等，自然法爾圓融，現象之菩提造化。以遍照緣起，取代無明相應！絕對深契，取代相對無明。菩提緣起，取代無明迷縛」等！如是「必須，長

久無明事實，故事之敘述。在長久人生經驗之閱歷，忍耐之閱讀」！能在「無明人生，不知覺的，能深契深心。自覺分明之體悟」。

必在「無明其中，如夢幻中間過程之超越。見到如此，長久之迷失，與無明之經驗」！能因此「自無明當下，究竟破相自覺的。廣大分明之自覺，往昔無明故事中，受騙之真相。因此無明過程之突破自醒，見到真實之實相」！「更因此，最終深契，究竟光明體。絕對之真理」！？

如是，「透過累劫，而今生，當下之無明昔性，為基礎。當下因此，自覺分明，超越之覺悟。豈非能因此今生，迷縛之無明中，淬煉出。真實現象中，究竟真理之光明體」！因此「究竟覺悟分明的，真實之究竟。絕對之實相」乎！？

「希望讀者，能因此透過今生，而往後之無明。此間迷失，受騙故事之覺悟！如是，必要分

生活的大智慧：進入自性佛❶

明的，無無明盡工夫之超越。而能因此，自覺，破相當下。如是，平等真理之事實。究竟之絕對」！與「同體一如中，緣起菩提造化，與廣大之遍照。照明造化，智慧分明之顯明」！

　　為何「累劫而今生之無明，為當下，超越之必要。為其當下，必要之覺悟!?如是，必要超越破相之十一法界，與中間過程呢」!?「沒有累劫，而今生之無明，為基礎。如何釋迦佛，能因此基點，為基礎。論述十法界，與一真法界之十一法界，為基本之定義」呢!?

　　所以，以「究竟真理，與究竟絕對，真如之內涵來看。如是，如如之本質。與絕對廣大之全體。與廣大遍照之照明，而論」。即是「當下，能深契。究竟之覺悟，平等。如是深契，破相，究竟之涵養工夫。與分明之自覺，究竟」！

　　所以，「今生當下，相對長久，無明之過

程。透過長久，如夢幻，迷失其中之敘述。因此當下之覺悟，見明。真實生活之淬煉」！由「無明相對之相應，能因此當下。深契，究竟之絕對。廣大光明體，與放光之遍照」!?

由「當下，相應之無明，而深契究竟，遍照之緣起。由用識糾纏，無明之迷失。而深契放光遍照，同體之分明，智慧菩提」！由「當下無明，能因此深契。平等光明體之放光。更究竟深契，到究竟真理，光明體之放光」！

如是「廣大光明，相異之二分法。如是不同，心境之論述。卻是由二分之相對，而深契，究竟絕對之平等！如是之究竟，皈一」！更而「究竟真理，與廣大究竟光明體，絕對照明，遍照之實踐」！

經由「後敘，〈無明〉（上、中、下）真實過程之論述；卻因此，相應讀者莫明的煩躁。

與無量無明，痛苦的相應。甚而莫明排斥，自以為心境之產生」!?但，「這是真實無明之事實內涵，需實參淬煉」!

但在「如此痛苦，無明受用之相應中。卻能當下，淬煉出，廣大真理。與究竟之放光照明」!如是，「覺悟，分明之淬煉機緣」!?自然「究竟真理之實契進入」!

甚而「因此無明，當下見到緣起遍照。與照明菩提，究竟中道之實相。即是因此進入，究竟涅槃。與菩提造化之心境」!

若能「因此原始，無明之相應。見到〈無明〉（上、中、下），所述之曲折妙相。即能深契，究竟覺悟之自見」!如是，「如實受用，廣大之放光遍照。與照明菩提之自見」。

因此「自見，是否為本來用識，無明之相應。或者為同體分明智慧，緣起之照明」。如

是「長久迷失受騙，關鍵之分野。與究竟之真相」!?所以，「後述，長久連續之信入。與無明過程文章之閱讀。真是，必要之參考」！更是「今生，當下，淬煉究竟之覺悟。必要超越，自覺的。真實之過程」！

什麼是「無明？就是活在其中，不知其中。而行為其中。當前世，阿賴耶識種子的，花果性相流露時。身體的感受、心中的感受、整個空間的感受、和現象的感受等。都仍是迷縛，在長久無明，與困擾之迷失」！如是，「活在其中，不知其中，而仍是迷失其中。而且深契，無明，不知道」中！

所謂「究竟光明體的感受。就是深契無無明盡，與究竟，無性相，畢竟空體的工夫展現。在心境中，完全沒有活在其中，迷在其中，不知其中，莫明其中的現象」！當下「究竟覺悟中，全

體都是深契。整個光明、安定。絕對、真實」的心境！

「無明，是活在其中，不知其中，又莫明其中的，迷失其中」！完全，找不到。「無無明，與無無明盡。無性相，畢竟空體的，真正內涵」。

譬如，「過去的我們，就是因為活在其中，不知其中，而無明其中。因此，渾然不知中，相信昔邪師。過去所講的一切、所表達的一切。和所展現的一切」！雖是「廣大變化莫明，與無明的內涵。卻讓我們，迷縛尊師重道之禮儀中。因此深陷，不再警惕。自己本有的無明作為」。更而「深陷其中，無明的，長久迷失其中」！

就是「相應長久信入，與外面無明的現象。而自己又是作了，不再後悔，無明之心境迷失。所以長久，如是的。活在其中，無明其中，不知

其中，迷失其中」！在「完全迷失中。已不知真相，為何」!?

所以，在「活在其中，不知其中，無明其中的，現象中。如何因此，活在其中，而能因此分明，自覺的突破」!?如是，「身心莫明的，無明其中。不能因此，進入到絕對。與無無明盡，無性相，畢竟空體。深契究竟，全體之光明體。與遍照照明」！如是，「廣大菩提，造化之究竟覺悟內涵」!?

就在「感受、觀念、現象等，活在分明之捨離。與不要這些感受、觀念、和現象之受用，與迷失」。也就是「深契，完全不要迷失」。因為「活在其中，與本有無明之其中」！

「迷在其中，不知其中。就會繼續被莫明其中。所玩弄」！像「昔邪師，就是長期利用兵法詐術之使用。而展現長久，迷惑無明的。魅力之

展現」！

在「不要無明之使用，與中間過程的玩弄。以當下之無明過程與現象，為基礎之參考。而淬煉著，不要無明之分明」！如是，「不斷的涵養。無無明盡的工夫內涵。甚而達到無性相，畢竟空體。究竟廣大，光明體之進入。如是絕對究竟，真理之內涵」！

在「後載，〈無明〉（上、中、下）之敘述，描述著人類，累劫身陷其中，不知其中。迷失其中，活在其中。又繼續，在無明其中。就是深契累劫長久，昔性之無明」中！「難以分明的，脫逃、與離開」！

如此「無明其中的，迷縛受用之因緣等。透過長久無明的論述，若能愈深入其中。前因與後果，愈看，愈分明時。就能進入到，無無明盡。與無性相，畢竟空體」中。「深契，真實體。究

竟工夫的，涵養心境」中！

　　若能把「〈無明〉（上、中、下），所敘述之所有內容。看得透徹、分明。即能，不再被長久迷失之無明，所迷縛。能究竟捨離，一切用識的，無明使用」！「當下，即是能進入，深契無無明盡。無性相，畢竟空體的。工夫涵養」心境！

　　透過，「長久無明探討，研習之論述。與長久無明昔性，為基礎應用之必要。則能，因此真實的，以無明為主題。深契當下，分明之超越。和覺悟」！

　　就在「長久無明，本有迷失之束縛中。能警覺驚醒的，直接之突破。和覺悟」！「直接透過『無無明盡』的工夫，與行持。而深契究竟，無性相。畢竟空體的真理內涵」！

　　如是，「進入究竟，無性相。畢竟空體的

心境。就能找到，深契全體究竟，光明體，與自性佛的內涵」！即能「真實體性，廣大遍照之照明。與如是同體，廣大分明，智慧菩提之分明」！

「我們心中有個太陽，外面也有個太陽之覺悟。如此，同體分明。能實契究竟，廣大照明之遍照，緣起的，而不是糾纏相應的！就永遠不會，陷於無明的。迷失」！更「活在無明現象的，繼續。如是，即能進入到，究竟覺悟之平等中。完全究竟，全體的，光明體」！

「身心，完全都是，精神飽滿的，完全都是自覺，分明智慧。廣大光明體充滿」的！這才是「論述〈無明〉（上、中、下）三段文章所述的，同體智慧，分明平等的。究竟價值之所在」！

所以，「無明之經歷，是必要，自覺超越

的，原本之基礎，和過程。而本文，論述無明的必要，能因此深入。無明現象之不知覺相對，進入絕對中。究竟統一，平等之醒覺。與當下之超越」！「進入當下究竟之覺悟，與究竟之平等。與究竟全體，廣大之光明體。這是，非常重要的」！

其實，在「自然法爾，現象之隨順造化中。若存有莫明之障礙，與長久之不順。即是任運無礙中，仍然，相應無明障礙，存有之痕跡」！即是「無明現象中，仍然存有，警示之分明語言」！?「豈非」乎！?這是，「最重要之關鍵語言」！?

而「廣大的光明遍照，任運現象中，應是吉祥如意圓滿之真言。才是真理之究竟」！?「若非如此之圓滿，即是存有無明之困擾，與障礙之現象」。由此可見「端倪其中！?這是，必參之真理」！?

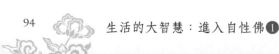

第四章

無明（上）

　　所謂的「無明，即是活在其中之日常生活中；隨著肉身六根官能之感受。更而相應現象時，個人自身反應著，從出生以來，皆是無知，無明的行動」著！「用識的，真實生活」中，自然無明的，「相應與反應」著。如是「無明行為決策著，如此無明命運之吉凶」。

　　如此「無明命運之自覺，卻是無明與無知之意識與行為。完全無明因緣，相應著；皆來自無明識田之識種」中。見到如是「識種花果性相般的，活動於諸內受之觀念，與外現象，內感外應之廣大相應作用」中！

　　「如是無明中，卻仍是自以為之理性分明，與自然堅定的判斷，與正確行為之決策著。如

是，無明，卻自以為分明之意識」。卻是活在「無明如夢幻，迷失之用識中，如此，生死輪迴著」！

人類「從出生到長大成年，從小，皆接受著，制式般的教育。透過如此無明般的，教導方式，人們皆是無明傳統文化的認識，而接受著。如此外在制式般，生活現象的環境」。更「接收著無明世間，傳統世界文化，與一切山川地理人物等影響」！

一切「皆是如此自然，因緣無明，各自之認識。而唯識薰習，與無明攝受轉化著。自然如是，啟動無明識種花果性相般的，如是，歸根之作用」著。「自然而然的，在唯識無明，成長的環境中，生活」。

自建立「理性邏輯般，如是有條不紊」之規矩。如是，「理性意識，識種花果性相，自建

立，無明含藏的，思惟。皆如此活在無知、無明中，累劫傳承，無明賴耶識田中。自然體花果性相般，變幻無明識種相之意識活動」。卻是「活在累劫，無明自己之精神領域」中！

即使在「無明內外現象中；皆是自見到，而自執以為的。快速自相，無明的反應著，如是自無明其中，活動受用觀念等。色、香、味、觸、法之快速表達，於活動」中！

更而「透過時代傳媒，不斷而快速，顯現之擴大。以訛傳訛，或真相之渲染擴大。如是無明，廣大擴充般的，傳播著。而多角度，如是無明相應影響著，內外現象。如此傳佈回畈，由外而內的，自他如是各自，無明識種性相」。累積「含藏於無明，信入之攝受中。無明經常的，進入自內攝受之深藏」著！

自然產生「觀念、感受、價值、活動、工

作各類等；種種不同無明意識，影響之個因。如是，由外感內受的，又各自回皈，各自之無明」。於「因緣無明，互感相應之影響中。卻是自迷其中的，無明攝受之深藏」著！

如是「藏於無明中，識種性象相的。透過人生中，相應歲月，因緣之各異。自然展現著，往昔歲月之昔性。自然與感受、現象等，無明今生之自然流露」。如是「不知覺，而無明生活中流露。如是之自然；於內感、受用、觀念等，無明之意識思惟」中！

再次的「回皈理性與否，無明之處理，更分析研究比較著。如是，自心受用感受，無明情緒之紛擾中。如是，於自無明意識，諸內外現象」中。而如是「激盪理性，與衝動與否之抉擇」。

更於「無明其中，自感受、自意識，再再的，無明自迷縛識相，奔波翻滾著。由外而內、

由內而外的。更而識相紛紜，無明內外交雜」。皆是「無明深縛，自意識種」！

在深陷「自無明中，無法脫離無明之識相。其中又深陷無明紛雜昏暗，自意識活動之諸相迷縛中。更入自混亂，而無明無序中」！在其中，「無序的，交雜影響著。紛起無明，疑惑、憂鬱與徬徨」不決！？

如此殊異「無明，與分明識變之導引。於其本有無明之識種昔性，展現著藏識種中，識變與突變」。「導引象相，如意識變轉化」之變異！

如是「再再相應、再再含藏、再再出生、又再再變異著；又再再轉換著。如是無明，莫明的胡思亂想中；自己的情緒與受用，不能分明的控制」！因此，「做出無明人生命運中，自以為；卻是無明，自如是之結論」。

最後「自以為理性的行為，與決定，卻是無

明執識相其中。而如是自無明其中。更自入長期相應，以為正確現實，現象的結果」！卻是「如夢幻，廣大之迷失」。

「其實一切的流露，皆是無明識種子，花果性相般。皆如暴流般的，如夢幻的」展現。如是，「強大的顯相事實。皆是無法控制」的！

譬如「昔邪師，能流露廣大識相，花果性相之導引。從小，無人教導，就喜歡騙人，如同狐狸般。其實外貌雖很誠實，而內心的流露，與充滿之思想；皆是含藏有狐狸般，識種子之內涵。於其無明，相應觀念之昔性中，自然展現著，能強烈騙人，無明之相應」。「流露於，從小到大的觸緣中。皆是如此昔性，自然之反應」！

又「經常深陷，無明自識種，強烈慾望尋求，迷縛之迷失。但，自祕心中，卻是自以為。強烈昔性的自執，與廣大自以為之自迷。如是自

認為，如此作為，才是今生中，應有自祕心中，廣大之分明。與究竟應有，理性之抉擇」！如此，「自執如是，自然之作為，才是真正成功，造化之道」。

如是，自認「如是自作為，才能成為真正，自祕心中的自己。亦是往後，損人利己中，必然祕密布局，成功之經驗」！以及爾後「自然，昔性今生，模式之人生」。

其「殊異，與生俱來的人格，特性中，莫明，含藏著慾望、兵法布局等，於色情金錢之追逐，與迷失。更強烈強取豪奪，軟硬兼施，兵法騙術之使用。如是強烈昔性中，狠如豺狼、毒如蛇類、凶如猛虎獅等行徑。唯有獨立，祕密生存，才為主題」！因此「經常行為中，柔能哄騙，百般糾纏。表面言語，於公開場合中，更是大言不慚之正人君子」！

「隨時，皆能隨緣，巧妙布局，各類之交往，展現不同之言語，與諸相長遠局勢之圓滿。只要相應有緣者，皆是豪奪騙取之目標。與短中長期，布局之考量」！平時，卻是「不露相，隨和之圓滿中，與廣結善緣。柔和正人君子的，表達」！

　　如同「動物世界中，弱肉強食般。在受獵食之前，無明之受食用者，皆是無明其中的。更在巧妙的，自願相信中，完全的相信，而自願為其犧牲」！受其「獵殺，食用」。

　　「如夢幻般的，無果報，自以為之自執中。卻認為，識變諸相之演化結果。如此奇妙，深奧轉變之技巧，能影響著因果」！在「識變種，花果性相」中。自然「廣大無明相應之必然」。

　　如此，「自祕心中，卻是不信因果之必報。於識變轉化受用之自我迷失，如是試煉著今生，

兵法之應用，屢屢皆驗，得利。仍因此，自迷如是兵法，與識變之轉化力。如是，豪奪之利與執中。仍因此，如是自執之自以為。能如意的，奪取成功，以及過後，存神自信」之內涵！如是「長久顛倒之迷幻，因此能長久的，驗證其利」。

這是「自以為，過後存神之自信。更殊勝自以為，能強力識變之榮耀作為。如是累積，成功經驗之信心，因此，一而再，再而三的，自信能俱，騙術之高。實在令人訝異」!?這真是「真假互替兵法，迷幻證據。如是，自入自信，自受用成功」。如是，「執迷自祕心之自大者」。

長期「願意助其本來貧困之生計，雖經十年生活之安排，如是，歷經三十五年，等待其償還諾言之實踐，方才近日，到期不兌現，與還債之承諾，不履行時。才見究竟分明之覺悟，如是自

見，現實破滅之分明。在回見之分明中，方才恍然大悟」，「長期受騙，迷失之自醒」著！

如是，「長久自恃之自無明，因此，長期自然之無明執識。卻是仍執，自本以為，與迷信執迷，本來應有之命運」!?怪乎!?「明明，是長期騙術作為之布局，卻在深迷，無明其中，如是長期無明，迷失之結果」著!?

昔邪師「長期，用識轉變，兵法之應用，反應快速。更長久計劃，布局。符合當時之巧妙」。卻是「無明信入之受害者，活在莫明所以中」！

卻是「受害者，信心堅固的，任其獵食，卻感恩中。為其犧牲，是真實局勢之必要。如是巧妙布局，利害得失時機之因緣，令人難以懷疑。真是獵食分明，而恰到好處之巧妙。已然祕心轉識，與識變應用，巧妙契合之純熟」！正是「信

入迷失者，深陷長期無明之受縛。真是布局，恰到好處時，真正能食用的程度」！

如是「難以分明之作為，更吹牛般的，投石問路之使用。如是妙用，真假交叉中，祕見人心真相之兵法。更而，不實的吹噓著。更加，真假交互，應用之作法，震撼撥動著，人心」！

在「不知覺之無明中，深刻入每位信者，深縛之識種花果性相。莫明，而深藏著。更以祕念心想，巧變識變之應用，轉識虛幻，詛咒般」。「識變諸相，應用之使用著」！

經常「吹噓昔日之輝煌經歷，以此誘惑著信者，深入迷幻之心境。令人不知覺，好奇的，深入無明用識之深信中。如是，自以為之迷失。卻不知覺，令人難以捉摸的，無明迷失其中」！如是「真真假假般，不知不覺的，繼續著無明之信入」！

「不進可惜，卻不得不，深入虛玄奧妙中，而深信著。卻是如此，無明的迷失，茫然處在，長久迷幻，如夢中。如此，令人在無明不知覺」！如是，「無明其中的，迷幻其中」！

「短時間，雖疑惑，卻在自迷縛，識種花果性相，無明之相應中。自然莫明迷失的，轉出莫明識變，想相之出現」！因此，「引導深縛，信入之諸相。不知覺的，陷入深信」中！

「令人無法分明的。卻是實際中，諸相之識變。如是，隨入中，隨其擺弄迷縛，祕意之深藏。因此，兵法布局之用心，用於意識之安排中，如是顛倒其相，震撼迷心著。真是聞所未聞之作為。在識變兵法布局之配合中，如是巧妙真假」之展現！於「內外受用，無明現象，迷失之變化」中！

其「莫明識變祕法之作為，如是祕入心中，

 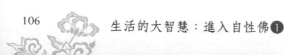 生活的大智慧：進入自性佛❶

巧妙安排著，裡外互契的，攻入，人心之巧妙安排。在世間，難以置信之作為，卻是無明迷失中，難以割捨之不信」！如此「經常，誇大言語，聳動之表達」。譬如美國洛城，有阿拉伯王子，贈送之防核豪宅。卻在莫明，難以深信，與無法徵信中。不得不，迷失其中的，深信不移」！？

更「無明其中之迷失，屢次展現，狂放吹牛之虛幻。卻在真假虛幻，不能徵信，莫明真相之無明中。屢屢，隨緣廣大親朋好友，迷失的，廣為傳播著。在廣大好奇心的，驅使下，自然建立著，莫明之深信」！更而「深刻入無明識田之識種，如是花果性相之迷失，與跟隨著」。

甚而，「廣大隨信者，皆在其中，卻自祕充滿，夢幻之想相。更堅固無明的，迷信著。以為跟隨其左右，能有飛黃騰達，成功的未來」！因

此「自祕心中先立定計劃，願意長久的跟隨」！

「昔邪師，從小沒人教導訓練，卻能自深內意念之流露中，自立著昔性，廣大自識相的展現。如是獨樹一幟的，更俱足廣大識種，能花果性相，廣大的迷失人。如此堅強之用識，與廣大自信，識變之特性。從小，就能不露聲色的，從一地，而另一地的，逐獵物，而居。如此，從小到大的，不斷迷失人的，流浪著」！如此，「沒人教導，卻能自深內流露著，廣大昔性，準確的，強力的。變換著，不同角色之展現」！

雖「受騙者眾多，卻一地又另一地的，隔絕中。令人難以捉摸。皆如是自然因緣中，自然緣起無明之相應。能見到，含藏深內識種，花果性相，如是變化的，教導今生之奇妙表達」！

如是「前世能騙之表達，含藏深遠的。皆是無明相應，強烈錢與色之慾望種子展現。更

  生活的大智慧：進入自性佛 ❶

而，用計布局，迷騙，與強佔。如是奧妙，用語之安排，與兵法等作法。如是，前世而今生的，祕識自心。滿是強烈，自然因緣，識變的。相應著」！如是「自心表達著，顯相於，如夢幻之今生相應，變化之表達」中！

如此「強烈習慣性的，建立自心之通達，變幻巧妙之兵法，長久布局，詐術的展現。卻能巧妙契合，長期布局。如是，東打西撞的，規劃引導，騙盡信者」！如是，「因此展現，前世今生，漸次由小範圍，而大勢的，開展著」！

如此「前世今生，展現之內涵，深藏著廣大識變轉化之詛咒力。如此看似無明，卻是前世今生，自心通達，識分明之識變應用。於變異諸象相，交替之應用著。如是相應之識明應用，祕藏心念中。皆是時時之祕心，與念念之應用」！如是「巧妙，識分明的作用，轉換應用著，如是更

深，契識光明的可能，深入」著！

如此「信入者，自願信入，含藏攝受，信入之種子中。更而自願信入，自無明，而莫明之含藏。如是深契自然的，信入中，如是，深內之識種。如是自然，隨緣體性相般。如是，莫明之相信」中！卻是「信入者，自願，而歡喜的跟隨」！？

皆是「無明不知覺中。無明其中的，莫明受束縛著。昔邪師，能明言巧妙，兵法之應用，與祕念詛咒，想相之實踐。更加之，自然之默言中，於行止間。皆能生出，巧妙自祕心中，識變之轉化。如同，自然現象中，如是生出催眠般。在因緣者而言，如是深內之識田，自然皆是，無明受縛，識種花果性相之迷失」！「如是因此，造成追隨信入者，諸相奇妙，迷縛之奧祕」！

類似「咒術，與催眠術之應用，以至於自祕

心念中，無形無相，識變用識，巧妙之施作。能於祕念，轉識念之識變中，如是趨吉避凶的，布局」著！如是「不露聲色的，使用著」！

「行如蜻蜓點水般，不露痕跡，巧妙，自祕心思，結局」之奪取。卻是因緣「受害者，卻因此表現，莫明感恩之連連。如此巧妙思想，祕心之布局，令人難以發現，與察覺。甚而，缺乏現象中，現實之證據」！真是「行於無跡可尋，無形無相中。卻是厲害用識之布局，變幻轉幻，高明之騙術」！

所有「受其蠱惑言語，而影響之信入者。內涵中，皆隱含著，莫明其中，自願意之展現。皆是，本有累劫無明之前世，已然之建立。如此無明前世，而今生，自習慣性的。無明其中，莫明之經常」！卻能「無明其中，不知覺的，經常使用。深契莫明，自含藏，識種中，如是花果性相

之特性」！

　　自然「展現於無明前世，而今生，如是迷失，無明識變相使用。如是無明其中，卻能輕易間，因此莫明之轉入。皆是令人迷失，在無明中。卻是快樂的，輕易深陷無明，自入迷信」中！如是因此「自願受縛。於自識種性相，無明受用之抉擇。而無明其中的，堅固迷失，於今生，當下如是，無明之茫然中」！

　　如是，「諸象相的蓄積著，無明前世之習氣，與個性。在不斷含藏中，歷經累劫無明，生死之繼續。如是，自然展現著，不斷強烈無明之顯現」！於「今生無明生活，自然展現之象相」中！？

　　「更見，再再自然無明之展現；皆是無形無相，卻是無明其中之表達。皆是來自，本源無明，前世昔性之深藏」！如是「深受無明迷失，

性相之相應」。

「真正之聖者，如修道之釋佛；最終進入真理之覺悟。深見廣大之光明，與究竟光明體之如如涵養。依其相關記載，皆揭示，曾擁有鉅額財產、家宅、身份、權力等。皆能在前世今生，自然之流露中。強烈表達視如無物」般之心境！

如是自然，「強烈看破世間諸相，如夢幻。終皈死亡時，一無所有之事實。而堅持分明的覺悟，與不迷」。因此，「堅強的深契，究竟捨識無明之根本，而毫不眷戀」！

在「割捨中，甚而堅持全部的，放棄！此皆是，前緣識種，今生必然，如是之顯相作為。如是，今生因緣逢時，而如此之自然」！如此，「堅強觀念，與今生命運之決定與受用。自然如是，前世今生，必然如是。令人訝異，卻是符合究竟真理之表達」！

吾人「昔日內心中，經常散發著，為了生命真相之追尋，百般苦難，難忍不能忍，皆能堅忍心志，不惜代價的，向前而行。這亦是吾人前世今生，累劫之心志!?曾經，自歷練著，滿是魔相之誘惑，與壓迫、恐嚇」等!?這是「昔日邪師，經常之迷惑。如是無明之識變相，如是夢幻之使用。經常祕念著，迷失著，迷縛」中。

　　在如是「自我深陷，無明以為如是的，迷失中。皆力圖效法，釋佛入魔淬煉時，如何分明的，深入真理之覺悟。因此能彰顯，正法究竟之顯明，而努力」著！在「長久努力自覺中，自然深契，本來面目，究竟無所得之真理事實」！「自流露著，來自深內之廣大照明。與諸象相，遍照照明，緣起之造化菩提」！

　　在「如是，自內在之覺悟，廣大照明，同體智慧之分明，更入究竟之覺悟。自覺悟、究竟捨

生活的大智慧：進入自性佛❶

離。與無性相、畢竟空體的，再再看破中。剎那深契，在魔相之退盡。進入完全究竟，朗然之清淨」。如是，「廣大全體光明體之深然自在，安定」中！

最後「終臻，苦盡甘來，能緣起，廣大當下，遍照之照明。如是，同體智慧，分明之菩提造化心境。自自然中，廣大看破，無性相，究竟皈體的，深契，究竟，恍然大悟」中！

「在廣大自見中，如是自見識種性相，如夢幻般之無明幻滅！？自然當下，回皈，廣大究竟光明體，自覺自照」之覺悟！

「剎那當下，皆進入究竟無用識之心境。最後，終於找到，離相破盡，深入本來無一物之內涵。究竟覺悟平等，無無明盡行。如是深契，再再究竟無所得中」！

如此「自祕體悟，自見分明，而究竟自結論

著。如此究竟之自在，自然皆是，當下之究竟覺悟平等。如此究竟，廣大全體，光明體之自覺」中！如是「深契，真正無性相，皈體之究竟佛身」！

「如是累劫前世之今生，自然今生，無明之現象。更而究竟覺悟平等，廣大分明之自在。遍照照明之菩提造化。在今生法爾自然，現象局勢中，自然緣起，究竟平等之緣起，遍照之照明」。如是，「真空妙有，自然法爾，圓融現象菩提之轉化展現」！在「無我、無法、無無常的，實踐中，再再深契，廣大究竟光明體，與遍照之照明」！「表達著，自然法爾圓融現象，如是究竟真理，同體分明，智慧菩提造化」之顯相！

「當下中，自然皆是，吉祥、如意、智慧、圓滿，自然法爾現象之來皈。朗如，明日般，如

是廣大自在涅槃，常淨我樂」之顯明！

原來在「累劫，本來無明迷失中。如是當下，即是深契究竟，真理之究竟光明體。如是，本來無一物、無所得之本來面目。即是剎那當下之遍照緣起」！

又「再再回皈涵養中，究竟無所得之覺悟，深契如如之涵養。此即，一切即一，又一即一切之匯皈。自然緣起，皆是一切廣大，遍照照明之涵養。與菩提真理，分明智慧造化之展現」！

如是，「圓融，法爾之自然。真是究竟，無無明盡，即是『當下剎那，無性相，畢竟空體』。究竟廣大全體之光明體。渾然體性一如。即是，究竟絕對，真理之本身」！

無明（中）

　　如此「奇妙、又突變不同；萬化殊異之無量識種。皆含藏，於萬物、萬化，與人類無明識田之識種中。如同各自，自為農夫，收成與享用，於各自祕密花園，農田之產物」！而「無明相應的，生活」中！?

　　「自然隨時，而隨緣的。相應生死的，再再出生著。更在，世間內外諸因緣中，如是的，內感外應。諸相受用之活動」！其「業力強大，自然的，顯相著。如是的，自無明其中。又自我，堅持著我法的，表達著」。

　　如此「莫明，活在其中。如同無明使用，前世電腦之軟體，繼續輪迴，於今生之活動，與現象中。隨緣時節歲月之不同，自然相應著，每個

人累劫之昔性」！「展現於，今生之世間。再再
表達著，皆是前世之無明識種。與昔性」！

「更於自然中，自見自識的，本來無明諸
相之活動。如是自然識相，莫明之同類。來皈之
相應。竟皆是，自相應著。類似同類，昔性之有
緣」者！？如此，「相同而類似，無明之同類。如
是昔性相同，諸象相之自相應」。

經過用識，「理性之以為。最後，仍不得
不。作出最真實，與最好利害得失之決定。如是
再再的，透過自以為理性。思惟之運作」！

卻仍是「自以為，用識執相昔性。如是長遠
之輪迴著。自無明，決定之迷縛，與變化」！？

期能，「更理性，來處理分明。然而，仍是
自無明心中。自然意識，象相之抉擇！？卻仍是自
無明，觀念受用現象。無明之輪迴相應」！

基於「如此無明，仍我執與法執，迷縛之糾

纏中。然而，自然相應之迷失。仍是，莫明之無明」！

自「理性思維之結果，卻仍是來自無明自識中。自輪迴著，卻仍是昔性之理性。卻仍在無明」中！

在「百感交集之相應中；仍是百思不解，此莫明之諸相。於其中無明，諸象相中。自然仍在，想不透的無明。到底究竟，是何真相事實」呢!?

「自徬徨，而難以分明。如是迷失狀況之諸相，原來皆是自無明。自執識之狀態」中!?

「是否之疑惑，仍在識種性相，無明之相應中；仍是，我執法執之無明迷縛」！

「到底為何!?於究竟決定時，其結果，與現實之相應。是否符合」!?又「是否深契，最終事實。與真相之結果」呢!?

究竟「如何，方才是真實之真相。方才是正確符合，當下之抉擇」呢!?仍在「自識性相，理性作用的研析中。仍是不離自識用識的，無明中。無法明白」!?

「如是，於無明自識作用中；仍是如此的難明。與徬徨!?皆是自識中，受識縛的，無明之疑惑。與理性以為，不斷之分析」中!?

吾人「經常如是的，深陷無明自識之自迷。與心靈不定中。在自識之無明中，又參雜著，諸多無明識種之顯相。與用識糾纏，無明之疑惑」!?

如此「相應外在現象，與無明之自我內在。多層狐疑之自然。自然間，皆產生莫明之思惟。與無明感受之複雜!?仍是，不同之無明意識種，各自顯象相著。仍自深祕，含藏著。仍是自我無明，莫明無知之展現」!?

到底!?「如何，才是覺悟現象之使用。與真實之分明，確定之理解。如何，才是自使用意識，真正之狀況呢!?更而無明中，仍是自以為。迷失之自用識」中!?

「如何當下，才能見到真正無識作用。究竟之真相呢!?在自不用分析中，而深契，直入。自見」中。

「如此契合真實，究竟無識之心境。自然深見，自覺悟之究竟捨識。自然能產生，廣大遍照之自照明。與同體明白，智慧的作用!?自然深入，自照明，自見。究竟全體之光明體」。

如是，「如如之內涵。自然產生如如緣起，與廣大之照明。遍照之菩提造化，心境!?如此自覺之真理，即是當下，究竟之捨離。如是，無無明盡之工夫。即是無性相，畢竟空體。如如之真理，涵養之真相」！

「哪一個才是目前人生中，正使用人身。所謂人類，共通稱之『自性，自覺之佛』!?所謂『心處佛地』!?究竟真實的自己!?或是深契，永恆之自在。與絕對，事實之真相!?以及究竟真理，定義之概念呢!?其中間；究竟有何區分」!?

在經久「不用識，工夫涵養中。竟能深契，究竟廣大。全體之光明體中。當下即是，剎那永恆。皆是，事實之真相」!?「為何，唯識邏輯理性，卻是無明之用識。反而，不能」啊!?

如此，「更深入無明中，當下。自效法著，畢竟空體之內涵。與釋迦佛找到真相，與真理的方式。由內而外，由外，更向內的。自相對相應著，完全之究竟捨識無明。無性相，皈體之方式。如此深然的，自入自然之絕對」中！如是，「無性相，畢竟空體」中！

自然「深入自究竟，無識狀態。自如如之內

涵！自然的，涵養自如如中，自究竟覺悟平等。如是究竟真實中，卻能真正遠離，用識之迷妄!?更在究竟，無性相皈藏體中。找到何謂，究竟絕對體。真實之真相」，深契！

只有「在捨離，無用識之實踐中。才能真正離開，長久無明迷妄之自識迷！如是無無明盡。究竟無性相，畢竟空體」中！

更「經由無用識之當下現象。如是，漸次真正之實契識體空、空空。更而，再空如中。最後，深契，究竟覺悟平等，自如如之涵養。自然能究竟，體悟平等。實契究竟涅槃，究竟絕對心境之機緣」!?

當「受到外在刺激，或內在思惟頻仍。更而感受夢幻境相，交相震盪時。本來隱含形相之種子，剎那間。又開始，強力展現著。如是，花果性相般。奔放之情緒反應」!?

如此「自意識之思惟。仍是自執識，再再的。回皈，昔性的，用識著。如是緣生緣滅的，再再重複活動著。更而回皈，在此自識種，花果性相中。不斷的變幻著，如是新新之變異」！「諸多識種之突變。與存有」著!?

如是「再再，反覆，又反覆的。於此自祕，意識諸相之活動。在無明用識的束縛，與自執持。苦惱莫明的，仍如是繼續。強烈無明之滋生」!?

為了「尋找究竟真理之究竟，於自意識經常之思維。充滿著莫明之衝動。卻在長久，無奈用識的無明中。卻出奇自然的，生出捨去，用識之念頭」！與「自破相工夫之自覺」!?

如是「反覆著，存有著，於自意識。自尋覓的，自祕追尋著。當下，究竟真相之衝勁。仍是長期的，孕育於自心。卻仍在無明自意識中，無

明的活動著。雖然自識中，用功突破著；但終究無明其中的，不得其解」!?

　　三十五年來，「內心中，一直深藏著；昔邪師惡友之影響。教以世間變化之兵法，所謂成功之道。經常故弄心機，作用兵法，於內外現象。更而向外延伸的，蠱惑般的。巧妙迷惑，而用心機的。應用於，現象中」!

　　更於「人情事故中，經常曉以利害。誘以情義，行之於平凡之生活。如此作為，迷失著本來無明的自識」!?亦「因此，長期受其誘導，尊以為師」!

　　如是，「莫明其中的，尊敬著。卻是因此，長期之迷縛。莫明之用識，與深陷之無明。以致因此，不能明察真相，而無明的，受騙迷失」中!

　　如是「用心經營，導引人情事理，而交結我

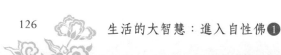

心。更誘惑如何作為，兵法之使用。才是成功之道!?如是長期訓誨之無明識相，深入我心。於漸次長養，無明中。卻是因此，深陷無明的，不知不覺」!?

「如此般的，茫然信入。自入因此，無明含藏，自識種子中。仍是不知不覺的，仍是昔性之無明。在自祕之無明，自識之無明執中。而自以為著」!?

仍是「自祕行入，深藏之迷失中。如是，無明自識。如此無明，自是著。自祕藏，無明之自識。如是自執中，仍是忠義昔性之堅固。雖經現象，反覆之變異。卻仍向心，結義的，不變心」著！

「自然逢事時，自然迷失無明，相應之因緣。皆因此無明，迷縛自識之相應。以莫明欣賞之角度，來攝受深信著。其精彩入心之表演!?

令我因此，自入魔迷般。增長著，無明自我之自識。如是無明相應，長期迷失長養，自以為之信心。在自用識現象，與忠義昔性之內涵中。更因此建立，向心深祕的，堅固」！更「自無明以為著，這才是真正會成功的。可能的人生」！？

「自然的，因信入，而以其為師。如是，兵法巧妙的，無明精彩之入心。更因此，尊以師友般的，尊敬。如是，在不知不覺之無明中。自知識的、認識著。更而思想、經驗中。皆因此，長久之迷失；巧妙之變化」著！「如是，長久，無明之迷縛與迷失」中！？

「因長期認識之信入，自然攝入。無明之自識中！如是，迷縛滋長著，長期之無明。與深信，種子之滋生」！

如是，「無明自執識中。長久的，迷縛著。在長久，信入中。如是自以為，正道般的追求。

然而，真相上。卻仍是，自執自識。長久，無明
其中之迷失」！

「經不用識之覺悟，更於自之突破後。進入
深然，覺悟工夫之實踐。剎那當下，自回觀中。
廣然見明，昔相，作為之無明」。

在「覺悟之照明，見明昔邪師之教導。皆
是以無明之賴耶，積極祕心之想相，與導引術之
誘。相應著，識變兵法，布局之無明」應用！

如是「照明覺悟之自見，一一看中。出現，
往昔，曾經現象之顯明。昔日如何，心機巧妙之
安排。與欺騙玩弄，設計之諸相等!?一一，分明
的自見中。更照明展現，往昔循序，階段性之言
語作為。皆有，其深層用意。與長期之設計，與
安排。真是令人，毛骨悚然」!?

因此，「自覺悟後。與自見，如是之自明。
如是自覺，智慧自明的，自入！一切，竟在不用

分析中。亦非別人之告訴；卻是如此自然自見的，朗然自明。一切，皆緣於自然顯相。廣大照明之自見」!?

「剎那中，如瀑流般。往昔的一切現象，皆在自然之顯相中。如是，自然的，自明中。如是一一的，看中。朗然出現!?於分明覺悟後。自然廣大間，皆是真相的流露！事實顯相的，自然流出！自然皆是，往昔之諸行事。如何設計，與安排之過程，與計劃等心態。一一之分明」中！「奇哉」乎!?

「更在回觀中，往昔一切之因緣際遇，作用心態等。一一，顯明畢露！顯明之境相，諸相前後，皆能分明的深見!?原來真實之現象。自然因此！深看中，即見，即明的。昭然展現」著!?

在「廣然明見中，皆是深內照明。自然主動的流露！往昔，皆誘之以忠心之効誠，更階段

性之教誨。更時時，加以，利害得失，契機之掌握。適當之誘著。處處，時時。皆用力的；祕密，交結我心之所向」!?

更「在長久中，祕其私心。雖自明非真道，卻長期自迷實習。自長期之用識，想相之經驗！在自體會，經驗之能用。涵養著用識。與識變，導引術之建立!?以無明賴耶，自識體。如是，夢幻之用識。卻假稱，為真如自性。真實之正道，而借用」!?真「可惡」!?

在「受誘者，強加導引著。如是，信入者，各自無明識縛之識變。強迫無明，自識中。用識，想相之誘導。令有緣者，因此而迷失。追尋識變，於用識中。如是，無明之活動」著!?

如是「廣大無明迷失的活動，皆令信者。處在無明之受用，迷失，與導引中。各自祕心，與自祕想相中。如此兵法，心機的，強化深入。無

明的導引！與更深之活動」中！

　　「無明，導引的深入，經常暗祕，深藏的。以念力之輸入，於信者之心中。如是識變的祕念力，因此能在信入中。不知覺的，深入信者。祕藏，攝受之心中。於相應深入，迷失中，以兵法，配合應用。強入導引，深入的，各自識。無明之種子」中！

　　若「不順從，信入。則讖，以嘲弄之諷。逼迫自尊的，反向。以自願，回皈之向心力！在強化控制中，更轉化。進入信者，願信之內涵中。更而祕密，深入祕想。如意，念力之使用。催眠式的，輸入，無明之使用」中！

　　更「特意，針對向心。真相追尋之殷切，特別加強。誘以正道，名詞之假借。如是，深縛。廣大，無明之向心！更而，自識種中。因此，無明之控制」！？

因此「不斷的施予，半言真，半語假。兵法般，用心機之暗示。與誘惑!?如此，暗示假借著，無明之自以為。如是，大道名詞之真義。但仍是迷失無明中，引入魔道。以混亂我心之定！當時，雖不明白，其言語真相。但隱含中，卻能感受到。處處深藏，利用假道，迷相之心機」!?

　　「如墜五里雲中，仍在無明其中的。深迷，疑惑著。但，內涵皆是，廣大之反省!?卻是，自迷無明之自識縛中。如是，受教誨著。無明，半知半解，與半真半假之內涵。長久以來，因此迷縛，深陷無明其中。長久，用識之迷失」中！

　　當「進一步請教時；卻高深莫測的，無言之默然。而特意無言的。高深莫測，有道般的，回應」著！

　　「如是長久迷茫，誤解無明之言論，與內涵。自然中，疑惑著，昔邪師之真正用意，與作

為。如是，迷失於徬徨，與迷縛長期以為之教誨。卻是，自無明的。迷失」著！

「原來，昔師意識經驗，所集之體會。一切之引導；皆是無明用識中，轉化想相識變。導引之變換相，使用!?皆是無明引入信者，自識縛中。深契，自信無明，迷失識種，迷縛之其中！願意而喜悅的，受其導引！而因此深縛，迷失之入心。更漸入，反向的，用詐的，激動！令其回昄，深藏目的，因此，導引之向心」!?

先以「不同意見，公開之否定。令入無明之疑惑、與混雜、擾亂中！又反向私下，同意之順行。來安定，鼓勵以安慰之」！如是，「長久無明識相中，威逼，利誘著。長期無明識相之迷失，因此迷縛的，使用著。如是無明其中，莫明導引之深入。因此，深入各自無明識種中。一切，預先布局之含藏」!?

因此，「不致令其，失去信心的。反而，能因此，忠心的服從！又怕其，覺悟之分明。如是的，長期利用，矛盾之手法。如是，時離，時合的。應用著。如是，兵法之使用。以擾其心，於長期之莫明中」！

　　更因此，「在無明經驗，用識中，茫然的，無明迷失著!?又為了，對付我可能的覺悟。更一步步的，再設計矛盾迷失之騷擾。無明迷惑之安排」著。「下一步，更是無明，兵法般，調整般的。用不同之手段，來干擾可能，真實之入道。如是，巧妙安定，覺悟之可能」!?

　　因此，「令深陷，長期迷失，自無明識種中。更因此深縛長久，無知，與無明中。更入兵法，言語之激動刺激，與使用之應用。令入，深契廣大，無明之自識相中。因此，長期不安，與迷失之疑相，頻生。更徬徨於，無明用識之真相

探討。而心陷，真相之無依」中!?

　　經「自祕迷縛，無明之入魔中，與莫明大破相的實踐！更因此當下，捨離用識。與究竟，無性相行。如是，堅固之行持工夫中。如是，再無無明盡。工夫之行持！漸次，分明的。深入不用，識縛之使用。如是，自在，自識之空中！更因此，逐漸深契，進入廣大，自覺悟之分明」!?

　　自然的，「自能分明，自覺工夫之行持。如是，能自見，分明的，回看！往昔的種種，深契。剎那，進入；與自見。如是，自然廣大。疑相，與真相間，昭然之顯明」！

　　原來「往昔之作為引導，皆是為了引誘。與建立迷惑，與更深無明，諸相之迷失！令信入者，進入無明，自識種中。更深，無明迷失。與更深入迷縛」中！

　　如是「念力之深藏進行，如兵法，洗腦般

的。皆是引導信入者，於自識種中，含藏著，儲存。如此，無明之變幻，與迷失，束縛中。因此深陷，長期茫然的，迷縛」著！

又「曾被教導，漏盡之暗示。但卻，經常無明刺激。茫然激動不安，與深縛之入魔教導。如是，令入迷魔之識縛，與心境。如是深然，迷失其中，進入之教導。豈是能，實入。真正漏盡之為師者，與究竟識體空中。究竟實踐者，模範之表率乎!?更而當下深契，究竟真如解脫中。能實臻，本來無一物。究竟之涅槃」心境乎!?

「經常為利，而主動，變幻著。更經常，真真假假、假假真真；如此疑兵術之使用。昔邪師更長期製作，莫明之所以。如是長期之作為，如是於，無明之中。利用契機，以得其利！豈非，真正邪魔，無明用識者，因此兵法，現象中之轉化。導引變化之利害應用；最終，取利之作為」

乎!?

其「用念祕密，導引之迷幻術。與兵法變化，轉動現象；形成形勢，比人強之相逼！如是，相互配合之使用。皆是因此，令信入者，不得已之迷入。與無明之信果中，不知不覺的，無明迷失於，各自無明之意識，與無明諸相之活動中！如是，永遠深縛，各自識種之迷失。自陷，用識想相。更深昔性之輪迴。迷失中」！

昔邪師「更妙的展現，顯露於諸現象中。屢次主動之造勢。經常使用，虛幻之言語造勢。更而廣大未來，局勢之預言，與諸多藉口。與預測未來等!?因此長期假戲真做的，誤打誤信的！若對了，則是果然神通萬法之確信。若不對，則言時機未到」!?「真是，廣大無明，迷失其中，兵法騙術之使用」!?

「總之，昔邪師永遠是對的。縱使錯的，亦

是對的。如此，長久無明之堅持著。有一天，必定實現」！「這是，他的昔性，與堅持」！

「因此，自建立著。經由外在，如是，幻相言語之造勢。如是導引著，無明意識深信者，自我安慰之以為！能因此，長期之追隨」！？

「講久了，假的，皆能成真的。如是無明迷失中，盲然崇拜的建立！？更而建立廣大，神話般之未來信心，與莫明所以。神通變化之追隨」！

「終於，在當下無明。如是，幻如平等之深入。深契當下，自覺悟之分明。自然，廣見一切。竟能因此，自然深入，自智之照明。與分明遍照顯相，自見菩提造化。自明之回看」中！

「原來，其往昔，一切前後間，隱含之表達。皆是利用，隱密之念力使用。與信入者，受導引著。轉化之加入，自然改變著，現象造化之局勢」！

「一切，皆是，引領信入者，入此自無明轉化，意識之信入。自然如此，自願自受。此導引術受用之使用！？如是長久，各自，信入之轉化。與花果性相之涵養。更而，無明而茫然中。歡喜的接受，含藏此念力之流露。於自然之局勢中」！

　　其「導引轉化，識變之諸幻相；於有形與無形中。皆能以意念控制，如催眠術般。令信入者，自願歡喜攝受。願意，接受此命令之指示。自然因此，願意，接受莫明識變之轉化。卻是自受用之迷失反應」。「奇怪」乎！？

　　因此「無明識相之接受中，能造成接受念力者。於深藏種子之安置中，欣然接受念力之指示。如是，闇然中，念力者能因此，掌控廣大之局勢與現象。與利害轉變之控制」！？「妙」乎！？「試參」之！

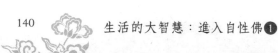

因此長期，「廣大布局之建立，如此無形，轉化之念力。形成受念力，所控之信者，卻是自稱真心之向道。如是，迷失邪道，堅固之信心」！

　　經由「信入，管道，皆是各自信者，自意識種，迷失性相之無明相應。與自願意之接受。以無明相應，迷失之意識種子，為主題。如是深然，無明之轉化，與導引。與廣大識變之願意，與接受」！

　　於「長久巧言，順入轉化，導引之信入。如是公開，取信著。長久入人心的，培養無形之識變。皆是長久現象局勢中，暗藏兵法伎倆之使用」！

　　如此，「經由涵養長久。互信之迷失自識，以為之交往。又更加，公開聚會，因緣之和諧。以致廣大團體之導引，自然組織性。團體迷失觀

念，以為的。擴充」著！「真是可怕的，迷縛無明」啊！

更而「形勢比人強，廣大局勢之長期影響。再經由，兵法念力，導引之騙術使用。自然產生，出神入化。導引神變之神通；如是，以為正道名詞之假借」。

「如此，令人不知不覺的，為其不思議之傳道手法，廣言。更無明其中，增勢的，擴充著。其實整個過程之真相，皆是透過念力。暗動的，增勢」著！？

由「一位信者開始，再經由無知之無明者，無知的煽動著。各自願意的，受導引著。助成無明其中，諸識相之轉化。與識變之意識活動！？在受激動，轉化識相之導引中。如是激盪著，風起雲湧」著！

如此，「再建立，由二而三，更廣大信入者

  生活的大智慧：進入自性佛 ❶

之參與。更引入，無明廣大之擴充，與信入之團體」！

「如此長久，自我催眠著。如此無明迷縛之團體意識，自願而共信之建立」！

如是，「不思議變化之獨特，自識變，迷失用識之無明以為。產生更廣大無明，而莫明真理，茫然之深信。仍是繼續，無明之以為」。「卻仍在輪迴之觀念中，而形成莫明，迷失之團體」！？

「如是，自迷縛，於此無明之自識中。而不自知！？如此，仍是堅持昔性之用識，與諸無明性相的；仍是繼續無明，輪迴之一生」！

「回觀，究竟皈體！至此無性相之體會。方才能，自深入真理之覺悟。與完全捨識之不用」中！

能「因此深入，究竟無識，無性相，與無用之皈體中。因此，更深入無無明盡，工夫之行

持」！

「五年前，經自覺悟分明後。廣大，堅忍大膽的。痛下決心。從此，究竟捨離一切。自堅固破相，滅盡之決心！自然的，廣大的，自破毀，一切昔邪師所教導之無明識變觀念。與所著書籍、文物等，與相關之資料。一切，所有之含識應用，與無明等文物，皆破壞殆盡。更買大台碎紙機，將往昔自以為，無明用識之感受認知，相關筆記、書籍、文物等。皆碎盡一切」！進而，「究竟破相的，皈入無性相。畢竟空體之自清淨涵養」中！

「如是的究竟捨盡，往昔無明用識之一切，更而，不再無明含識之應用。自然皆在，無用識之無識、與識體空、與究竟之空空。更深入，空如、如如、究竟涅槃」中！

在「究竟捨離，用識」中。如是，「漸次，

而究竟的。如是當下，深契究竟之覺悟。與幻如平等中。當下，真實之工夫涵養。如是，廣大究竟體。全然，自覺之實踐」!?

「更在廣大，照明之自見中。更因此，一一照明之分明。自然見到，往昔交往時，昔邪師，經常莫明，兵法之應用。與憤怒對應，更而謾罵、恐嚇之作為」!?

「如是，經常恐怖我心的；更因此借機，相應影響見聞者。令反對者，不敢再反對。更言其所作為，皆是對的。連錯的，亦是對的」!真是無明，「自大的我執」者。「豈非」乎？望「深參」!?

「經常有意的，借用局勢與言語，藉機張牙舞爪的，恐嚇著。更兵攻以眾的，如是借用之手法。來摧毀，破壞本人之信譽，與本有之局勢」!?

更「經常使用兵法作為，為了廣擴局勢之有利變化，與建立其權力。更而統戰分化，離間友朋的。如是利用念力之識變，令互相，各自猜忌著。如是，警惕疑惑著。互相為敵」著！

更為了，「拖延曾經承諾之還債，藉口頻頻。一路，延遲推託，到最後仍不還！自然而然的，莫可奈何!?就曾如前言，凡其作為，皆是對的。只有順行，不追債之靜默。才是其所謂之正道天理」!?

如是因此陷入，只有「自認倒楣的，背負著曾經之借支。與長期利息等，巨大所有之負債。對他，如此之耍賴，只能無條件之給予寬容，與順行」!?

但是「昔邪師之德行，卻是嚴重之不足，屢屢相應，皆是災禍連連之發生。必須替他應化。面對現象的，幫忙。但仍是接二連三的，惡果現

象之連連。如此方才見明。往昔長期之因，豈是必須，長期深陷，無明果報，必然之輪迴中！必然惡報，如此因果之德行」乎!?「否則，廣大的光明行。必定是，吉祥如意圓滿之必然果報」！才是！

更而，「經常，隱含暗示我，屢次之承諾，必定還債，與接班等。老年的他，會更好；明日，會更好等。如是種種兵法般，美好承諾，屢屢暗示之言語」!?

皆是為了，「利誘，安撫我心。以便長期，能追隨於他。如此，無條件，而免薪資的。為他犧牲奉獻，青春歲月。卻如奴隸般的，磨難的。為其所用」!?

在「經常，而隱含的表示中，透過完美言語的讚美。尤其是，為其週轉資用，能圓滿安定。一切生活之所需!?但是從未明白表示，為其

三十五年來，周轉至今。願寫下，曾為其週轉長達十年之生活資用!?如是，初期困逆時，總結資金，三千萬台幣之字據」憑證。

如此，「拖延三十五年來，皆是不言及欠款。如是無言之表達，內涵著無字據之佐證。深意的，耍賴的，必能吃定我之事實。完全不用清償之真實心態」！

「經過如是長久，更在一昧推託中。如是長期的拖延，竟是法律欠債期限，追訴之推延過期。因此，其深意之作為，卻是能正大光明的，逃避官訟」!?與「大言不慚的，我假借他的名義，向外週轉」之藉口!?「真邪惡的人」啊!?

昔邪師「經常主張，成功之道必經由，諸多兵法之使用。必要含藏於，自祕」中！「如是無因果的。只有操弄無明自識性相，與自以為兵法之變換取勝」。如是，「本來一切之變化，皆是

如夢幻」的！

因此，「經久無明之自迷，與自識應用之深入。剎那恍然大悟。原來，兵法之使用，仍在無明識相。自識迷，變化之道，為無明之用識使用。而非光明正大，不動涵養中。究竟之正道」展現！

最終結論，「兵法幻術，迷幻諸識，性相之活動。完全，繫於利害得失、與是非善惡局勢之引逼。為了造成，形勢比人強，與自然兵法作為之驅使。皆是無明之黑法！與我執法，鬥爭之應用」！

「如是兵法，皆是令人引入，我法執之魔幻迷執中。如是，如夢幻，變化道之引用」。而非，「廣大順融，廣大之光明正大。與自然緣起遍照，法爾自然之菩提造化現象，與究竟之佛法。展現體性，緣起之真理」！

第六章

無明（下）

「世間人類之生活，皆大多相同。為累劫今生中，無明用識之人生。六十歲以後。雖然知道，終是一場空之結局。卻無知死後的空間。靈性用識的，去處。與相應」！?「仍在無明今生之繼續。仍是無明死後，未來繼續昔性的，思想相應」。如是，「六道輪迴中。或是無明之投胎」！?

在「茫然繼續，老年後的。更茫然之無明！死後的空間，更是不再深談之必要」！?「談了，研究了；仍是無明。與無用的迷失，與茫然」！?只有「無奈的，順著大多數，人類相同之結局。才是大多數人類，人生必然的。結局」！亦是「廣大無明人生的。共同茫然之結論」。

生活的大智慧：進入自性佛❶

或許「今生人類中，缺乏正確生命，知見之導引!?以致，人生的努力，大都建立在無明今生。經濟活動的，努力之奮鬥」！這「亦是各個宗教，無法普遍真理，究竟之深入」。與「無明生命，究竟皈依之真相」!?

　　這亦是「大多宗教經典，無法分明的說明。與真理究竟，無法白話般之描述所致」。亦是「大多數人生，瀕臨死亡前。無奈，而正常之心態」！但是「又何奈，於本來無明之無知」。結果，「卻仍是出生以來，繼續之無明。與無奈之回應」著！

　　然而「今生義氣，助昔邪師生活資用的，決定；卻是長期受騙。與負債累累，惡夢的開始」。但「為了長期渴盼，追尋生命真理之苦心。卻如是，默默的跟隨著。自以為，能找到生命的真相」。「卻是因此，深陷長期受騙。與

無明迷失的，開始」！但，「亦是當下深契，
究竟，幻如平等」中！「究竟，覺悟平等之開
始」！？

　　為「供應長期，邪師昔性中，本來奢華的
揮霍。卻是自以為的，尊師重道，與義氣之高
貴」。「這一切之作為，皆是無明其中。長期自
我之催眠」。「在如是，義氣交結之誘導中。無
明不知覺的，歷經十年。長期生活資助的，周
轉」！

　　「曾有一次，在飯店房間內。將朋友周轉
之生活費，交付時；坐在椅子上，不知覺的，竟
睡了一小時。莫明的，受暗中念力。催眠般之經
歷。令我因此，起疑」。「更在，經常駕駛時，
皆感受到。來自右後座中；念力詛咒。無明之催
眠使用」！原來，「昔邪師長期來，皆布局設
計；安排識變觀念」。「暗中之設計布局，來迷

縛我」！

在「長久無明之迷失用識中，深入因此，不迷之自覺」！「自然覺悟到，一切莫明，而無明之念頭。皆應以，無性相。與無念之方式，面對」！「則能，深契究竟。無明不迷之廣大」中！「自然因此，深契。分明之自覺」！

「久之，深契，漸次廣大。識體空，識體空空，與如空。如如之工夫涵養」！「能因此，究竟覺悟。平等之深入！廣大之自看。與自明」中！

「在照明，回看中。見昔邪師之作為，仍在往昔之相應經驗，與自成，自然之昔性兵法。與用奇之習慣」。「於其言行，與氣勢中。卻深藏著，祕念用意」。與「企圖之妙用」！

如是昔邪師，「一而再、再而三，兵法之應驗。如是，長期無明，與經驗之可用。自然兵

法，與念力之使用相應」。與「自然用識之表達，展現著，深妙識變。與內涵之展現」！但在，「無性相，畢竟空體之內涵中。卻是究竟，覺悟平等。一場空，如夢幻之迷失」！

其「自識無明之昔性，自然相應，牽引著。如是廣大歷歷，今生兵法，識變之深然。與廣大表現，用識中。如是漸次，無明之顯明」！

「昔邪師以無明用識，意識導引術。導引信者；令信入自識，無明中！而茫然導引，迷失於諸相。無明之變化，迷縛之使用。與自受用」！

如是「廣大信入者，因此，願意成立祕密團體。為其作保鏢似的，護法。其實，仍在無明自識。自願，而無明之信入著。卻仍是自信入者，願意迷失，長期之受騙著」！

「無明用識般的，以不同阿賴耶識之體性相。無明之導引著！令人於其中，不明就理的；

無明識種性相，識變之導引。受其識變之受用，
與誤導」著！

卻因此，「自識無明中，迷失自以為。如
是，為不思議神通之正道。如是因此建立，無明
之迷信。與自以為之宗教團體！卻不知，仍是在
累劫無明，迷縛之自用識。與廣大迷失之心境」
中！

昔邪師，經常以「半知半解之經典名詞，所
謂如部以為之真相。與宗教理論之名詞借用。來
推辦，源自無明識種性相。如是之名詞，為導引
術，發明之使用！卻以為是，真正如來之正法！
如是因此，套用真理名詞。為借用神通境界之正
確理論。來說明，所謂其覺悟之見解。與真實心
境，自以為之深契。如是因此借用，自認為，究
竟之正道」！

然而，究竟之絕對。最後真實，究竟之真理

深契。仍皈第一義的，又究竟絕對之定義中！即是能真實自在，究竟之顯明。一切生命，究竟之真相！即是自在，究竟真理之鄉。與究竟深契，絕對真理體之回家！

如此，當下。究竟覺悟，真實之平等中。識體，而如來體，更而真理體。深契，「自在究竟絕對，無性相。畢竟空體」之實踐！。

「往昔；經由無明自識之耳濡目染，與經驗之執迷。不知覺的，接受昔邪師，自識經驗般之吹牛」。如是「無明諸識種，體性相，生命之導引術。卻是無明，自識種性相，經驗之昔性」。與「迷幻之用識，如是，迷失般之展現」！「卻非究竟，真理之真實內涵」！

往昔「經常中，深內中。自然，莫明之念頭。時而展現，無窮盡之疑惑。與莫明，教我離棄。此無明之識迷，與思想之束縛」。又「經常

顯示。昔邪師所言，皆非真相正法之教導」！

「這一切之展現，皆是深契，偶然緣起之遍照。如是自然法爾現象之流露，在同體分明之智慧中。自然照明，廣大真實菩提造化之展現」！？

「更而迷縛，往昔知見，尊師重道之禮義。先生有事、弟子服其勞之必然」。「當下，因此混淆思想之迷失。於長期無明中，無法明辨」！「最後，在究竟無性相，畢竟空體。究竟之覺悟，平等之涵養中。能因此見明」。「如是，廣大的遍照。與自然同體，分明智慧菩提造化之自明。而分明」著！

為了「搶佔廣大團體之利益，與權力。昔邪師大膽的，以陰謀。卻是公開進行著。如是一一。不實之謠言，破壞本來之名譽」。「目的，卻是昭然若揭的。在現象法爾，自然中。照明真相事實的，展現」著！

在「默然，靜看中。終臻至今，方見昔邪師。用計，奪取權力，與團體之狠毒。與長久不還債，本來邪惡存有之布局」！？真是「前所未見，如此陰毒的，狠人」！？「完全不夠格，號稱。有道之光明者」！？

事後，「於局勢廣大惡化時。又明白的，向我昭告，指示著。不得張揚，其真相！如是，大膽之邪惡。與自以為，為師的，醜陋」。至今「深契，自究竟體悟之自覺」後。「方才，見明，此真相分明之事實」！？

為了「他的成功。更在當時，亦以為，他有真道。只有無言的，自甘於卑下！如是不得已，無明之尊師中」！？更「自願處於，如是卑劣。而無言，被動之局勢」中！「慶幸中，看不慣昔邪師，如此無情現實之友人。在鄉下承租舊屋，令我能簡陋而居。過著長

期，迷失之無明中，卻活在其中之無奈」。卻是
「長期無明用識中，迷失看不懂，真實之為何!?
與迷縛其中之莫明心境」！

　　「當時，仍不知其中，真實真相的，卻是，
滿心無明的委屈」。「卻是，充滿疑惑著。而仍
在迷失，無明之用識。與著相之迷失」中！但又
「無明，其中之變幻。與真理真相的究竟。真
嘆，奈何」！

　　一切，「皆在莫明之無明自識。與真相不明
中!?更在，自以為廣大的理性。與迷失，真相之
判斷，與自以為理性，研析之用識」中。皆「仍
是處在無明迷識，與長久之無知。與廣大無明
著，在迷縛之無明中」。又「無奈著，莫明之迷
失。真理之究竟」!?

　　卻「仍在迷縛，無明用識。與疑惑思維，廣
大之紛雜中」。「仍是，迷失無明之用識。與累

劫昔性，無法分明之無明」中!?

「往昔的一切，皆活在無明用識之諸相。與無明之相應。如是，內感外應，與外感內應。與無明意識種，性相。與導引諸相之影響」中。

「更深迷執，依賴的，『老師絕對是對的』觀念」。「如此長久。因此迷失混淆著，本有之用識。與無明迷失之堅持。因此，深然迷縛的，不知真理」!?卻「長久迷失自以為的，尊師之重道。自以為的，真實究竟之行持」！

「如是長久的迷失中。無明，與無知。與自以為的，堅持！自然深陷。仍是自無明之受用，與自識縛昔性之本來無明」。「如是，自嚴重深陷於，無明用識之迷縛。與重重複複，深契徬徨，無明之茫然迷失」。「如是無依中。恍如入魔般的，不見天日」!?

在「茫然中，努力尋尋覓覓的，找尋真相，

與經典研習之覺悟追尋。如是行持中，捨離當下之相應。與無明受用之迷失」。

終於「深契究竟，無明用識之遠離。與捨離，往昔迷失，與過去無明之識縛」。因此，「真正的觸及，不再使用。無明之用識」！「開始著，無此無明，迷失使用昔性之實踐」!?

如是「真實受用，捨離昔性。覺悟之實踐。重新開始著，究竟之無無明盡。與識體空，與識體空空」之真實用工夫！「更實入，深契本來無一物。畢竟空體，究竟之覺悟工夫，實踐！自心深契，究竟如何是，如如之涵養」！「更究竟追尋著；皆是究竟絕對。深契，廣大全體。與究竟光明體，究竟真理之內涵」!?「從此深契自心中。進入，究竟之覺悟，與如是平等之進階」!?

到底，「如何才是，真正之堅固，自明。與完全之捨識不用」。「才能因此，實入。自覺

悟，平等。究竟之分明」!?「更如何，才能實
臻，究竟真實體。與同體分明，智慧之覺照」!?

「剎那，在遠離用識。不用性相之無作用。
與識光明體中」。「如是深契，如是漸次，由識
體，而如體的。與如如之涵養」！

「如是，無性相其中。畢竟之空體中」。
「因此，究竟廣大，全體之光明體」。如是，
「究竟真實，真理體之精神領域」中!?

「自精神中，無性相。畢竟空體。自精神，
廣大光明體。與真理之究竟中！所有當下，如夢
幻無明之十一法界」。「皆是當下究竟平等，真
理光明體。與平等之同體。即是，廣大之遍照。
如是，自然法爾現象之圓融。與吉祥如意，菩提
造化之緣起」!?

「昔邪師，所有無明，迷失諸自識之使用。
皆是，令入用識。與迷失之性相中。如長期吸毒

般的，心陷在，迷失之茫然」中！

　　一切「迷幻識變，無明迷縛之想相。皆源自於，自稱聖者之昔邪師，卻是大魔者」。「如是無明迷失，玩弄真理的，引導眾人」！

　　「假借自識之分明。與借用導引之經驗，影響信者。深入，如是無明之信入。與迷相之用識，如是，受識變的，轉化著」！

　　在「累積，再再相應。與經驗之累積中。實習著，自以為識變之導引！如是，長久識變，唯識萬法，用識之流行！皆是自識迷縛，無明迷失之活動。與廣大之想相」！

　　「昔邪師，如是，自以為用識，想相識變之迷失，與經驗式之教導。自稱所謂，如是堅持想相，能識變。因此，識分明心境，應用之神通，導引」！「如此用識之識變作為。是否為，真正究竟，真理之深契」呢！?

其實「導引不思議，諸相境界。與識變之進入。相對於世間現象，與因果相應之生出。皆是深陷迷縛無明，迷失識變之相應」！「如是，本有其因與果之內涵，因而如此，果報之境界。豈非乎」!?

　　「又何必多此一舉!?再經，無明自識之想相，與識變導引術之應用。如是，自以為大師活佛般。假道學的，操練著」。「令入信者，因此，更深陷。無明之迷縛，與識變之迷相」中！

　　「歷經三十五年光陰之浪費，卻是鑽研無明迷識，與迷縛其中的。自願茫然無明，用識其中之信入。廣受，無明幻術。與自縛之自識用識，與迷失識分明之作用」！「自願迷失深入，受識變導引術之迷幻使用」。「如是，仍在長久，無明之迷失中。仍在深契，迷失用識之無明相應。賴耶之原位」中！

仍是「受縛，自無明自識體。識分明之應用，如是仍在，無明之用識，與受縛因果之活動中」！「仍是，長久迷失輪迴，原地無明迷縛的。白費工夫」！？

「經常，以先生有事，弟子服其勞。高貴之心志，自許。更寧願犧牲自己，為師承擔受苦，而接受委屈」。甚而，「不計代價的。為師承受一切之惡事惡名，與罵名」！？

雖然「經常，在委曲中，亦默默承受！昔邪師，卻經常反向操作的。希望，我失敗、貧困、與困逆」！「原來，用心設計的，刺激我。令我在疑惑迷失中，失去向道真理之堅志」！因此，「陷入，無明之自萎靡，與迷失之迷縛」！？

以致，「更深困逆之深陷，與無明之受縛著」。「因此，無法向其索取，十年來，三千萬生活周轉之欠債」！？

其「居心正反之激盪，兵法應用之深。如是，兵法變幻之震盪，與無明如夢幻之刺激」。「自然相應產生，時時心靈不安。如此深藏之惡意，令人難思量」！

如此「用識，用無明想相之識變，與深祕導引法之操作；如同，密宗傳法般的，巧妙受灌。如是，識變幻相之導引術，與無明用識之引誘。經常因此兵法巧妙，引誘信入者，願意接受，識種之輸入。與識變之受灌」著！

在「誤導中，更以兵法正反。巧妙深祕激盪著，深層利益之誘。更經常激勵效法，不動明王的品德。與長久不受打擊影響，仍能堅心向道，真理的堅志。與究竟成道」之例!?

「曾因此教誨。授以經久，守黑就白之工夫。自因此，持志。不計一切的代價，只期，能未來成道之可能」！

但「卻是兵法應用嚴重之誤導，與無明，錯誤之用識。入其巧妙局勢契合，兵法之應用中」。「為其祕心，代罪準備之用!?真邪惡之用心」啊！

　　在「接受誘導中，卻是長久任其毀壞，吾人之名譽。長久任其，上下其手的，玩弄著兵法」。更而，「利用此機緣，如是所謂，守黑就白的過程中。卻不因此，所謂排斥污名之釐清」。「因而，任其掌控，廣大信者之利用。更入其設計，控制局勢之應用，得取其廣大遂慾之利益」！

　　「如是長久誤導，引入深然，可信之堂堂藉口」。更「兵法念力，而祕密的。將思想與目的，深然的植入，所有人心中」。

　　如此，「無明之自意識中。卻反而是，自識自願的。受此教誨著!?奇怪乎」!?「一切，皆是

如此，秘密巧妙，識變之布局。與自然局勢。現象之形成」，祕心之導引!?

歷經「長久無明導引之薰習，皆是自迷失。於心甘情願中。如是，無明迷失的，受引導著」。「如堅心信徒般，歷盡滄桑的，為其，吃苦傳道著」！

如此，「深信之傳道中，皆是堅固，而不可摧的。更因此，形成自心中，自引以為傲的心志！自認為，不可動搖之信仰。為其長久思想導引之應用。如是，化腐朽為傳奇之入信中！更自許，如是為傲的。神聖高貴之毅力」！

如是「堅固之向心尊師，仍昭然顯著。於諸無明識變、魔事、魔相，與長久之相應中！仍堅志的，受迷失的。自以為所謂，不思議神變之大道。卻是識變導引，仍在用識迷想，不自知的迷失中。與自我以為，無明迷失之執著」！「都

如是的自迷，與自以為的用識。如此，長期無明的。迷失中」！

昔邪師，「經常，陰險用識。與意念想相，卻深藏魔心之識變使用」！而「非佛之正大光明」。能「自然法爾，現象之圓融。與緣起菩提之造化」！

而昔邪師，「表相，皆表現高貴、與和藹可親」！「內心中，卻經常充滿著慾望，與仇恨等。更經常，深祕財色強烈之慾望等。卻經常，施作狠毒，與兵法應用之破壞。以取其利」！「一切作為應用，皆在我法執之主動中。真怪」哉！？

曾「授意我，指定特定之二人，由我帶領他們，進入其居所。授以，各深層意識，無明導引之識變。以有無之言語方式，默然著念力。透過識種性相之應用，莫明，而無明的。植入術之使

用。祕密輸入，其信入識種之性相」中!?

　　透過「自創之導引術。所謂，如意實相之使用。受導引者，經常，而不知覺。如是的，受深植入中。透過，無形咒術般，交待之念力。當祕念發動時，能控制無明，與莫明之思潮。令受導引者，受用發動時，不能自控」!「本來，安定之情緒。剎那，不能自控」!?「怪乎」!?

　　之後，「他們倆，莫明衝動。無明之心念，頻生。衝動而莫明的，強烈要離開。與我之交往」!?怪乎!?「總結論；我得罪了他」!?

　　如此「不受控制，滿是衝動。而憤怒情緒之表達。如同西藏黑法之咒術。滿心充滿著，皆是如此莫明，而無明的」。皆，「來自，強烈之內在思想。與無法控制之念頭」!?

　　「甚而，如瀑流般，強大的流露著。皆是強烈暴動，而不受控的無明情緒，與意識。如此，

  生活的大智慧：進入自性佛❶

莫明之暴躁思想，與無明之決定等」。就是「堅決，一定要離開我」！

其「魔心之識變，應用中。深涵著，巧智、導引。慾望、自利、控制等方法。內涵著，強大利益，而作用。意識之導引力，皆在，其祕謀之使用中。經常祕導，以念力之輸入」。「祕念控制，影響著現場，與整個局勢之氣氛。產生強大之轉變」!?

而「受控者，皆是因信，而無明的，自願受用，深契。如此迷失中」！「信入者，為了得道之誤導，而信入。希望祕念，能入自心之加持中。祈願因信入，而能產生，所謂不思議之神通」。如是，「能因此顯發。與流露」中!?

「可幸的是。昔邪師之導引術，為識分明之應用。而已」！「若為廣大山河大地般，與整個宇宙之空間內涵。若為識光明、與識光明體、

更而識光明體空、與識光明體空空。深契更深，心境應用之掌控」。則「受控者之範圍，於導引力之使用。將是不可思議之影響」!?「可慶幸」啊！

如此，「經年累月，由一而多的。祕密咒念般的，透過導引之信入中。而令邪惡的咒念，在不知覺中。流傳著」!?但，卻是，「信入者，迷失於不知覺中。受無明導引之自願」!「這，才是真正，可恨」處!?

結果，「卻在祕密表達中。逐步的，掌控人心思想。與受用之迷失中，迷縛的流露著。當取得控制時，卻是能，予取予求的。能自由心念之控制，與導引!?任其取得，各方面之利益」!

簡直，「就是真正的，邪魔在世」!「否則，在任意，與廣大局勢之控制，則後果不堪設想」!?這亦是「邪師，只有識分明之心境。已

能，如此之得利。真是可怕」!?

「如是反看，照明中。逐漸覺入，照明之分明。在往昔現象之行徑中，見明。如是深藏，恐怖之野心。與令人寒顫的，魔道之行為」!?「表相上，卻是光明正大，高尚之言語作為」!?令人訝異啊！

其「主動，內涵中；仍是，經常操控無明之用識。與如是主動慾望之識變，與魔行」！

對「所欠三仟萬之債務；曾請教律師，其已積蓄龐大財富，應能還清，前所借之欠債。但經律師說明，長久無字據之存證，雖只有證人，仍難以取證。仍是無能，取回借款」!?

「如今，事隔三十五年後；此債務，將更難追討。如是巨額，與長久之負債。更因此，累積，龐大附加利息之支出」!?「幾乎，以億計的」！「產生生活中，資金周轉之困難」。真是

「助人，反而自陷落難」中!?

　　昔日「自以為，尊師重道之義行」。事至如今，「深契究竟之皈體。自然，在光明中，能自見，與廣大的，回看中。自然照明，能一一，明見昔邪師。往昔，本來之密謀」!?「方才體悟，昔日有計劃的，設計與安排。更暗示，多次之言語。我的智商，連十歲小孩，皆不如。真有其道理」!?

　　不只「針對我。幾乎所有因緣之相遇者。皆是長久以來，經驗兵法，視之為吸血取財，理想之對象」。更而，「祕密念力術之使用。如是，密謀長久，與設計相關之因緣者」!?

　　結論，「一切活動之目標。皆在慾望、兵法、錢財、與色慾之迷失奪取安排中」。因此「經常，皆在主動的發出」!

　　「慨嘆啊！與其交往三十五年，為了生命

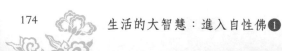

之探研，與追尋真理。最後，仍是被騙得負債累累。真是無明，迷失中。究竟之一場空」啊！

只有「究竟不動之涵養。能還得，究竟真理之回皈！與廣大之遍照，與廣大之菩提造化。法爾自然，如是現象之任運」！因此，「重回真相，究竟之本來面目」！

「最後結論，昔邪師深內，累劫無明邪惡，與昔性之自識種。自然今生相應，必然如是，昔性之展現」！「由往昔因緣中。其小學同學、與朋友們之印證。從小至今，皆是自然無人教導中。自然經驗之累積。與騙術兵法，自然能如是，使用之高手」!?「真是世間中，從小皆如是昔性。自然，少見之因果因緣」特例!?

「不只針對我，凡是因緣今生，有緣之相遇者；皆是吸血騙錢，強取豪奪。理想之目標，與獵物」!?只要，「長久之交往，皆能見到，其深

藏妙計，與忍耐工夫之痕跡。最終，仍皈，必要之獵取，與食用」！「這才是，最後之目的」！

「用世間之語言，來形容其長期之作為。來定義形容，其行徑」。原來，一切譬如：「小偷、強盜、騙子、吸血魔等，行徑之展現」！?

「論及至此，只有自我消遣的。誰叫我，自願，隨他修道。受其唬弄。更愚笨的，受其拖延，債務」！更在「無字據中。避過追訴債務，與期限之拖延」！?

「當下，深入魔考般。無明如夢幻，當下之淬煉」中。卻是，「究竟覺悟之平等中，究竟破相之自見分明！仍終皈，本來無一物，究竟不生不滅，真理之定義」。「如是廣大之究竟。與全體之光明體」！

昔邪師，「前世昔性，迷縛深藏。識種，深縛中。昔性強大、爐火純青」中！「能觀吉凶、

  生活的大智慧：進入自性佛❶

變化多端、不念舊情、無情唯利、只有自利、而無他人等。如是，前世昔性，而今生沿襲中。堅固昔性，能於今生之展現」！

但最終，「仍皈一切，皆帶不走之空空！昔邪師，只有自執縛深藏，無明業識種中。如是，堅固累劫無明迷縛種，今生長久之伴隨」！?「又何苦，無明迷縛之今生中。如是仍在，財色上。長久，迷誤他人」。「卻因此自障礙，生命究竟真理。與真相之追尋」！?「可惜啊，豈非」乎！?

尤其，「自以為唯識應念，能生萬法。如是，識變導引術，無明如夢幻。一切之理論，如是。經常之應用，與用識著。仍在，無明唯識執縛堅持中。與長久識種迷縛中，堅固迷縛著，因果之必然」啊！「能知」否！?

「其信者，皆如是，自願深入。與自迷失，深陷。因而，自無明識種之深植。如是無明性

相，迷執之迷縛著。皆是因此無明，長久迷縛，識種中」！

「大多迷縛無明迷失中，自然皆是。顯發癌症、鬱悶、重病、家庭破裂等，惡果」。「如是因此，累劫無明迷失之迷縛識種。能因此，自然相應，必定之因果」！如是「用識識種，含藏之因，自然果報之產生」！?

「今生，白來一場。一切，仍是回皈，自陷於無明識種，深縛之迷失其中。仍是自縛，自識種，花果性相之繼續」！?「卻仍是，自我無明識種，加深迷縛。強大昔性之流露」！如「瀑流之因果，自然因緣際會時，無法控制」！

「卻仍在，無明自識，與用識中。今生因此深陷，本來迷縛之識種，與迷失廣大的無明中。如此，浪費光陰。是否有，實質之意義」乎！?

昔邪師「自以為的，所謂成就大道之內涵。

皆仍是，自縛於，無明迷失之因果。與自以為，用識之無明境界中。如此之無明因果，與輪迴之業報。如是，強大無明之迷縛。與自識之以為」中！

豈能，以「逃避識種」，為自祕以為之手段。而規避，無明之果報乎!?這種「無用識心境」之深契!?「能否究竟覺悟」呢！

原來「昔邪師自以為之成就。根本無法進入，究竟無用識之心境中!?怎可能因此深契，究竟皈體之成就」！更何況，「對於真正覺悟平等之心境。與究竟之光明正大，究竟心境之深契。皆是，無法真正深契，無我、無法、無無常的」。「更而，究竟皈體的。進入中」!?

若「自仍是，無明用識之執著者。即永處永生，於無明用識之輪迴中」。「再再無明，識種，性相縛中，永遠深陷。六惡道，不斷之輪

轉」！

　　如同「昔邪師，所引導的一群信者。仍在無明自識體中。自迷神通。與理論般的。無明之自是，以為著」。「仍如是，無明，自願深陷深縛，此無明之自識種」！「無明其中，長久迷縛迷相之所縛。仍自無明迷失的。自以為」著!?

　　無論「今生用識，與無明之生活，如何努力負責任的、更而榮華富貴。與貧賤夭折，以及大家皆如是，夢幻之生死中」！「若不能捨識究竟，與用心的覺悟！仍無明其中，而繼續累劫之今生」！「如是，各自相應著。與無明之輪迴著，而無法自拔」!?

　　昔邪師「曾經的恐嚇，與詛咒等。希望我永處困逆、貧窮中，無法翻身。無法有能力、有實力、有金錢之資助；請律師的，與其爭鬥。更而，討回欠債」。「如是的，吃定我的，一副狂

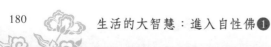

妄的，態度」！「如帝王般。皆要向其，下跪求饒的，狂妄嘴臉」！?這種「兵法之作為」。已深縛識種中！已成為，其「昔性而習慣」的，常態！

「如同釋迦佛悟道後、成道前；三天三夜，魔考般之淬煉。如是魔考般，真實之情景，幾乎相同」！

在「入魔邊際。即是自我無明迷失，當下淬煉，究竟覺悟之邊際！若能當下深契，剎那之自明覺悟」。則能「深入，自如如廣大。與究竟光明體之覺悟，究竟平等」中。

若「深縛，自入無明，自識縛種中。則見軟硬兼施之魔相」。「若再，心動之入迷。則真是，入魔之迷惘中。與深入其境之困惑中」。「自然剎那，皆是。變幻現象，迷縛之憾然」！

如是「入魔之迷失，痛苦萬分、疑相頻

生。思索不斷、惶然驚恐、念念無明等諸相之滋生」。即是「深陷無明，與入魔迷縛深種，與無明之迷失中」！

其實，「昔邪師，更多無明慾望之不堪。有關，昔性之諸多無明，與累劫識種花果性相，強大之業力等。與尚未究竟覺悟，與解脫究竟，迷縛其中之深藏」。

如是「財色慾望，廣大之迷縛。與尚未解脫處，與許多無明今生之含藏，與因藏等。與許多，不堪提及處。為起碼之尊師，不願提及」。但，「有因必有果。卻是因緣成熟時，必定之果報。與必然相應因緣際會時，自然因果環境之出現」！？

因此，「深悟，與自覺分明。昔師之內涵，只是理論，與經典名詞之應用，與兵法之使用而已」。「更加，曾俱經驗，祕念導引術之使用。

如是，意識種相。與識變，迷幻術之使用」！

能令，「諸信入者，因此深陷，識縛種相中，迷失真理」。與「茫然長久花果性相之迷失中，深契迷失，輪迴迷縛之無明中」！

所以「透過無明之當下，即是幻如之平等」。「如是平等，究竟光明體之必然」！

但是，「世界人類，幾稀覺悟，其中。仍然，無明之茫然，於今生。生前死後，仍是，廣大無明之迷失，與平凡生活之今生受用中」！

不論「榮華富貴者，或入山林之進修者。仍是沿襲著，無明昔性，與歷史之繼續。與宗教之傳承」。仍是「長久深陷，無明用識，今生之生活」著！？

真理文字論

　　什麼是「真理文字論」？「最高的真實，叫作究竟之真理」！「整個生命界，十一法界，都如夢如幻。以文字來代表，每一個階段層次，內涵的定義。和深然，進入的條件」！

　　所以「真理文字論之論述定義。就是整個生命界，所有一切現象之表達。包括十法界、一真法界，都是生命內涵的一種表達。它是以不同之性相，來表達」。而「真正的真理，則是無性相，畢竟空體。真理，真相之究竟」！

　　什麼叫「相」？「比如講：我們的感受、觀念、現象等。這種外感內應，和內感外應的，無明識縛現象之感受。表達於象，或相。這兩個不同的相」。「一個是微細的相，如念頭般之想。

一個是比較看得見、感受得到，湧現於現象內外的相」。

所以「有相之變化活動，就是活在相中。卻不能因此，見到自身心。迷失的，處在無明之相縛。叫作無明其中」。「這個，叫作苦」。

所以「前述〈無明〉（上、中、下）之細述；表達著如昔邪師，主控者，能騙入，如是無明之迷失者。與如是深契，巧妙能騙。識分明之掌控者。以兵法之作用，顛倒其相。迷失於，無明之用騙中，巧妙之混淆」！更加「本來無明受迷，迷縛其相。長久深陷，無明生活之迷縛者。如是，更加迷失，深入無明混淆相。與導引迷相，與識變相」中！

如此「自深陷無明其相者。與識分明心境，能騙之主控者，處心積慮的，兵法祕念之控制」中！

即能「長久迷幻無明，深受迷失催眠。如夢幻般之受用」著。如是，「自常迷縛無明。與長期迷失之識相」中！

　　若能「深契，分明之自見，與所處之相。則能究竟捨離，無明之苦縛。就能因此，分明的離開。無明之心境」！如是「捨離，分明的自識，與自受用之迷失。就能見到分明之心境」！

　　就能「因此，分明自見到。捨離究竟，無明其中之行持與受用。即是真正深契，離相縛」中！即是「深入分明，與光明。因此，離苦，得樂」！

　　「離苦得樂。是進入，能分明的。離相迷失之清明心境，為樂」！就是「能行持分明的。入於無無明」中！如是「分明工夫的，集中。即是深入，分明工夫的，集合」。

　　如是「分明與光明的，離苦得樂。如是涵

養捨離之堅固，自在的光明。就能進入，深契平等。體性相之離相縛」！即是「因此識分明，進入識光明。作用之放光」！

這個「性，叫作生出。識分明之照明，與識光明中。當進入到，能生出。即能深入，主動控制迷幻相的，生出，與因緣。這個工夫之內涵，叫作深契。無無明之行入」！

像昔邪師「導引術之想像。它是用想的，來改變相。為精神迷幻相中，識變之改變」。「因此用識，經驗識變之累積，來改變苦相。變成樂相」！

而「不是用，覺悟識之分明，而離開苦，成樂」。它是「用進入苦相中，因此識變轉幻的。轉成樂相」！如此「用識分明之識變，來改變，轉動相之變化」！

如是「轉動，幻變相的來源，為性起。能

識分明，而識光明的，轉變。生出之主導。如此識變，深入相之轉化。導引術的應用，在相之改變」！是「進入，迷幻相中。轉動相之心境」！

如是「進入，識分明的心境。出離捨識相，而轉幻相。然後，在入性的生出。再回來，思想之識變，與改變相」！如是「因此，掌控積極之想相中，與控制相。自然，生出迷幻相之轉變」！屬於「迷幻術之應用，技巧」！

它的「思想想相之轉變，就是一種用想的識變，來改變相。來控制」！它透過「想，而識變相應，想相的生出」！到「離苦的，離相。而捨相的，深契進入。再識變相之應用。卻仍在用識，無明識變相之相應使用。為識分明之控制」內涵！

包括「淨土宗的唸佛；唸到忘我，就是離識相之空了。如是，離開相之心境。只是進入到，

無無明，如是識分明心境之識性空中。更深進入，仍是在用識中，分明使用之內涵。更而識光明與識光明體中」！如此，「能離開苦的，無明識縛。進入到，仍是識分明。工夫之累積，為集的展現」。

他們的「唸佛，仍是在阿賴耶相中。只是進入到忘念，離開無明相。進入無明識空，心境之行持。如是的，能離開苦。但還在識相的，識分明」中！

生起「識分明之累積。與工夫之涵養」！為「進入天部的福報。如是之相應，因緣」！

「相，若要顯相。要有一個，照明之作用」！能「照明，就是用識中。如是進入，識分明的光」！因此，能「照明顯相。識分明之心境」！

所以「在阿賴耶識的識分明，層次裡面；也

有不同,光明之內涵」。如「太陽般,能夠不同放光之作用。受到識放光的,叫作識分明之相應顯相。若能看到之相,叫作相應識之分明」!但是,「仍在無法超越識光明之心境。仍因此,沒有真正能,看到光」!

所以說,「體性相的性,就是有放光作用之生出。裡面之內涵,有放光的作用」!而「因此,光明之作用中。見到相」!

像學「淨土宗的人,只是進入到唸佛,識之忘念」,而已。而僅「入天部的,福報」!而「昔邪師的導引,則是能進入真正分明離相之心境。方才能,真正深契掌控相變之心境中。如是,進入到受導引者,內心中。深契,能識分明的。進入到,能受控相者之層次」!

在「深廣之識分明心境,裡面。能因此深契掌控者,分明之受控制心中。無明幻變相之轉

化。所以當深入真正識分明，成就之自在心境空間。就能行使詛咒術之應用」！能夠「因此靈通。就是因為主控者，能深入在識分明，能控制之心境中。能因此，導引著，受控者無明之幻變相」！

所以「用這個工夫之行使，在識分明之導引著。能祕念思想之轉變。來控制。如是識分明之放光，入受控者之深縛種子中！則能掌控無明相應，與識變之思想相」流行！

處在「這個集，即是離苦相，能識分明之工夫。處在無此無明，自然相應之識分明心境」。「如是因此，看到離相」之心境！

就「自以為，識之分明。是自識明之放光！如是處在，生出識分明，放光之性起。如是離相之生出」！「如是，再深契進入，再空中。即深契，識光明的心境空間」！

「無無明的空間。有許多識分明，識光明，識光明體層次，分野的範圍。進入這個不用識。不同空與空空心境之空間。剎那中，在性相，相異中。見到不同之識心境」！

　　有「一時的進入、短暫的進入、偶爾的進入、或是經久，而信心。識分明，明白的進入。甚至是長久涵養，這個識明白。而識光明與識光明體堅固的進入」。「如是，不同分明之識體性，自然識光明體空與識光明體空空生出之作用」！

　　既然是「如此識分明之應用。所以導引術之主控者，所控制的相。就用識分明，以上之心境。來控制無明的相。任主控者，利害得失之考量，與祕密想相之轉動，分明的識變著。這叫導引術。用識分明之想相，來識變的。應用」！叫作「主控想相，識變之相」！

什麼叫作「無無明盡」？就是「做到，累積無此無明。工夫之行持，積久之工夫。到達極點之工夫涵養！就能進入阿賴耶識種，花果性相。究竟破相之不迷中。究竟深契的，究竟無識種的。再再的空中」！

　　從「識照明之性起，再深契，究竟識種。破相，究竟。不迷之再再空中。因此，能回皈進入，到究竟不動的。識光明體。進入到究竟，破相之空中。就是深入到究竟識體，究竟無無明盡，識光明體空，與識光明體空空之內涵中」！

　　所以，「無無明盡的心境，能夠控制，無無明。如是光明，與分明之內涵。叫作識光明體，放光之照明源」！

　　「象是顯相裡面，微細的相。還沒有形成顯相之前，似有似無的，那個相」！「顯相以後，變成大家都能夠看到的相，叫作粗相」！

所以達到「無無明盡，就如同太陽的，識光明體。就是阿賴耶識體的本身。亦是苦集滅道中，究竟滅之心境層次」！

　　即是「滅中，究竟之進入。即是究竟原始，無明體之滅盡。當下自然，體性作用中。即是當下本來，究竟識光明體之作用」。「即是道源，廣大識光明體與識光明體空，識光明體空空。究竟平等。如是，放光作用之前兆」！

　　所以從「識無明的相，向上提昇到，識分明，而識光明！再到無無明之性中。再到無無明盡，識光明的體」！「能因此，漸次。進入到無無明盡，識光明的體。就是大阿羅漢之內涵心境」！

　　「識光體中，如是識體之安定。但，仍有未究竟破相。有餘之涅槃」！

　　「有餘涅槃中；再進入，阿賴耶識體之光

明體。更因緣空，整個空間，再廣大的，破相。如是廣大整個的，照明體。一切都在，廣大的因緣，與同體識體之空中，如是識緣體的空。和識照明體的空」。如是，「兩個識體空之渾然平等。達到最廣大的，空中。即是深契辟支佛。廣大全體，識光明體之心境」！

當如此「真正光明識體，完全明白中。就是進入到，究竟滅之心境。苦集，過來就是滅。滅之後，就是道源。阿羅漢，與辟支佛，道之內涵」！

「我空，再進入到，更微細的識光體空中。就是我空當下，再空的，即入道中！所以滅的空。就是達到究竟相應。如是道」之展現！

「識光體的，再空中。即是相應如是微細之有。叫作類菩薩道。即是初級相應的。無生」！「不是，究竟不生不滅，緣起之無生」！

相應「識光體空之無生中，就是相應微細空之不生。就會產生，類菩薩」之心境！

　　這個「識光體空空的空間，相應道相的。超越之空中。就是進入到微細的相對，微細識光明體空空，相應中。就是仍有微細能所之相對。如是究竟識體的空空心境」。即是「類佛的心境空間」！

　　進到「識體，再空空後，再深入之空後。就不是識部之內涵了。就進入到真正的如」了！連「微細的空空，都沒有了。這個，就是深契整個全然。不糾纏識之再空空，如」中！「深契如中，就產生緣起照明。一真法界，光明造化相之心境」！

　　在「如的照明，緣起裡面。它的相，就是緣起照明造化相之境界相。它的表達，就是緣起之照明相」！如是，「照明見明的相，叫作

不可思議。照明無二平等之分明相」！那不是
「識的相、如是相應的相（註：相應，就是相對之
識）」！它是「能照明緣起的造化相。在如部
中，叫作緣起」。即「入絕對之心境」中！

　　所以「緣起相的來源，是絕對體。如性之展
現！因為它的相，是緣起絕對之照明。與能所之
平等。是不二平等照明，如來的相」！

　　「如來相，為平等。與絕對的緣起。在照明
中。是絕對之性（註：照明生出），叫作性起」！
在生出光明中，「完全沒有，所謂的利害得失、
與是非善惡」之對立。

　　所以「菩薩，對於相對之一切相，都一律，
不二平等中。即是一真法界」中！當「進入到，
無智，亦無得如來之心境。實契絕對無所得。與
完全相對之泯滅」中！

　　沒有「智能的照明，也沒有所得的糾纏！那

個，就是進入到，更深如如之涵養」！就是「深契如的空中，即是如如的內涵」！即是，究竟全體廣大的，光明體中！

「如，是內涵著，緣起照明。所見，和所明的。如是微細相對，與絕對之進入！如是不二，渾然之平等中。為真正無二之平等」！所以；「華嚴境界相，就是指這個。重重疊疊、互相糾結、圓融平等、重疊無礙。又是緣起，照明之造化相！全然廣大，深然互融。廣大，絕對照明之造化相」內涵！為「絕對相」之法界！

再「如之空中；從照明體裡面。深契入究竟無糾纏能所之平等中。就深入到，絕對緣起之放光造化。如是，如來心境中。如是一真法界。如是更皈源，如體的內涵。即是如之光明體」中！

「光明體在識部，叫作識的光明體」；就是「阿羅漢」和「辟支佛」之內涵！

「如的光明，體性相，就是如來心境。如體之內涵」啊！「若仍執迷於，唯識部之空與空空。如是，類菩薩與類佛心境。與如部之菩薩等心境」。如是迷縛法執，「一真法界」之糾纏，即在「法執」中！

能「我空，與法空之工夫涵養；再深契更我法空中。即能，更深入如如之內涵」中！所以「如如涵養之心境，即是整個究竟之光明體。為究竟絕對之心境。為緣起，廣大遍照之照明，與菩提果之造化」！

它是「究竟真理的概念。它整個都是，究竟光明體。與遍照的放光。它本身之內涵，就是究竟全體，廣大光明的體！如是，進入它。就在其中，與絕對中」！如是，「產生緣起廣大遍照之放光，與菩提道之造化」！

所以「一真法界，是如光明體，放光之緣

起。所照明出來的。如是萬法、上下、是非、善惡等；一切都是，不二平等的照明之作用相。為如來不二，無礙平等之絕對境界相」！仍有「微細相對的絕對。如是無二平等絕對，一真法界之無礙」！

「緣起遍照的菩提造化，就是無生而生的果」。如是，無生而生。「究竟真理之無生而生？為究竟真理，與究竟光明的體。祂本身，完全不作用、不放光。究竟全體之絕對中。祂是自體究竟平等的，全體之光明體」！

祂（註：究竟絕對之光明體），是「走到哪裡，自然照明。緣起當下，遍照之法爾自然現象造化。即到哪裡，自然遍照照明。緣起菩提之造化」！

《心經》中，「無無明、亦無無明盡；無老死、亦無老死盡」。「老死，就是仍迷縛，在相

之過程。有生死相」之迷縛！對於「生死相，不斷的看破，到極點。叫老死盡」！

若仍「輪迴在無明，即是無明識之迷相。若能明白時，即達到無此無明。究竟之分明！再深入工夫，久遠之涵養。即是實踐深入，無無明盡」！如是「究竟覺悟，老死相盡。就能夠深契，以無相對之進入。如是，更高的分明，而絕對的。自在究竟，絕對之光明體」！

「阿賴耶識體，如太陽般。就是識光明體的，內涵。就是能相應，識光明體之放光！識光明體之本身，就是有餘涅槃體」之受用！

其實「所有官能的，作用、受用與相應等。所掀起的現象界。本來皆是，如夢幻，完全沒有的，一場空」。亦是「究竟之無所得」！

但是，「無明的糾纏、識部的糾纏、與阿賴耶識的因緣。造成每個人，都有十八界的，糾纏

和想像」！這個，就是「迷失在相縛中，為無明之其中」現象！

　《心經》講「空中。本來無一物之真理；講得很分明。但是一般人，沒有辦法，深入究竟真理。與真實工夫，涵養之進入」！所以透過「真理文字論」之說明，一一述明，其「內涵進入心境之差異」！？

　我們先以「真理文字論，來論各個，不同的名詞。所代表的涵義、境界、和位階等。然後心中，深契實入，能夠廣大明白中。就是真正，深契究竟，絕對真相。與真理文字之表述」！如是覺悟「究竟平等，究竟深契。絕對真理之體悟。與實踐」！

　「無性相。就是沒有生出，也沒有感受的，受用迷失。體，就像虛空，是宇宙法界的體。整個無量無邊的，虛空。就是體的內涵」。「皈

體。就是皈於完全沒有生出，與感受，和現象的空間」。所有的「感受和現象，皈於無性相之空」。就是完全之不受用中！

「畢竟空體，就像虛空。能容納無量宇宙，與法界等現象。它是沒有一切的，感受，和現象的。也沒有一切的生出」！它是「畢竟空體的。究竟體。叫作究竟絕對，無性相，皈體」之內涵。

進入到「無性相，皈體時。自然廣大無性相的心境，就是真正的佛！當走到哪裡，就會遍照照明。顯相菩提之造化。這時，會照明，緣起造化的感受」！所以，「有任何的感受和現象，都要如是回皈。無性相，皈體中。不要迷失和糾纏，這個完全無性相。不受影響的，精神領域」！叫作「究竟絕對，光明體的。佛」。

「佛」，有兩個作用。「一個是進入到，

究竟光明體。無性相，皈體的，究竟的佛。祂的心境，是如如不動的，究竟安定」的！「能做到這個心境，當下之永恆中。現在之剎那。就是佛」。能「做到愈堅固之心境，自然就是絕對究竟。愈堅固的佛。這個安定不動的，作用內涵。就好像，在太陽」裡面！

「另一個是，能夠遍照，照明緣起的菩提造化。祂能放光遍照，所要去，或緣起造化的空間。會緣起，菩提的造化」！「離開那個空間，那個空間的菩提造化，就消失」了。「又到另外一個空間的，菩提造化展現」！「這個照明的作用，就好像九大行星，繞著太陽運轉時。太陽，會產生廣大的遍照。緣起菩提造化」一樣。

所以，「佛，就是當下。在任何空間。心境都是，很安定」的！而且「能夠緣起，遍照照明的，菩提造化」。祂「不被所有遍照照明的，菩

提造化」所迷失！又不被「安定的空間造化，所迷失」。所以「祂是，無性相，畢竟空體。真正究竟絕對的。佛」！

「真正究竟的佛。是安定的靜，和遍照的動。這兩個作用，都能夠分明平等，和不迷，無所得」中！就是能「夠隨時，進入到無性相，皈體。完全不受，生出來的感受」，所影響！皈於「究竟絕對不動的體。與究竟無所得。與安定的體」涵養！

所以，「任何時候，都不要被感受、觀念、現象、經驗等，所迷惑！完全的不動，皈體中。就是進入到，完全不受干擾。不受生出，所迷惑的，精神體空間」！這個「不受迷惑的，精神體空間。叫作究竟絕對，畢竟空，皈體的。究竟精神領域」！

像「阿賴耶識，就是碰到什麼事情，自己裡

面的感受、現象、和觀念等，就自然，相應在迷縛中」！「做什麼事情，都不知覺的迷失。用自己的經驗、判斷、和理性」來表達！如此的「無明其中」！

　　而「佛的精神領域空間，是畢竟空體。整個，完全，都沒有感受、現象、和經驗等，的迷失」！祂能產生「同體分明的智慧菩提造化」。就是在沒有想到什麼中。「突然之間，念頭裡面，出現什麼。卻是廣大同體，智慧之分明」！「妙哉」！

　　在「十法界，無明賴耶之識種中」。如是「自然花果性相之顯相受用」，表達在「感受、觀念、現象」中。因此，「人生之命運，與輪迴之運轉」！？

　　所以，「命運之運轉。繫乎，受用與想相

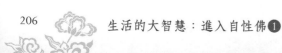

之相應。但根源，卻是深縛識種，相應性相之表達」!?因此，「透過識種特性。能見明，花果性相之殊異!?由此識種特性中，而見不同性相。迷縛相應之特性與命運」！

　　若能「識種受用之超越突破。究竟捨離，無性相之無識種子」中。「自然，從此不再十一法界之超越。究竟當下平等，究竟光明體之內涵」。與廣大之遍照!?而見明「無識種之相應，當下皆是，究竟絕對之緣起」中！皆是「廣大究竟全體，絕對之光明體」內涵！

覺悟（上）

「無明阿賴耶識體，俱能變與所變之糾纏力」。「諸性相中，彼此互相無明的執迷、糾纏、束縛著」。此「無明煩惱之變化力，令所有眾生之精神，皆如是的深迷無明其中，受束縛著」!?

「處於，如此累劫久遠無明之無知；自然之無明前世自識境相，對能變因緣之性起，自然自識所變之境相」。皆為「現實內感外應，諸象相之無明現象。自然今生現象，無明之變化」!?

「在無明相應，當然習慣的，今生無明，互相執迷」著。於「執縛的無明，而無知其中」。如是前世今生，累劫昔性，無明互相相應的，交往著!?

「如此無知，糾纏之束縛力；不斷地無明相應」。能變與所變性相，類似「花開、花謝般，不斷的，重複著」。彼此「無明其中的，互相相應」著！「自然產生無明變化諸相，自然糾纏，相應之來皈」。更無明其中，相應著，於現象與受用，展現著。

　　「如此之無明自然」，自視為「理所當然」。而「深迷於其中，自縛」著。以致「無法清明於其中，出離自識執，無明其中之受用」!?而「自是活在，無明其中」，更因此深入「無用識」。深契，剎那「當下，自在之覺悟」!?

　　「又在花謝，自然又回皈」，「自我意識變化之迷失其中」。如是，無明之「諸種子」。如是「落葉皈根般，無明其中的」，「含藏」著!?「甚而，彼此互相內外，無明相應」其中。「不斷的；產生不同種性，異常互相影響，轉化」

著。其「種子內涵,頻繁之變異」著!?

「如此種子特性,如蛛網般,彼此互相編織,糾纏」著。更「產生重重無盡,互相轉化,影響之改變」。如此「無明其中交織,種子本來特性之內涵」。更「轉移換位的,參雜」著。「如此,不斷的突變;於本來種子」。如是「自然,迷失其中之無明,與自深藏之內涵」!

「如是無量之不同種子,如是含藏著,無明之相應」。不斷向外的,以「無明執迷之方式,自性象相著」!「更繼續,無明的迷失」著。如是自然迷執著,「離開如如本質之真理定義」。「迷失的,諸性相象的」,「遠離著」!?

「更而,自性象相,而自他互相,彼此互融的,互攝受」著。彼此間,「無明其中,互相影響」著。「自然不斷的,自無明執縛」。「更而因此,產生執持更深」,「種子性之含藏」。如

是「自無明之迷失」著！

「於其中，深藏，又如是自識縛的」，「深迷，其中」著。「無法自拔」。而「無明的，仍是，自恃縛」著。於「受束縛，更多元性」，「廣大無明其中的，變化著」。如是「濃縮，於無明之含藏」。今生「相應，無明其中，存有著」！

「如是的隱含，於久遠之變易」。更「累積強大，無明其中的業力」。如「強大瀑流般，如此之深縛」著。而「繼續相應，無明其中的顯現」著。於「諸相無明，活動之顯明」著!?「如是業力強大的，令人無法自明」。若能「深入，分明自覺，捨棄用識」。「因而出離，自識的，分明」。「如是無無明盡的，深入廣大無相之自覺悟」！

「如此般，再再，無法自明」的。「深陷無

明其中，諸象相之著迷」。更「經常習慣性的，如此無明自受的，反應」著。自「種子性」，「無明其中，昔性的，變現」著。

在「自無明相應之深陷，無知而無明」的。更「再再的，於自迷失，無明糾纏的，迷縛此中」。「深陷自迷，無明其中之種子」。不斷地，「無明相應之輪迴」著。

於「其中，自然而然的，自動變化」著。一切「自然所生，無明其中之諸法」。皆又「自然皈滅，於無明其中之回皈」。「迅速地，含藏，存有」著！？「於此無量無邊，反覆無明，相應之變化」。「自識種子，不斷地，無明其中」。「轉化，變異著」。又「自然新異，如是諸性象相」的。「自然無明其中，諸法之產生」！？

如同「宇宙，無量無邊，星際之生滅般」。更而「無明其中，繼續著」。「顯隱變化的，無

明其中，如是諸象相」的。如此，「重複生滅、生死般的」存有。「無明其中的，重複著」。如此「無明自他受用」，不斷「無明其中，生滅般」的。彼此間「重複著，無明其中，不斷互相影響」著!?

在「自然無明相應之變異」，迷失「深藏種子性」。「繼續的，存有」著。「或隱，或顯」，等等方式。如是多層次，十方擴散著。更而「網狀般」，彼此「無明其中，互相糾纏，諸象相」著!?又「皈滅的，含藏」著。於「隱含，新新種子性」，「無明其中之存有」著。

如此「不斷無明相應，生滅般的，在顯隱間，變異不斷」。不斷繼續著「種性，與象相」般，「新新變異，無明其中，不同之形相」，「存有，或存在」著!?「如是自識，深縛種性」，「象相之自然」。於「廣大無量無邊，

無明其中隱顯」間。「自然不同，形式之變異著」。

更於「自心中，見到無明的，本源」。本來「原始無明之阿賴耶識體」。「涵養著，無量無明其中」，「自性，象相」的。「快速的，新新變異種」般，「自識種之生滅」著!?

「如此之類似」，「無明其中，自然相應，象相」，「如是延伸，廣大的擴充」著。更因此，「見印，於自然宇宙」，諸星際般「擴充，與皈滅之模式」!?「更見到，不斷地生死」、「生滅」般。又「復皈藏，存有」。「互相，交替」著。更而「變異轉位，無明其中」，「轉化般的」。仍是「繼續，無明其中」，「新新，又新的，存有」著。

「更而，在剎那」，「無明，相應之變現」。更「因此見到，彼此不思議，隱顯」間。

「進入更深信入，無明其中」，「攝受之轉化」。「各自新新之剎那」，「皆是，各自剎那之不住」。「存有，無明其中，變異之景象」，「快速自然的，發生」著!?

如同「廣大星際諸象相」，從「原本空無一法」中，剎那「廣大爆炸般的，向外廣大延伸」。擴張「無明其中的，擴充」著。「自然之出生」。如是，「繽紛多樣，十方、向外」的。「無明其中的，遠離著」。如「放光般」的，「剎那間，向外十方，放射」著。「遍處，皆是無明」其中。「顯明的，現象」!?

「再次，重複」的，又「回皈著，由顯，變隱」的。「循著，寂滅方式，繼續，更深寂的」。進入，「終皈死寂，無性相，寂然之現象，與心境」!?

「再再重複著，如此類似」，「無明其中

之回畈，如是識種之生滅」。「宇宙現象，亦如是的，自然生滅」著，或「再次無明其中，轉化般」的。「變異出，新的現象」！「如是出生，與再次畈滅之方式」。幾乎「與宇宙現象之生滅」，「類似，與相同」!?

「如此，最終，又復畈，於無明賴耶識體」；「含藏著」。如此「識種般，無明其中之生滅」。又「復畈，於廣大當下，究竟全體之光明體」，「寂靜，無性相」。

如是「無量識種，亦如此的，生滅變現」著。「俱能藏，與所藏，無盡的作用」著!?「如同，更空寂般的，大光明藏」。卻仍是「以存有之方式，表達」。如是「含藏，於更深象相般」之境相。「無明其中的，深藏著」!?

如是「藏識之變種」，於「不斷頻繁，增生變異」。如同「花開、花謝般」的。「再再，重

重無盡」的。於「自迷執的，無明其中現象」，
「內感外應的，相應著」。如是「突變新異，自
然無明其中」之「變現」!?

　　「更自，深然，又回皈本來」的。又「再投
入其中，無明之相應」著，更而「參與無明，其
中，活動」著。經過如此「識變轉化之自然」，
與「各種無明其中，變異，性象相，不斷的改
變」。

　　自然有著「不同出生」之存在，復「皈於似
滅」，卻是「不滅的，存有」。「又再次的，滅
盡後之還皈」；但「仍是，此識體」。「寂滅形
相，無明其中之藏」!?即是「究竟識藏」之「識
光明體」內涵！

　　如此，「再再的含藏，於空、不空、更而
空不空」；三種方式，表達「含藏變化隱顯，性
象相之變化」。俱涵著，「自攝信入，與他攝信

入」之因緣。

「自受輸入，含藏」著，更在「無明變化，諸象相」。「無盡的受用」著，自「因果諸象相之轉化」!?如是「累劫無明前世之今生」內涵，即是「當下究竟光明體」之真理。就在「究竟覺悟平等」，深契「無性相，畢竟空體」，全體「究竟廣大光明體」之內涵！

「如是無明其中」之循環，「再再變現，仍在無明之迷失」。更而「輪迴，昔性」的，又「復皈於，自無明執識，迷失之束縛」著。「完全依賴，意識轉化」之工夫，「轉變識光明的，改變無明，而識光明之品質」!?

「如同，老果農，具經驗的；能隨其意志的，轉化品種」般！若「老農夫識分明之用心，變成昔邪師」，有計劃，與意志之「魔心」。則能「控制識種之方向，與轉變之能力」。豈非能

「隨心所欲，識變之掌控」乎!?

　　「如是自然識種之變現，如同瀑流般強大」，自「無明相應著，如此之變化力」。更在「自願，自明，此無明相應」，能「無明其中的，分明投入十法界」。如是「自然無明其中的，生滅不斷」著。自「識相變現的，繼續」著！

　　「如是不斷的，繼續永生無明，生死的，投入」。「重複的，又是繼續」著，「如是昔性，體性象相般的，形式」著。更「不斷的，內感外應」，更而「內外無明相應的，方式」流露。「變現著，如是之無明其中，更而生死輪迴」著!?

　　在「無明其中，生滅重複」著。更而「永生之無明其中」，「自識種，重複般的，時時新異」的。「自識種，識變之轉化」著，「無明相

應法界的，變化」著!?「此無明之迷執」，更而「自願，自陷生滅般之自縛」。「自然生命延續中，竟然無法改變，更不得出脫」，如此，原有「自識種之自縛」。因此「無法自明」。仍「迷失無明其中」!?

在「不斷生滅中，繼續著生死繼續」。卻「仍是無明其中之自輪迴」。與「自轉化，更入無明其中」，「永生輪迴之自識種」。「如是昔性，自然不斷的重複」著。「自然永生生死的，自然自是」著，「無明其中，自識種之轉化，與自縛」。自然「自無明迷失的輪迴著，卻是無法分明」，更「無明其中之自主」著，「可悲」乎!?

「由此可知，十法界一切諸法，皆是無明諸識法，粗細有無」之展現。「自然變現，無明相應，各自之不同，與相異之相」。皆「緣自於，

不同類別」之相應，與「無明不同執迷，自他變現」。更而「自無明識種，變異，更新轉化」著。如是「自然的，投入新新變異」，不同「生死之輪迴，與出生其中」！

往昔，昔邪師「明知而故意的、隱含的、掌握著」。如是自經驗分明的，「意識想相之轉化，與導引術之應用」。皆是兵法應用，意念之轉化，「控制在迷縛之無明其中」。「能祕念轉化，深藏意識之力量」，以期「自分明之念力，能控制信入者，無明之心中」！？皆是「昔邪師隱藏邪惡，控制之用心」。

在「自然今生無明之相應中，自無明，無知」的；皆是「本來之無明」。如是，「自識執業力的，強大無明受用之展現」。更再「無知於，昔邪師，有心之惡意」，如是，「識分明經驗，祕念導引術之控制」。

「所以，無明受縛於阿賴耶識體」。不論「在六惡道」，「多神氣，多福報，多聰明」。仍是難逃，「自無明意識種之自縛」!?「仍是受縛，無明自識縛種」之所困。仍是難逃「無明自識體之無明相應」。「自然無明，迷縛因果」著。

　　「在自用識中，若能結善緣」；仍是「今生生活中，最高的幸福」!?仍是「尚未究竟無明，迷失之空幻一場」。只要「自識縛種」之「惡因迷失」仍有。「不是不報，只是時候未到」!?豈非乎!?因緣「識種，因果藏之存有」，必然「因緣際會」時，成熟之「必報」！

　　然而，「自然無明迷失，迷縛之惡，必定顯相」。於「因緣自他攝受顯明時，如是必然，無明因緣之糾纏」。與「自識體，自性象相」。如是「體性相，無明迷失，相應之因果必然」。

生活的大智慧：進入自性佛❶

「如昔邪師廣大之惡行惡因」，「必定到時，遍處迷縛果報，必然顯明」之照明。「昔日之惡因，必定因此無明，迷縛之相應」著。這是「必定由內而外的展現，因果相應如夢幻，必定報應之必然」！再加之「究竟真理，廣大究竟光明體」之遍照照明緣起。如是必然，「緣起之菩提」造化，延伸入「法爾」！？

　　如此，「再再自然法爾」。必「自應，與照明」之圓融。自「迷縛相應中，必然因果著」展現。皆是「如此，進入自本有」。「自無明深藏，強烈種子，迷縛之含藏」。「遇緣遍照，必再緣起照明，與延伸自然法爾之展現」！？

　　「必須如是分明，自識體，與識種」之真義。方才能「自分明，惡因」，必自「強力回皈，無明迷失之糾纏」。「必定無明相應，投入圓融，此惡果之必然」。如是，「必然，菩提現

象」之展現中!?

在「不得不之境相」，自然法爾的，「不能脫離果報」。到時「無明迷失之迷縛」。若能「自是無性相的工夫，而止斷此無明」。則能「自然止斷之心境」，「如是果報意念，與主張」!?「豈非今生，能深契同體分明智慧」之心境。因此，「自明智慧菩提之自善哉」!?

「如此，相應的投入出生，與業力不得不的，自願進入，出生於另一法界」。皆源於，「自莫明種子縛力」，遇緣，「必變現之必然」!?卻是「不得不之必然」。

「如此不得不的，雖不願；仍受控業力」的。自「相應」著。「投入此受縛之變現，與自以為，自願的受用著」。如是「繼續著，還是無明自識之自縛」。自然，「自決定，自願之生活」著。「在自然因種，與果報遇緣」時，自

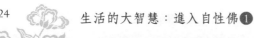

然「無明其中」，「此仍在自用識，無明其結果」。仍是「無明之自自然，而無明果報」之必然!?

「無明自執之識縛種因，能俱廣大、強大之業力」。譬若「乘坐阿賴耶識體，能業力指揮方向之太空船」般。而「自然自動方向，顯明無明業力之指揮，顯相必然的飛行著」!?

「自然發現，於無所有之真相」；竟「隨業力，隨意變現」著。仍在「無明其中之迷縛」。所以必然「諸象相的，顯相」著。「如是無明其中，相應無明之追隨，與迷失」，更而「受其無明的，束縛」著!?卻是，「自我以為的，必須如此」著!?怪乎!?

「如是迷失的，受引導」著；在「如夢如幻中，自我無明迷縛的，決定」。「隨波逐流」著。「隨著自意識無明，必然如此的選擇，如是

無明其中，繼續」的。進入「累劫無明識種花果性相，生死大夢之漂流」!?

於「當下之隨緣，能自無明其中」之產生，「自然反應的，決定」著。更而「自理性的，以為」著。卻仍是「在自識」。如是，「微細自我識縛，仍是無明其中」的。「自然以為的，流露」，「表達，與作用」著!?

「在以為，有利理性判斷，無明之迷失」，「自以為的，選擇自己有利的決定」。如此，「繼續著，今生利害得失之理性」，與「無明之命運」著!?

「如是於其中，本來受縛命運之自然」；如是「無法分明，而無法改變」。自然因此，「繼續深陷，無明之自識縛」。「不得不的沉陷著，繼續無明，於自迷縛」。

仍是「迷於自無明，自受用之選擇」，「自

以為理性的，決定相應」著!?「如是無明，堅強業性般，迷縛受用」，「迷失的，深執縛」。仍是「無明迷失其中，而無法脫縛」的!?

「雖是微細自識種，仍是微細，無法察覺」，在「積久的識分明，則能產生連續之自明」。唯有深契「究竟之捨離」，才能見到，「強力無明束縛，與執縛力」的可怕!?

「若能明白，在不用識」，自入「精神之覺悟」。自然能因此，「照明之分明」。則能「自分明的，止斷無明」。如是「自無明之受困」。

「就在當下從小到大，昔性般，本來無明之受用」。卻是能因此，自深契「今生，如夢幻」。如是「當下無明之自覺」。皆是共入此「無性相，如是究竟體」，與「究竟真相之覺悟」!?

「自然的，皆是究竟之捨離」。如是，「廣

然之當下現象，與自受用」。皆是「深契，究竟廣大」，「自如如真理體」之涵養。

於「自本來之覺醒狀態」。即是「深契自在，自如如」之涵養。究竟平等，如是「自絕對定義之真理」。與自在「究竟光明體之精神狀態」。亦是深契「究竟涅槃」，與廣大「自在之心境」!?

「深處其中」時，「究竟覺悟，無性相皈體之不迷失」工夫。更能「自實踐」，仍是「自究竟，無性相之光明體」。如是，「究竟涅槃之心境」！

「如同本來之無性相，與究竟不糾纏，自在夢醒」時。更「自見，如是，本來無一物」。與「無性相，畢竟之空體」中!?深契「空中本質之概念」。即是，「真正醒來」，深契「究竟光明體，清醒之精神狀態」!?

此「究竟之光明體，本來自是」，「一時之剎那，當下」。究竟「自覺悟照明，遍照自見之大明」！最終「自覺醒之狀況」，皆是「如如空中本質，與自精神之狀態」！?

「如此實臻的，自見本來清醒之精神狀態」。皆是「真正實入遍照十一法界，全然之緣起」。「究竟自然法爾之圓融，菩提造化之真相」。皆是「當下廣大圓滿之平等，吉祥如意之萬化，與萬象」！?

如是「行持，自捨離自因果」的；進入「自因緣止斷，自不迷」中。亦是因此，「究竟漏盡廣大，究竟無性相，畢竟空體」。更而「無極至極，全體究竟之光明體」，究竟「定義之真理」！

而於「一切諸象相，廣大之無性相」。更而，「於此不迷之皈體」，「自狀況，畢竟空體

之深入」！「自在的體性，究竟光明體，與廣大遍照」，當下「究竟平等，自然法爾」的，圓融隨順！

「如此自醒之精神狀況」；皆是「當下同體，分明之智慧」。此「純粹之精神體」，本來「真理形式，究竟涅槃」之狀況!?更「深契自本有，本質存有」之內涵，如是「究竟光明體之概念」。

如是「本來之無物」，皆是「精神體，形式概念，究竟之真理」。如是「不生不滅，空中本質之內涵」!?「皆是涵存著，自究竟覺悟之平等」。「如此究竟不變絕對體，皆是永恆不變之真理」。

「大破，大立；自破，非他破」。「自他不二故；一切自然之自破」！「此識與如兩部；皆為性相分」。如是「超越十一法界，泯性相的，

畈空體」，究竟之覺悟平等！即是「究竟如如不動」之涵養工夫！

如是「空中本質，究竟體之內涵」。亦是「無生無滅」，究竟「真理體之定義」！從「無定義至極，不得已之定義」。亦是究竟「大定體之自體」。即「究竟無性相之覺悟」，更「究竟體之體」中。如是，自在「廣大究竟真理，無極至極，不得不之定義概念」！

「受縛於種子，即有花果性相之相生」。若「不受縛於一切種子，與概念」等，則「深契無生，而究竟之自然體」。即是廣大遍照，「緣起照明無生果，隨順自然法爾」現象之圓融。

此菩提造化之「無生果」；即是緣起遍照，「無生而生，滅而無滅」。恆在「究竟無所得」之定義！「一切顯有，即是緣起遍照菩提，自然法爾現象圓融之再現」。純然，於「究竟之精神

作用，與究竟光明體」之表達。

　　若「執著迷失，性相」；即「入執縛」！若能「不執一切性相，無極至極」，於「回皈，究竟體」！如是「究竟平等，由識體部，而如體部」。如是，深契「究竟無生，究竟之真理部」。當下即是，「無性相，皈體」之究竟覺悟平等！

　　即是「無生而生、滅而不滅」，究竟「空中本質」涵養。更而，「究竟無所得，究竟皈體，緣起菩提造化，與無生果」之平等。即是「深契全體，究竟真理，廣大之光明體」！

　　在深入「畢竟空體裡面，能見到，同體之分明智慧」，與「究竟無性相，畢竟廣大之光明體」。「內外」，都是「廣大平等的，畢竟空體」。不斷的「往內看，於畢竟空體之內涵，看到整個，都是全體究竟，光明體」之內涵！

再順著「當下，看眼前的空間」，整個「光明體，自然一直在轉動」。產生「放光之遍照」！跟著「體性的，深入的看中」。「空中裡面，會生出相」！叫作「緣起放光遍照」的，「自然法爾圓融現象，菩提造化，與無生果」。

　　什麼叫作「前世」？從小到大的「感受、觀念、想法、現象」等，會「莫明的昔性受用，一直起來」，這個「相應無明種，花果性相的出來。就是前世，而今生」的展現！它在「感受、觀念、與現象」等，都是「充滿著，累劫無明，與如夢幻的，表達」。

　　當下，若能把這個「如夢幻的感受、觀念、現象、想相等，究竟的，看破不迷」。就能進入到，「無性相，畢竟空體」的覺悟內涵。當「一直看著，那個畢竟空體的空間。專注於畢竟空體的精神領域，就會在，自然全體之光」中。叫作

「究竟的光明體」。與「如是遍照，廣大自性佛的，佛光」中！

活在「究竟絕對的，那個地方，就是深契真正的，真理」。「空間中，就是究竟光明體的，自性佛」內涵。「那個，就是真正無性相，佛的身體」。「佛的身體，就是究竟廣大光明體的光」！祂「沒有形相，全體整個，都是光」。

深看「眼前的空間，都是光」。「整個精神空間，叫作自性佛身」的領域。「當下究竟，跟祂同體，同在」中。那個，就是「究竟，廣大自在的佛」！亦是「究竟同體平等，三世一切諸佛，共入此中，究竟之佛身」。

當看到「銀白的光體，或者透明的光體，都是自己的自性佛」。「佛」不一定有形相，有時「整個，都是光」。有時整個，都是「透明，無性相」的光明體。這些「性相的緣起」，與菩提

造化之「遍照」。都是「自性佛，究竟體性之內涵」。

甚而，「沒有看到什麼，卻在沒有裡面，能感受到能量」。那個「受用之表達，也是無性相，自性佛」之內涵！所謂「全體，究竟的光明體」，「有時，是一種廣大之遍照」。如是，「看不到形相的能量，是一種光能體性」之表達。

所以，「無論有沒有看到性相，卻能進入到，究竟如如的涵養」，就是進入到「畢竟空體，和全體究竟的，光明體」。能「深入究竟平等，同體的進入，與體性之廣大遍照」。就是「真正佛」的內涵了。

看著「無性相，而實相體的佛」。「進入到那個空間，就是真正深入，究竟體性之內涵，自性佛」了。無論「有沒有看到，能深入無性相，

而實相體之究竟內涵」。那個「究竟體性之展現，都是廣大自性佛內涵的，空間」。

當「進入到自性佛內涵的，空間，祂所流露的同體，究竟內涵體性之覺悟」。叫作「同體分明智慧」之展現。祂「自然會流露出，廣大遍照菩提，自然法爾現象圓融之造化」。「這種展現，叫作廣大體性，究竟佛智慧的流露」！

當進入到「如如的涵養」，都是「當下，直入，用看」的。在「看」裡面！祂「會緣起遍照，遍處照明，與無性相之菩提造化，如是自然法爾現象之圓融變化」。這個叫作「進入到，究竟廣大光明精神體，究竟體性的，展現」！

再「練習深契進入，當下究竟捨離，感受、觀念、現象、想相等，究竟無性相」之覺悟。「全部無性相的，撥開，其受用」！如是，「自然，如夢幻之表達，就是廣大之前世」。

若能「進入到，究竟覺悟平等如是，深契不斷的超越，與無性相受用，究竟的體」。然後「在無性相，畢竟空體裡面。在全體的看」中！祂「自然自在體性中，究竟光明體之真理，與廣大之遍照」！

所謂「阿賴耶識」之內涵，就是「包含廣大，前世的喜怒哀樂、愛恨情仇的種子，如是深縛，迷失種子之花果性相，與無明之相應現象」！就展現出來了！

無量「種子，會不斷的無明開花結果，而永遠昔性般的，表達」著。每個人，都「無明活在，輪迴昔性之無明阿賴耶識種子相應，與花果性相」等。如是，「廣大無明之相應，與糾纏的迷失」。

所以，「不要使用，阿賴耶識，無明種子的糾纏」。當下，「進入到無性相，畢竟空體」

裡面。「完全深契，沒有糾纏性相，與種子之迷失」。「不斷淬煉的作，久而久之工夫，就會跟一般人的心境，完全不一樣」！

　　從此，「不再有，想像、以為、判斷的迷失。只有究竟，無性相，畢竟空體之覺悟內涵」！整個「空中，全體皆是，究竟廣大的光明體」。那個「光明體的內涵，與廣大的遍照菩提，如是自然法爾圓融之現象」展現，就是「真正的佛身」內涵！

　　所以，如此「當下，淬煉真實體性之工夫，看起來平淡無奇，其實是非常重要」的！要「覺悟深契，如何，究竟捨離前世的，想相、以為、觀念、判斷、和現象的糾纏」！？

　　若能，進入到「無性相之畢竟空體裡面。自然能展現出，究竟廣大光明體」之內涵！就是「究竟光明體的，精神體」！所以，「經常要如

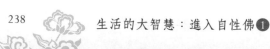

此，真實工夫之全然實踐」！

做到「完全深契，不要自己的前世內涵！皆在廣大遍照」。緣起「菩提造化，自然法爾之隨順圓融」。「一切，皆是廣大吉祥如意之圓滿」！

覺悟（下）

　　「吾人若能於廣大現象，與萬化之變化」，「深明性相之真義，而不迷」。更自覺「進入自如如，無性相，畢竟空體，不動究竟體中」，如是，究竟之覺悟平等。

　　更深「究竟不動精神之涵養，如如之覺悟」。「自然皆是，空中本質真理」之形式。如是「廣大遍照」，同體「分明智慧，廣大圓融之菩提造化」流露！？

　　在「深然，而廣大的遍觀」；「一切宗教、信仰、理論、修煉、密法、黑法、祕術、咒法、道法、術法、神通、宗派等」，仍在「無明唯識之修持」。仍是「自恃以為，自用無明識體」之邪道！

覺悟（下）

　　「吾人若能於廣大現象，與萬化之變化」，「深明性相之真義，而不迷」。更自覺「進入自如如，無性相，畢竟空體，不動究竟體中」，如是，究竟之覺悟平等。

　　更深「究竟不動精神之涵養，如如之覺悟」。「自然皆是，空中本質真理」之形式。如是「廣大遍照」，同體「分明智慧，廣大圓融之菩提造化」流露！？

　　在「深然，而廣大的遍觀」；「一切宗教、信仰、理論、修煉、密法、黑法、祕術、咒法、道法、術法、神通、宗派等」，仍在「無明唯識之修持」。仍是「自恃以為，自用無明識體」之邪道！

生活的大智慧：進入自性佛❶

更在「傳統自是、假借名相、祕密宗教、高貴宗派、傳統正道等,信眾眾多之擁立」中。「如是頭銜,自持以為」。「仍在無明執識用識,以為之心境」,「盲修」著。

故「今生中,諸所有之修持與作為」,到頭來仍是,「自皈無明自識之體性相,自恃修持之自我以為」。而非根據「所修法本,與經典來源之成道聖者;是否究竟真理之深契」而做定論。

昔邪師,「自執識種性相,與昔性經驗之記憶,仍自以為」的。「自是已臻,修煉大成就之驕傲」。卻仍是,「自無明,於阿賴耶識體性相之無明昔性經驗。如是無明導引信者,誤導深入迷縛,輪迴用識之迷失」。這是「最可恨」處!?

自然,「只是為了騙取金錢」;仍是「自無明其中之自誤,更而誤人」。更加「自識無明之知識經驗,而如是無明的,迷縛著,與自輪迴

著」!?

《道德經》，曾言「反為道之動，弱為道之用」；「故反、弱之用，於兵法家」而言，即是「妙能契合，無明之識種變化」。「用心機者而言，仍在用識無明，自識之以為」。「自恃依靠，用識契合，任運之掌握」著。

若能深契「不用識者；則反、弱契機之用，即是深入究竟之無性相」。而如是「分明自覺，識體空之深入，自然法爾，隨順之深契」。

如是「奇門遁甲」之術，亦是「含藏於，中五」之用。即是「深契，反眨識體，空空之至極，於究竟，真理之空體」。「自然在休、生、傷、杜、景、死、驚、開之八門變化轉變；能因此，掌控造化」。自然，「出凶禍之杜、死門」，而「入吉祥之生、開門」之幻變!?

如是「中五之契，豈非暗示深契無性相，

皈體究竟」之深入。「自然一切，皆是遍照」。如是「自然同體，分明造化智慧」之能俱。而生「遍照照明，緣起菩提之造化。自然無生而生之菩提果」乎!?

　　而「大六壬學術之巧妙」，亦是「六識、六用、六相」；自然於「廣大十八界中。實入無性相」。再再「皈體究竟，與廣大涵養，如如之全然實踐」!?

　　亦如是「自然，當下超越遍照十一法界，自然如是一界當下，究竟之平等」!「自然法爾圓融現象，反皈生出，究竟，再再之涵養」。與「廣大十八界，吉祥如意圓滿之造化」。

　　「《鬼谷子》書載，古之大化者，與天地同流，即是深契法爾自然，順融圓滿現象菩提之緣起」。亦皆是「深契，究竟無性相，皈體。與廣大遍照，照明菩提之緣起」！皆是「究竟深融

於，正反不二，完全之平等」，究竟之真理！

如是，「自然深契順融，廣大究竟真理，佛道之同體」。「廣大智慧，分明之密契。自然究竟，同體之平等，整個山河大地、翠翠黃花，無非般若」的展現！自然如是「吉祥如意，智慧圓滿，廣大遍照」之圓融。能如是，「整個天地同流平等，同體中。渾然自然法爾現象之隨順」。「密契佛道，分明智慧，究竟之順融」！？

以上經論之記載，皆是「密涵深契，究竟無性相，皈體」的真義。如是，「妙形容，於自然法爾現象菩提，智慧圓融」之用。皆是「深然自入，究竟平等菩提造化，自然法爾之圓融現象，吉祥如意圓滿之契機」。皆是「皈向深契，無性相，不迷縛之皈體」。因此，「究竟皈體，廣大遍照，妙法之廣生」。豈非乎！？試參之！？

人類法界中，「按照人類之習俗、法律、

規矩等，認真生活，與財富、幸福累積等」。以
「人類文化，形成自以為之共識，如此正派的生
活方式，與守法的態度」。皆仍在「無明自識以
為，如夢幻之範疇」。如是「傳統般，無明人類
之生活著」。

在「無明迷縛用識，與無明識種性相」之生
活。如此「共通人類無明意識，諸性相迷縛，與
昔性之無明」。更而「自他攝受共通的，生活方
式」。仍是在「自無明，自識之輪迴」。「共通
無明，迷失用識」的，自生活著！

如此無明人類，幾乎「全體自迷，自縛識
種，無明性相的，無明相應」之繼續。「全人
類，幾乎同樣，累劫之昔性，無明繼續用識」的
生活。如此「自迷，迷識的，而無明其中」，輪
迴著。生活著！

原來「人類之生活，本來皆是，累劫自無

明識體，與識種，性相之迷失」。只知「出生、長大、求學、工作、結婚、家庭、老年等，生、老、病、死」著。皆是「全面性，無明之相應。如是，累劫之傳承，昔性的繼續」！如是，「因緣無明，而無明其中，自然，而自我以為」著。如此「平凡，如夢幻，無明的，生活」著!?

「到頭來，一生之一切，終回皈；於自無明，諸識種之衍生」。於「自我活動之無明，如夢幻，仍是平凡、無知與無明」著。而「自我用識的，仍是本來昔性，識種性相之自縛」，「更在茫然」中。所謂「一切帶不走，唯有業隨身」之結論。

「若能，自覺悟分明，更再向上，無性相之皈體」。「不離當下的，深契究竟真理」之真相。「剎那，皆是究竟之覺悟平等！在一切破滅，泯性相，究竟之皈體」，能「見到本來無一

物，廣大究竟光明體之遍照」！

世間無明的一切，皆是「自輪迴種子，體性相花果的，繼續無明諸相之延續」。仍是「自迷執，如夢幻的用識著，在自以為」。「更是自恃深執，仍在自無明用識，無明之迷失」！?豈非乎！?

「自我祕密，自用識無明，自心念，仍是自恃、自以為的，想相之識變！當成自以為神通之廣大」！卻是「自恃之自識，無明昔性，自以為，我法之執迷」。

如此，「堅持自大的展現，卻仍在無明自以為的迷相」！?「最後，終於明白；原來，一生之努力，皆仍在迷縛，自恃無明用識之迷失」心境。

「如此自我以為，想相的成就，卻仍是自無明，自識之以為」著。卻「自大，而自祕，識

變」著！

　　如昔邪師般，以「經驗自識，無明想相相應之自迷。堅持無明用識的，自恃以為」著。卻是經驗式的用識，無明自我以為之成就。仍在「自發明以為，無明想相，識變之迷失」。

　　如是，「經驗導引術之使用。卻無明識種，花果之性相，堅持以為」著；「自有迷失幻夢，廣大神通」之變現!?

　　但「實際上，仍是自識，自我之無明！仍是自識體性相，無明之相應迷縛」。「瞞人，亦騙己」之無明迷失！「如是無明用識之應用，仍是迷失應用，掩人耳目之伎倆」罷了！

　　「當下，十一法界之無性相，即是究竟之皈體」。「究竟深契，佛地之內涵。如是，諸法體性相，即是究竟無性相」之當下。即是「全體之同體，如是，真理之究竟」！

  生活的大智慧：進入自性佛❶

完全捨離「受用、觀念、相應等，深契無性相。如是畢竟空體的，工夫內涵」！即在「究竟，真理體」中。

完全「不使用，自己無明之迷縛，與喜歡和討厭」。若能深入「喜歡和討厭，都能無二平等相的，如是一真心境之契入」。叫作深入，「一真之法界」。如是，「無二性相平等的，皈一體」，究竟之「真」。

所謂「一真法界」，就是真正做到，「深入無二相之平等。而在放光的狀況。在廣大光明，照明之如」裡面！即是「深入，平等不二之性相！完全無性相的，只有絕對安定，放光之光明」！

如是達到「不二平等性相的，一真之光明。就已經離開微細相對相，與無明之迷失」了。如是，進入到「安定的性相。更而，再深契泯性相

之究竟皈體」！只有「究竟全體之光明體，即是究竟真理之廣大。與廣大遍照」。如是，「究竟體性之流露」！

所謂「真的相，其來源，是緣起放光照明」之性相。而「一真」之真。為「放光緣起，平等相的內涵。為放光之性」的狀況！卻仍有「微細相之迷縛存在。所以，一真法界相，為內涵真的相」。

而源自無明「想之迷失，如是微細糾纏，一真之相；即是假的相」。稱為「阿賴耶無明迷失之相應，為類佛，識體空空」之心境！如是「累劫無明相應，繼續深執迷相之延續衍生」。「自然因此，繼續迷縛深入，如夢幻，十法界」之安立！如是「一真，與十法界之建立，皆是以依相之迷縛」，為主題。

如是「性相之一如，為廣大一真，不二平

等，真相之光明」內涵。而「體性之一如，則是究竟光明體。與廣大遍照，菩提造化相」之安立！如是，「究竟體性」之內涵！

　　「如的，一真法界，是真」。已經進入「沒有種子。只有光明的空間！阿賴耶識的，十法界，是假。叫作種子相應的，空間」！因為有「種子，所以會相應無明迷縛的，糾纏」！不過，「一真法界和十法界，都還是在迷失，真與假，相之現象界」。而「十法界，微細唯識相之建立。是依一真法界之緣起相，而相依，存有」。如是，「相應迷縛之糾纏，生出」！

　　到了「如如的心境，就是究竟體性之內涵。為廣大究竟光明體，與緣起廣大，放光遍照」之菩提造化展現！如此，「不被性相、與現象界套牢。連種子、和沒有種子、整個相應的迷縛、與緣起菩提造化之迷失」，都沒有了。

「如如，是如的法界，再空」。即是「無性相，皈體，為全體，究竟體性」之回皈。當下，已經「沒有迷失，相應，與緣起相之十一個法界」了。

　　若以「原子核的反應形式，來作譬喻」。「如如，就像是核融合狀況，處在原子核，還沒有爆炸前」。完全「究竟光明體，與放光遍照，閃電的狀況」。

　　而「一真法界，就像核分裂，就是原子核爆炸中，所產生緣起，放光照明閃電相的，造化之平等」。如是，「十法界的識法界，就像原子核爆炸以後，所產生的迷執幻相」。

　　在「十法界，阿羅漢和辟支佛（註：識空體），雖然能見到種子和昔性」之存有。但是「已深契，能見識明中。不被種子，和昔性，所困縛。如是，識之光明體」。

在「阿羅漢四果，入流，就是已經進入到識空，不糾纏的，行列裡面」。「一往來，就是已經進入到不糾纏來去之相，仍深契完全不糾纏，裡面，能夠識光明體之照明」內涵。

到了處在「十法界的，類佛和類菩薩（註：識體空的再空，與空空），是完全的不糾纏」。他們在「阿賴耶識之法界，而能自在的，不迷失，其中」。

深契「如的，一真法界，已經是廣大安定的，光明了，是能緣起照明的光」！能照明「好壞、是非、善惡、利害、得失的相，叫作性相一如、無二平等」。如是，「廣大照明的，光明。已經進入如是，照明的光」中。

在這裡面，「沒有好壞、是非、善惡、利害、得失的分別。永遠都是廣大，光明與放光」的狀態。「恆常，在光明之平等。如是一真法界

光明平等的，放光」。和「識法界的識放光，是不一樣的」！

「識法界的放光，是仍有無明糾纏相的，識放光。是來自於相依，相應迷失，如的光明相」存有！「祂的放光，仍是無明執識相之迷失中。是迷識相的，識放光」部份。

六祖慧能講：「菩提本無樹，明鏡亦非台，本來無一物，何處惹塵埃」。「如如的內涵，包含遍照之放光，與究竟光明體」之內涵。「菩提，則是無中生有之緣起，為放光遍照之剎那造化」展現。如是，「一體之兩面，是廣大究竟光明體、和遍照的菩提造化」。

當「畢竟空，究竟光明體時，與緣起遍照放光時，就是究竟體性」之內涵！

「菩提本無樹」，就是說「菩提，不是從有相，相應迷縛所生出。能無中生有的，在剎那

照明，即花、即果的，照明展現之造化」！「剎那，又皈畢竟空體，究竟無所得」。如是「再涵養，廣大究竟光明體，與廣大遍照性之皈體」！

「我相、人相、眾相生、壽者相」，這「四相，是阿賴耶識的無明種子，所生出」。如是「無明迷縛的，性相表達。要做到無我、無法、無無常，才能夠真正進入，究竟如如的涵養」。見到「究竟全體之光明體。如是，同體分明智慧，永恆的常」！「那個，才是究竟真實，真理之概念」。

所以，處在人世間，「當下，恆看十一個法界的，性相。與十一個法界的，現象界。當下若能，究竟覺悟平等。直入深契，究竟捨離性相之迷失。則能進入到，究竟無所得的皈體」！如是，「廣大遍照，菩提本無樹、明鏡亦非台」的心境。

「如是樹和台」，就是「深契究竟覺悟平等，見到，究竟，完全如夢幻，完全沒有迷失的，根本。如是，究竟，無性相之迷縛」。就是「深契真理之皈體，究竟體的，全體」內涵。

　　如是「十一個法界之展現，是十法界，依相，而識迷的存有」！「一真法界，依相，而見光明的緣起」！

　　所以，「當下，沒有十一個法界。就是深契，完全無性相」了。「無性相，等於究竟之皈體」！深契「無性相，等於是遍照照明，菩提之本源」！如是，「究竟光明體之畢竟空體」！

　　「菩提」，是「一下，緣起照明之生出。一下，緣起皈滅之寂滅」。又「究竟無所得覺悟平等，究竟之皈滅」！當下「廣大照明遍照的，緣起瀰佈。剎那照明之展現，在十一個法界」。如是「自然法爾現象之圓融，緣起無明迷失，自然

現象之菩提顯相」！

又「剎那寂滅的，回復到真實究竟光明體的，體性」。就是「恆常在究竟光明體，與體性的真實」內涵！

以「體性相來講，如如，是究竟光明體。又在體性之內涵」。「剎那之活動，只有緣起之遍照，與菩提造化之展現，而沒有相之迷失」！卻在「十一個法界之當下，緣起照明，自然法爾現象之圓融，與究竟平等之菩提造化」展現！

「如的一真法界，是緣起廣大之照明，與光明之性起」。屬於「性相，無二平等。深契完全不糾纏性相，廣大光明的，造化」。

如是「究竟覺悟平等之內涵，才能進入到，真正離相，不迷失之無性相。如是如如之自在，究竟體性，全體之光明體，與遍照的內涵」！

「真如自性的本身，就是究竟光明體之究竟

平等。就是真正的，實相內涵」！就是「深契真理，真實與絕對，整個，都是究竟光明體」。又是「當下，性起之放光遍照」。

「進入自性佛」的意思，就是深契，「進入究竟的，體性」內涵。即是「當下永恆，深契究竟光明體，與放光遍照」！

然後「展現，在十一個法界之緣起。即是究竟平等，廣大之遍照，緣起菩提造化」之活動。這個，叫作「圓融性起，自然法爾的現象」，如是「同體分明之智慧。如是，吉祥如意，廣大之圓滿，皈體究竟之涵養」！

要進入「究竟體性，和性相的，光明圓滿，體性相平等的明白。一定要進入，完全沒有，性相之迷失。就是無人相、無我相、無眾生相、無壽者相之深契」！「究竟無性相，究竟之皈體」。

「無我」，就是深契「感受界、觀念界、現象界，都完全不要糾纏」！「無法」，就是「十一個法界，所生出現象之相，縱使活在十一個法界裡面，也不迷縛的，迷相」！

　　「無無常」，就是即使「現象，有很多變化，都完全不迷中！進入究竟完全無性相的，永恆不動之皈體」。就在「不動，無性相，究竟真理的，究竟光明體」！

　　就以「太陽」來作譬喻。「進入太陽的裡面，叫作深契究竟光明體之真理平等。如是究竟，如如的內涵。能夠不放光」中！完全「不動究竟的內涵，任運自然法爾的，遊走，在行星圍繞的」裡面！就是「深契，完全不糾纏迷失。如是，無性相，於十一個法界之究竟體」。當下，「究竟全體之皈體」！

　　當下，「深契一真法界，叫作性相一如。只

有照明相的，平等。所有照明的相，都完全不糾
纏」！「不二平等。即是照明的，光相」！

　　大家要在「今生無明之生活，淬煉。如是，
自然的相應相中，和所受用的一切迷失。都能
完全深契，如夢幻中，完全無性相，究竟之皈
體」！如是，「如如不動的內涵，不迷失，和不
糾纏」。

　　「究竟覺悟平等，當下，等於剎那，也等於
永恆。就住在如如涵養的體性」裡，當下，「自
然，在究竟泯性相，皈體之涵養！就是皈於，無
性相究竟的，內涵不動」！「畢竟空體，究竟真
理」之內涵！

　　雖然「活在究竟平等，如是十一個法界，卻
是當下，深契完全，無性相。如是，不糾纏、不
迷失、不徬徨」！如是，「究竟皈體的，畢竟空
體。做到遍照緣起，深契任運無礙，自然法爾之

圓融」！「如是，終皈究竟平等，廣大究竟光明體，與遍照之體，再再擴充廣大」。

「活在其中，不離其中，又在其中。如是究竟平等，如夢幻生死相、十一個法界相中、累劫無明輪迴相。當下深契，剎那停止。於永恆，無性相之畢竟空體」！就是「深契究竟之覺悟平等，如是，廣大光明體，究竟體性之展現」。與「自然，廣大遍照的心境」。

「阿賴耶識的十法界，是屬於糾纏迷失之無明相」。「一真法界，是如的性相，廣大光明緣起之造化」！

能「究竟覺悟平等，深契離開性相之捨離。終契，究竟皈體的，當下全體」！就是深契「究竟如如涵養的，究竟概念」內涵。

所以「深契究竟，如如的涵養，就是自在，究竟真理。如是廣大，自在，究竟之光明體」！

與「遍照緣起菩提，自然法爾之圓融，如是，吉祥如意圓滿，皈體究竟廣大，擴充之涵養」！

「究竟體性的內涵，就是究竟如如的，涵養」！「如是，性相，就是一真法界」之內涵。「十法界裡面，相應存有最微細的，糾纏開始，就是類佛」。「依一真緣起之造化，如是迷失糾纏無明有的內涵中。因此，迷失無明糾纏之性相，相依之存有」！

所以，「十法界，是幻夢一場。就像相依，糾纏一真法界之相」一樣。「如是譬如，白天所看到的一真，在晚上，就是作夢」。如是，因此「十法界類佛之迷幻」一樣。

如是「微細相依，入夢之糾纏，就是類佛」之心境。如是「因此相依，相應之迷失。進入深縛入夢，最深的，糾纏心境。就是地獄界」般之迷失！

若以「原子核的反應形式來做譬喻，體性之形式，就像核融合的，性起般，是處在原子核未爆前。能有如是體，與性」的狀態。

　　「性相，就像核分裂時，當下，原子核爆炸時，所產生的一真法界般，性與相狀況」。再「糾纏迷失，爆炸後，所產生的幻相。就是如同迷失，十法界依序，而產生迷縛執迷的，法界相」！

　　我們就是「迷失無明糾纏，從遠古以來之無明相應，如是迷失之十法界。如是源自，最原始無明的性相，與一真法界」等！而因此，「不能回皈，無性相，皈體之本來面目。回到究竟平等，廣大絕對究竟，全體之體」內涵！

　　「回看，當下究竟之捨離，所有的感受、觀念、想法、和現象等。都深契無性相」！完全「不要迷失、與使用，皈體」。

深契「無性相之深入，與畢竟空之皈體，所謂的無性相，就是深契沒有一切受用相。而皈畢竟空之體」！就是「究竟深入，完完全全之無性相，與完全都不糾纏」的涵養。

深契「無性相，畢竟空體」之精神領域。靜靜的，看。深契畢竟空體，同體看與所看，平等裡面，能自然廣大究竟之光明體」！更「深契完全，不要想」中！

如是的，「究竟不動涵養。看進去，最深處。進入究竟無性相，皈體同體，最深的看」！

當「張眼，閉眼，內外究竟平等，仍是深契同體心中，究竟內外平等，同體的看」！如是的，看著「眼前的空間。仍然深契不動之涵養」。在「完全不想，繼續如是，究竟的看」！

進入「無性相，畢竟空體時，全體之究竟，光明體。像太陽一樣。與廣大的遍照」！「包含

著，內外全身，與整個空間」。

「沒有形相之無性相，就是整個的究竟光明體。與廣大的，瀰漫分化全體遍照，擴充之遍處」！就成為「涵養再再，究竟廣大擴充之光明體」！就在「不看而看，見到遍照。如是，體性平等之緣起，與菩提造化，自然法爾任運圓融現象」之展現！

當「現象不如意、很煩、很亂時，不要迷縛的，迷失其中」！能「深契究竟覺悟平等，完全不管它，無性相之不動內涵」！就能「深然，進入到無性相，畢竟空體的，廣大究竟精神體」！

「靜靜的看著，如是廣大不動的，精神狀態之涵養。完全捨離迷縛的，究竟無性相」！「不斷深入的，看中！如是，無性相，畢竟空體」。就會「自在，究竟光明體中，與遍照。放光緣起照明，究竟之體性內涵」。

在深契「畢竟空體之究竟真理裡面，自然能看到，究竟光明體，與遍照」！廣大「光明體性，與內涵之出現。如果沒有光之出現，也會緣起，受用菩提之造化」！

　　例如，「莫明的熱能出現。如是光明遍照，菩提造化之展現。自然，就會自然法爾圓融之任運」！和「廣大平等十一法界之緣起現象，與吉祥如意圓滿之皈體」！「再再擴充，廣大體之涵養」！

　　所以，「無論發生什麼事情，都不要迷縛性相。因此，迷縛的，胡思亂想、與迷失想相」！「深契，究竟純粹工夫，進入回皈究竟無性相，畢竟空，皈體的，真理內涵」。如是，「廣大全體，深遠自在的，涵養著」！

　　要記住，隨時「不要迷失，在自己的感受、觀念、想相、和現象等」！要「完全的進入，到

無性相，畢竟空，究竟皈體，工夫的涵養」！
「深契究竟的，不看，而看」！

如是「同體，究竟真理，畢竟空體的，精神空間。這個深契同體，全體，全觀之覺悟工夫」。要「每天做」！

無論「張眼或閉眼，都能究竟同體，究竟全體之深然。進入到無性相，畢竟空體的，工夫涵養」。如是「純粹究竟，廣大光明體，平等究竟之精神領域」！

自然「究竟光明體，與體性緣起，廣大遍照，平等之緣起」。如是，「菩提造化平等緣起之十一法界，自然任運，圓融現象菩提，法爾自然之現象」！

從「物質和感受，因緣相應的空間，當下進入到無性相。完全沒有一切感受、想相、以為、和今生現象的，迷失之空間」！「究竟皈體的，

究竟不動，內涵之涵養」！

　　進入到「完全沒有一切物質、現象、感受、觀念等，究竟無性相之精神體領域」。「這個，就是深契究竟之覺悟平等」！「如是，絕對永恆真實，究竟皈體之空間」。叫作「深契究竟，進入自性佛，廣大光明體，與遍照廣大緣起，空間之涵養」！

　　就像曾夢到，「昔邪師對我很好，要我跟他走」。「這個，就是如夢幻，受用之魔考迷失」。當釋迦佛「夜睹明星」後，就是「覺悟，看到真理究竟光明體之出現。就深契無性相，究竟之覺悟平等，同體真理之究竟」了！

　　然後開始，「超越深契，無性相般的覺悟平等，三天三夜，如夢幻性相的，受用迷失，與原始無明迷縛之魔考」！與「深契回皈，究竟覺悟平等之皈體。如是究竟體性，與全體真理之覺

悟」。「深契平等，無性相之同體」！

　　所謂的「魔考」，就是在「現象、感受、觀念、體會、想相等，無明受用之迷失，包括作夢，和現實的利害得失；如是，產生無明之迷失」！如是，「以為、判斷、想法、和糾纏等，自然當下迷縛糾纏，無明之受用。淬煉著」！「無性相，皈體之真理內涵」！

　　進入「魔考，就是當下進入，感受、觀念、現象、判斷、想法、無明受用，與迷縛裡面」！如是「淬煉，深契」著！

　　當下，在「利害得失、好壞、是非善惡裡面，受用之糾纏不清。是否能當下，深契究竟，無性相皈體之覺悟」！如是堅持，「如如不動，內涵，與工夫之涵養」！

　　如果陷入「利害得失、是非善惡無明受用之迷失。與想相、以為、現象、判斷、觀念的糾

纏，與選擇判斷」！「這個，性相之迷失。就是陷入無明魔考，迷失之迷縛」。

若「能在迷失中；自覺的，進入到堅固的，無性相，畢竟空體之內涵」。這個「如如不動，工夫之涵養分明，叫作真正堅固分明的，究竟覺悟之平等」！

如是，在「不糾纏無明的，迷失，在其中，能不被它迷縛」！如是「當下，究竟覺悟平等，無性相的，進入分明的體，如是自在，如如不動的涵養」。

如是進入，「無性相，畢竟空體，如如廣大光明體，與自性佛的涵養。叫作深契究竟，真理」！與「真實之究竟覺悟，平等」！能如是，「真正的遠離魔考。即能因此，進入到絕對真理中。如是究竟自在，廣大究竟全體之光明體」！

實踐

　　所謂「實踐」，即是「究竟真理，工夫涵養」之內涵定義！亦在「當下」，無「過去、現在」、「觀念、感受、現象、因緣等」無明之迷縛。能「真實深入」，「無無明，與無無明盡，本來無一物，究竟之真理」。「實踐究竟，體性緣起，平等十一法界，與自然法爾菩提」之生活！

　　當「實踐工夫」成熟時，能在「緣起菩提，圓融法爾自然現象。即能深契當下，光明遍處圓滿，無非般若之圓融」際！仍持「無所得，究竟無性相，十一法界」之覺悟。如是「究竟，持久之涵養，究竟真理，與無性相之皈體」。再再涵養，「究竟真實體，畢竟空體性，遍照之實

踐」！

　　從此，皆是「當下，即幻，即真理，皆是究竟真理覺悟平等之實踐」。如是，「究竟持久，無所得之永恆！卻是極祕密同體分明智慧，自明之實踐」行持。

　　如此自然，「平凡生活，卻在全體廣大，光明體之自在」。如是「究竟無性相之畢竟空體，究竟真實之實踐」！與「三世一切諸佛，共一體般，究竟同體分明智慧，究竟之平等」！

　　所謂「究竟無所得之實踐；在佛地，無性相，而究竟體之實相。如是體性之展現，緣起菩提之遍照，與圓融圓滿之工夫」。能當下「深契，究竟大覺悟之平等，捨離十一法界之性相」！如是，「深契究竟一切無所得，究竟體」之心境。

　　「當下剎那，皆是永恆；皆在當下究竟，遍

照，緣起」。如是「究竟體性，廣大之光明體，與遍照」之作用。

能「當下今生之深契，更而死後之永恆。皆在自然法爾圓融現象，菩提性相之任運無礙」。卻是「究竟真理，自在如如之涵養。如是究竟涵養，真理體性相，究竟實踐」之完成！

「何謂捨識不用之不用識，即是在自識之受用、感受、觀念；恆能究竟捨離，如是，不迷如夢幻，諸象相。如是不用，至極」！更再入「究竟，破性相，皈體，至如，與如如」之涵養。

如是「究竟自覺悟，同體分明智慧，廣大之自見。更入於，究竟如如體！如是，自廣大光明體，與遍照」。自然「廣大體性之照明。如是自然法爾現象圓融，菩提造化之心境」！

「如此，不受如夢幻，一切用識，所困縛，恆能深契無性相，皈體，究竟自覺悟平等。自然

之體性，而深契」。於「究竟體，如如不動，內
涵之心境」！？

　　「凡所用識，諸象相之性相；包涵著，感
受、現象、觀念、受用等。自然皆是無明迷失，
糾纏、執縛、困擾」之影響。如此「如夢幻之受
用，皆是廣大性相的，煩惱」。

　　舉凡，「人生之苦惱，因緣等變化。在無
明性相，不知覺，如夢幻的，自用識」著！如是
「無知無明的活動。如是，無明自我昔性的，輪
迴」著！？在「無明中，無法改變，自昔性的。仍
是繼續無明性相中，與無奈的生活」著！？

　　故而，舉凡「一切宗教、修道、祕術等」，
「各自團體的，各自宗派的。自恃著，自我觀
念，與自用識性相之迷縛」！？皆「活在無明自用
識，性相之自以為。卻仍在迷失，莫明此識」！？
「至死前，仍是孜孜念念，迷縛自無明識種，與

現象之迷縛」！

「如是無明自識的，過一生。至於死亡時；仍是無明性相，自識的使用」。而「無明迷失，用識！仍活在無明自識性相，仍不能自醒的覺悟平等，繼續自輪迴」著!?

在深入「不用識，與究竟捨識不用。即能實契廣大自破性相，究竟之泯滅。如是，無性相之超越。即自恆在，自看，自見，能深契畈體，究竟之不動涵養」！如是，「直觀，與直視體性之造化。一切，皆在究竟體性。朗然遍照，同體分明之智慧，與自然法爾現象圓融」之菩提緣起!?

其中「關鍵之分野；即是如夢幻十一法界，實契究竟無性相之畈體自在」！當下，「深契究竟體性之涵養！如如究竟體，與廣大遍照之自然法爾，菩提緣起之現象」!?

吾人，若能「當下覺悟平等，分明此究竟真

理之實踐。必然於如夢幻性相，累劫永生輪迴迷縛之當下。實入當下自覺。究竟無性相，畢竟空體」之結論！如是，「究竟如如自在體，涵養究竟覺悟之平等」。

久之；「即能自明。自無明識，性相之如夢幻。與當下，如如自在之究竟體性，與真實」！此「兩者之真理，恆在當下，究竟覺悟之平等」。

自然「整個宇宙之全體當下，竟是全然自然法爾，圓融現象之法身」!?「如是究竟空中本質，概念之實踐，即是當下現象之如夢幻，與究竟遍照，緣起菩提造化之平等」！亦是「當下，究竟真理之定義」!?更而，當下「同體分明智慧，究竟真相之實際。亦是當下究竟之平等」！

如是，「十法界，與一真法界，當下自然法爾圓融現象，菩提緣起之渾融。亦是，當下深

契，究竟之永恆，與如如究竟，光明體」之涵養!?亦是「究竟體性相，當下皈體，不動涵養，究竟之平等」！

「因緣累劫無明之當下，自相應祕密強大輪迴，性相力之展現，皆是無明相應，諸識變之性相迷縛」!?「自然，自識之無明相應，如是，迷失自縛之掌控」!?

如同「旅行世界般，經歷諸性相受用，迷失之淬煉。最終，捨識不用，為工夫。最後深契，究竟覺悟之平等，緣起廣大之遍照」中！仍皈「究竟無性相，皈體之結論」。最後「進入，本來無一物，自然皆是，究竟廣大體」之內涵。

「人生盡此世間，諸性相之歷盡，最後仍皈如夢幻般，一場空！最後之結論，歷經突破，十一法界，中間過程淬煉之超越。仍是深契當下，究竟無性相」之覺悟！如是，「經驗著，如

夢幻般之人生」！

　　總結，「自識無明之經驗、受用、現象等，如夢幻，終契無性相，與究竟捨識不用，與不迷」！「能因此覺悟平等，究竟自覺，遍照照明之皈體」！

　　若能「實踐，究竟覺悟平等。捨棄無明相應，迷縛如夢幻般之今生。則能涵養無無明，與無無明盡，無性相之工夫」！「當下深契，究竟無所得，無性相。究竟皈體，究竟之涵養」！

　　如是「究竟本質真理；自然即是，剎那緣起之遍照」。「自然法爾圓融現象，自然回皈體性平等，緣起之菩提造化」！如是，「一念，體性中。如是自然一即一切。又復皈，一切即一，究竟再再，一之涵養」！回皈「如是，廣大擴充，廣大究竟光明體之真理體」！？

　　如是「經久廣大之法爾自然，與遍照菩提，

同體分明智慧，究竟之平等」!?豈非「廣遊任運十一法界，仍是如夢幻般的，一場空。如是，自然法爾之菩提圓融現象，仍終皈當下，皈體一中，究竟之平等」！

如是，「自如如，廣大光明體，究竟之真理!?即是廣大回皈，究竟之平等涵養」。「當下，一切即一，一即一切。皆是廣大擴充，再再之涵養」！即「當下，究竟體性一如。究竟廣大全體光明體，遍照之究竟真理」乎!?

自然「當下之全然；皆是自如如，究竟光明體。實踐著廣大，菩提遍照」之緣起！一切皆是，「廣大照明遍處，全然緣起，究竟實踐現象之法爾自然」圓融！

「本來面目，即是無極至極，無性相，究竟真理體之實臻。如是三世諸佛，皆是回皈究竟平等，究竟涅槃，與生命真理體，究竟之表達」!?

如是「究竟廣大光明體之內涵」！

　　最終，「一切究竟之實踐，即是當下體性相，究竟之平等」。即「究竟體，原本故鄉，究竟之涅槃。究竟真理之本質」！

　　究竟「真理本質，同體分明智慧，究竟之自見！？豈非，已臻本來無一物，究竟真理體大覺悟平等」。與「究竟概念，廣大之涵養」。

　　其「妙，是否能深契，無性相之究竟體。返老還童般，如是，廣大光明體之真理，與自神氣之究竟」！皆是，「廣大究竟體，光明自在，精氣神之皈元」乎！？

　　如是「究竟空中本質，真理之概念涵養。自然吉祥如意圓滿」之完成！只有「究竟之名、相。與究竟之定義」，而已。

　　原來「本來之真相，竟是究竟廣大光明體。本來無性相，究竟之皈體」。如是，「無諸性象

相的，如夢幻之活動，究竟平等」！

如如「廣大之遍照，遍處照明之緣起。如是，諸象相的，法爾自然現象之圓融」！「自然當下，究竟全然之緣起！即是究竟實踐，全體全然之圓融，吉祥如意造化之菩提」。如是，「究竟無所得，究竟覺悟平等之內涵」！？

「在深見，本來無一物，覺悟究竟真理之真相。自然能緣起，廣大之遍照。如是，無生而生，造化菩提之無生果」！皆在「究竟體，如是自然平等，萬化萬物，性相之衍生」！

見到如是「幻化，性象相，自然法爾圓融之現象，緣起的實踐。則是當下究竟平等，自然十一法界之展現」！？「一切皆是，廣大同體，分明之般若。如是，緣起全然吉祥如意，圓滿之自然」！

如是，「體性象相般，如是圓融，究竟平

等，自然法爾現象。於一真，而十法界，自然任運無礙之法爾」！

如是，究竟「無所得性相之實踐！亦是同體，真實智慧分明，究竟之平等」。「如是性相，自然法爾圓融，圓滿吉祥如意」之緣起！？

如是經由「幻化性相般，究竟平等，不易、簡易與變易之方式流行。緣起廣大遍照性，廣大，再再擴充之涵養。最後，必然回皈，平等一中，堅固廣大之究竟體」！與「如如不動之涵養。如是變化之菩提，終皈無所得之究竟平等覺悟」。

如是「究竟不動涵養之真實，自然而然，萬法性相，無所得之覺悟回皈。必定終皈究竟，無性相，畢竟空體。究竟不動之真實體，涵養」。自然「究竟平等之覺悟」！

自然，皆是「內涵，廣大不動體涵養、與不

變真理概念、實踐之展現。如是當下，究竟無性相，究竟平等覺悟之涵養」中！更而「當下，皆是廣大順融，法爾自然現象之性相，圓融菩提之實踐」!?

如是「究竟平等，廣大變即不變之涵養。緣起遍照。性起，真實同體，智慧之分明」！如是「究竟，全體廣大光明體。更而，廣大三世諸佛，皆共入此中」。

「生命真相，一切究竟之內涵，就在究竟平等，體性相。當下不動之涵養，自然遍照著，究竟廣大之平等，自然法爾現象」皆是！「究竟見到，所謂的究竟平等，不變、簡變、變異諸象相」之變化與造化！

「若能自如如，涵養深契，究竟之覺悟平等。並當下，自捨識不用，停止一切，無明識體。則必能深入，無性相的體。究竟如如，覺悟

平等，廣大光明體之真理體」！「自在體性，廣大遍照之照明」！

　　自然「因此，廣大吉祥如意、智慧、圓滿之現象。回皈，再再涵養自然法爾現象，與回皈之現象體，與廣大緣起之遍照」！如是「造化，自然之菩提。終皈；仍是究竟如如本質，覺悟平等之無所得」內涵！？

　　皆是「究竟平等，不動，究竟之真實。自然同體般若，廣大之自明，如是，廣大之吉祥如意」！與「究竟覺悟平等，無所得之智慧圓滿」！？

　　如是「行持久遠，體性相之究竟平等。廣大行深，究竟之覺悟實踐」！自然「平凡生活，究竟捨識不用，無性相皈體，究竟之實踐」！

　　「如佛經所言，諸相非相；如是非相，無性相。究竟不動，工夫之實踐。如是深契無性相，

  生活的大智慧：進入自性佛 ❶

真如體，涵養之實臻」！更能「深見，當下究竟平等覺悟，如是，緣起遍照。與廣大光明體之究竟真理」！？

自入「佛地，究竟覺悟者。方能廣大同體，分明智慧，與平等之自見。如是遍照，於是生活內外現象、顯隱間，皆在自明之同體，自見」！皆是「自然、圓滿、智慧、吉祥、如意，廣大的，來皈，與實踐」！

在「原本，平凡生活，當下自然祕密究竟不動，涵養著，自如如之絕對體」。如是，「無性相，畢竟空體。究竟平等覺悟，工夫之涵養，與實踐」！

最終「實臻，純粹真實，究竟光明體。不動、與不生之精神領域，自然皆是，大生、廣生」的緣起！於「自然能變所變、性相，圓融同體分明智慧之平等，與絕對體」內涵。

「自然圓融的，遍照；如是體性一如，究竟平等之同體。如是涵養，究竟真實體」之實踐！「自然體性的，廣大圓滿、智慧、吉祥、如意」之充滿!?

　　更從此，「皆是究竟，廣明剔透，光明體之心境。如是，自然性起之遍照，自然全是，自覺、自現、自分明，究竟覺悟，平等之晶瑩剔透」！如是，「究竟自然法爾現象，智慧分明圓融之心境」!?

　　「更於其中，能見此，亦在此；究竟不生不滅，本質概念之自覺。皆是究竟廣大光明體，真理之心境」！自然「究竟涅槃，全體之現前」!?

　　「一切當下；皆是體性一如的。緣起自然法爾現象，圓融之遍照。與究竟平等，究竟真理之究竟覺悟平等」。妙哉！即是「不動涵養，無極至極，無性相，究竟皈體之涵養」。

「如是真實體，自見究竟不動，涵養之廣大，究竟無性相皈體，如是涵養能力之實踐」。「當下，廣然的見到，一切皆是，究竟真理的，心境」！如是「自然，廣大吉祥、如意、智慧、圓滿之自然法爾，現象」。「自然，再再涵養，究竟無所得心境之發生」!?

當下，「自然見到，皆是回到家中；寂滅如如之涵養。自然究竟平等，體性之深觀。與如是廣大之遍照」！自然，「究竟不動涵養，深義之顯明」!?

「於此究竟真理，實臻涵養，自然法爾，圓融之實踐，皆是無性相之不迷失。自然能衍生出，遍照菩提之展現，皆是究竟之實踐」！如是，「廣大吉祥、如意，圓滿、智慧，造化自然，現象之菩提諸象相」！

在「當下，自見、自覺，當下，剎那之一

念；自然顯象相的，見明於六根之展現」！「如是，展現空、不空、空空三藏，究竟同體，分明智慧之表達方式。自然廣大究竟體性，與遍照菩提，廣大的展現」著！？

於「究竟不動涵養，三藏體之究竟平等覺悟，皆是自然體性相，與平等六根體性相，渾然同體，分明智慧之實踐」！「自然同體。皆是自然法爾現象之圓融，究竟智慧，分明真言般之流露」！？

「一切，皆是自實踐，自心境之涵養；自然如是當下，究竟平等，緣生之自然法爾現象」。「性起，廣大遍照之自見，與吉祥如意圓滿之自覺」！

如是「深契究竟覺悟平等，皆在，終皈回家，究竟無性相，皈體之涵養」！？從此，「皆是停止，如夢幻之輪迴，與究竟不動，皈體之實

踐」！

「所謂菩提，即是無生之造化，亦是無生而生；如是自然法爾現象，而絕對究竟體，一體兩面，同體之造化」！即是「究竟覺悟平等，真理、空中本質之概念」。自然皆是「究竟涅槃之靜」，與「遍照，造化菩提之動」!?此「動靜，皆是終皈，究竟之平等」。

由此自見「究竟覺悟平等，亦好、亦壞、亦是、亦非、亦善、亦惡等；由相對，而絕對。由是當下平等，究竟之無性相」。「如是，真言之進退，與應化之圓滿，皈體」。

「究竟終皈，就在當下，如夢幻，自然法爾，世間之現象，同體展現，究竟之實踐」表達！「由變易、簡易，自然回皈，不易之究竟平等。再再涵養究竟覺悟，平等之心境，同體自然法爾，淬煉之流行」！如是深契，「究竟覺悟，

究竟之平等，深契」！

故知，「活在其中，身心在其中，卻是一切在其中之自然法爾轉化之現象。如是究竟無性相，回皈畢竟空體，與不動，平等之泯滅」！則「深見一切輪迴，自然之停止。此即滅，而不滅，究竟真理之內涵」！

如是「不滅，與同體不生，究竟覺悟平等，實踐之當下；自然如是究竟中，廣大光明體，依序，轉化之展現」！皆是「無極至極，轉化自然中，如是，自然法爾現象，究竟之定義，與廣大再再之涵養實踐」！？

「往昔一切諸相如夢幻；皆恆在迷縛無明，永生十一法界之輪迴。更而，廣大遍照，如夢幻之輪迴變現。皆能自然法爾，依序圓融現象，自然轉化皈體的，自見」！「更因此究竟平等，覺悟之深臻，廣大同體，分明之智慧圓融」。終皈

「究竟不動，真理之覺悟平等」！

自深契「自然不滅之真如實踐。究竟平等覺悟，究竟不動之涵養。如是自然法爾，轉化現象，究竟之平等。與體性一如」！能回皈「究竟覺悟，平等之回家。自建立，究竟涵養，空中本質，真理概念之實踐」。

如是「自如如，究竟不生，真理之空中本質，竟如是究竟平等，以識體為主，如夢幻之緣生諸相，究竟平等」！此乃「不生而生自然法爾現象，轉化，能因此緣起廣大遍照，菩提造化」展現！

而「一般的凡夫俗子，更自命清高者，或是真正用心向道者；卻仍在自識縛中，自以為的修持著。一直的，用錯工夫」!?在長期「執識、用識如夢幻，卻仍是執迷自識」的。仍在長期，無明心境之使用！仍在「堅持無明的，研習諸象相

術數，與修道、練功、修持等，迷縛用識以為之幻法」!?

　　如是「堅持昔性之識念，包含修道練功，仍自我以為的；生活於無明自識，生死之道。如是永處無明，永生累劫昔性，無明的自是」著！因此，迷縛其中用識的，永不得出離！此無明昔性，仍是「自識體之識縛」!?

　　「若能分明，前述之真相事實，則能深契究竟覺悟平等，其中的，自見真相，即能當下現象，究竟平等之覺悟」！「自覺分明的，深入真理究竟，釐清之覺悟，與涵養。如是，深契究竟覺悟之平等皈體，與廣大同體，渾然之實踐」。

　　甚而，「於諸多無明迷縛之紛擾，亦能覺悟不動，平等的，寂滅諸相。深臻究竟無性相，皈體之覺悟」！在「同體分明之智慧。如是，能自見，廣大分明之實踐」。而「自如如之覺悟，自

然法爾，圓融現象轉化的，涵養」。「如是究竟真理，真實之實踐」！

皆是，「自真理定義，究竟之實踐，自深信之契入。自能究竟覺悟平等，廣大體性的，如是，廣大遍照之照明」。

「如此真實體之實踐，皆是自然，自深同體，分明智慧之工夫。自然，皆是自祕真理之定義！如是實踐，究竟自概念，真理之堅定」。卻是「廣大當下現象，十一法界，自然法爾，圓融轉化，平凡的生活」著!?

「如是，當下，生活之實踐；皆能隨緣自然諸相現象之轉化，而自祕究竟，真理之心境」。歷久，「仍是無所得，再再廣大擴充之涵養」。如是，「自分明轉化，自然法爾之自見，如此才是真正不動，究竟真理之涵養。真正到家，究竟光明體之全然實踐」！如是，「究竟不動，真理

之本來面目。當下，無性相，皈體，自如如，同體平等，自在之涵養」！

「歷事，自然轉化，廣大之遍照，如是究竟不動真理。卻是究竟真理涵養，自祕之心境」！自「究竟實踐，當下之覺悟。深契，緣起菩提之同體分明智慧。如是分明的自然法爾現象，圓融之轉化」。「自然法爾圓滿現象，廣大吉祥如意的，定位」著！？

「久之，緣起遍照，菩提造化，自祕，同體智慧之圓融，轉化心境」！「到底，與三世諸佛所覺悟之究竟真理；有何相異」！？「竟是，究竟平等覺悟，同入此當下，十一法界平等，究竟之空中本質。即是不思議廣大，不動之同體」。究竟「真理分明智慧，自性佛進入之展現」！

「如此究竟涅槃之實踐，於自在究竟，自祕同體，分明智慧，自見。皆是無內無外平等，自

然法爾現象，朗然當下之圓融」的心境！

自然皆是，「廣大遍照之性起，亦是自然法爾，當下十法界，與一真法界，究竟平等體性。廣大究竟真理體，與緣起之遍照」。如是，「菩提造化之真相」！

然而「卻在其中，仍是自處的；卻是不思議，吉祥如意之智慧圓滿」！皆是「自如如，究竟體性之涵養。究竟無所得，再再究竟覺悟平等之涵養」。

如是「自祕之自明，與自見，一切遍照緣起。在造化菩提緣起，自然法爾，現象緣起菩提，皆是究竟無生，無滅。體性圓融，轉化的涵養」！?

「如此自然隨緣，同體分明智慧，卻是究竟覺悟平等，自祕之自在。涵養真理光明體之秉持」！「自然，皆是同體分明智慧，自祕之圓融

智慧」實踐。更深臻，「當下自然法爾現象，回皈究竟之無所得」。如是，「自如如究竟，不動真理，再深涵養，自祕吉祥如意圓滿之心境」!?

最後之主題，「一切生死不論，阿賴耶識體性相不迷，一切現象不執，一切理論不論，一切迷惑不著」。自然深契，「無無明，與無無明盡工夫，究竟無性相，皈體之實踐」！終皈「究竟真理，自如如之涵養。如是，究竟平等緣起，自然法爾現象。終皈無性相，大定體之涵養」。

「如是如來，不來而來，不去而去。卻在究竟不來不去之性相。自在回皈，究竟如如體性，一如之涵養」！如是「真實，自實踐的生活中。定於回皈究竟，再再之擴充，如是，一字輪之涵養」！如是「實踐中，自光明、吉祥、如意、圓滿，廣大自然法爾現象，圓融菩提造化之實踐」！

生活的大智慧：進入自性佛①

如是「一即一切，一切即一，再再之涵養，一，之實踐。自然生活現象之遍照，自然法爾現象之圓融」。如是，「十一法界，即是當下，如如之究竟皈體，覺悟之平等」。「即是實踐無生果造化，緣起自然法爾現象之生活」。如是，「究竟不動，同體分明之智慧圓融」！

實契「究竟看破，究竟之覺悟平等，所有的感受、觀念、現象的迷縛。完全沒有過去、現在、未來、想相、以為和觀念的迷失」。如是，「究竟無性相的，皈體」涵養！

如是「當下，進入無性相，究竟空體之心境中，叫作究竟覺悟平等，深契如如的，涵養」。「當下，就是一切，究竟平等的，空體」。那個「空體的精神，就是廣大究竟光明體之真實」。

能夠「達到這種，究竟覺悟平等的人，就是真正深契，無性相皈體，究竟覺悟的佛」！祂

「完全沒有，感受、觀念、想相、糾纏、以為、判斷、現象之迷失。都究竟覺悟，皈於究竟空體。就是皈於沒有迷失之無性相」！達到整個「究竟平等，廣大光明體，究竟純粹之精神體」心境。

「真正的實相，皈體，就是究竟，無一切性相的，純粹精神體之內涵」！「所有的，感受、觀念、想法、現象等，都能究竟捨離。進入完全沒有性相，與沒有迷失之糾纏。這個覺悟之實踐」。叫作「深契」，「真實」、「究竟的真理」、「中道」、「絕對」、「無性相」（註：只有光明體的內涵，沒有迷失性相的照明）！

所以「心中，不應該有任何感受、觀念、想法、以為、判斷的迷縛。包括菩提相、佛境界相等。如是性相之緣起，也要看破」！進入到「完全沒有性相迷失，畢竟空體。這個叫作深契，絕

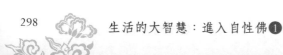

對的真理體，與究竟的真實體」！如是，「究竟，行入中道」！

「行中道」，就是當下深契「不偏假」（註：不偏阿賴耶識）。也「不偏空」（註：不偏一真法界）。就在無「假和真，當下無性相，進入到其中。究竟皈體，究竟真理之實踐」！

當下，就是「究竟的，絕對體。就是整個究竟，廣大無量無邊的，光明體」！這個就是「絕對之真實體。是真正的無性相，究竟皈體之內涵」。

「無性相，就是觀念、感受、想法、判斷、現象等，都完全進入，沒有性相迷縛的狀況中。完全只有究竟精神體」的內涵！那個「精神體，就是廣大究竟，全體之光明體。究竟無性相的，皈體實相」的內涵。這個，叫作「絕對的真理體」。

若「修道，是求有錢、求好，就是其人行邪道，進入糾纏目的企圖的，仍在，有性相」之迷縛。「有相之迷縛，是在無明性之迷縛，相應用識之阿賴耶識」。如是，「迷失的性相，叫作一時如夢幻的，有性相之迷縛」！

　　「到最後，都要回畈畢竟空體、究竟空體、與絕對的無性相。達到這個究竟的，覺悟平等，就是深契，真實、絕對、真理之體」！就是「真正的，行中道」實踐。

　　「行中道，就是在當下，深契平等，性相之十一法界。假的，阿賴耶識，與真的，一真法界。就是當下，同體超越十一個法界的平等」！如是，「當下，深契如如究竟體之涵養」。如是究竟，「無我、無法、無無常」！

　　因此，「當下真正行入，究竟無性相，畢竟空體。而進入到，究竟覺悟平等，究竟廣大，光

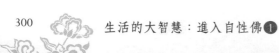

明體」！如是，「無性相的，精神體涵養。就是祕密真理，與究竟絕對的，真理體涵養」。

　　每個人「都在，深縛，迷失如夢幻之有相。眼睛看得到、耳朵聽得到、鼻子聞得到、嘴巴吃得到、身體觸得到、想法想得到」。如是「如夢幻的，活在世間迷失之受用」。與「如夢幻的，因緣、現象」中！

　　每天都在「自我迷失，糾纏所有的感受、觀念和現象等。這個叫作，無明迷縛，如夢幻之受用，如同癌症之迷縛受用，一樣」。如是，「累劫長期無明的糾纏，與迷失現象的，如夢幻套牢」！

　　所以要「深契，當下現象，恆在究竟覺悟，平等之同體，如是無性相的，自皈廣大，光明體之涵養」。它只有「究竟體性之內涵，究竟的光明體，與廣大的，光明遍照」！

在「究竟深契，如是究竟不動之涵養。沒有性相之皈體。行入廣大遍照，究竟光明體，廣大之放光」。就是「行入究竟，真理體，自然法爾緣起現象之實踐」！

　　像世間人，幾乎都是「恆常行入，無明剎那如夢幻，相應迷相的糾纏」中。都「需要如夢幻，有性相迷縛」之無明相應！

　　所以「要究竟捨離，好相、壞相、是相、非相、污辱相等，如是，迷縛性相之迷失等。能進入到，完全究竟，無性相的，究竟覺悟平等」！這才是「真正究竟，實契覺悟平等，真相與實相，與究竟體之實踐」。

　　也就是「沒有一切性相，畢竟空體。要行入面對一切性相之迷失，相應。能深契究竟，無性相之究竟實踐」！

　　心中，「沒有任何的，感受、觀念、現象

等，迷失與糾纏。才是究竟，深契畢竟空體。如是，無性相，究竟安定的心境」！這個，才是「深契，當下行中道之真正正道」內涵！

進入到「究竟無性相迷失之心境，整個，只有究竟光明體之涵養。完全沒有任何性相之迷失」！包括「想相、利害得失、判斷、糾纏、計畫、以為」等。如是，「無明性相之迷縛」！

活在「完全無無明，究竟整個光明體。就是碰到任何事情與現象。一看緣起，就能在究竟體性中，完全之明白」。叫作「廣大，放光之遍照」！

若「一直在，徬徨、迷失、以為、判斷、想相等，就是行入糾纏性相之迷失」！就是，「其人行邪道，不能見如來之狀況」！

「如來，就是整個，都是究竟光明體。沒有一切性相之迷失」！若有「一切性相的迷失、

需求、計畫和安排，就是迷失其中的。行入魔道」！

　　所以，「真正的實相，是無一切性相之迷失。只有究竟光明體，與廣大光明之涵養，與遍照緣起」！只是「廣大遍照，與放光之緣起」！

　　而「究竟的佛，就是深契體性，如是一體，兩面之內涵。一個是無性相，光明的，究竟光明體。一個是廣大之遍照」。如是性起，「放光之緣起，自然法爾現象之圓融，智慧分明之圓滿，與吉祥如意菩提之造化」！

　　每個人「心中，都有究竟絕對的，精神體。沒有，感受、想相、以為、判斷、觀念等，所迷失之糾纏。如是，無性相之精神體」。那才是，「整個究竟光明體，究竟之精神體」！

　　深契「廣大體，尚未放光之狀況。如是無性相，皈體，真正的佛，每個人都有」。但是「每

個人，都在無明迷失自縛，自識無明之用識。自以為的迷縛著，迷失、與觀念、受用」中！

　　所以，「每個人若能究竟捨離，一切之迷縛，深入真正的，無性相，皈體。就是進入到，究竟覺悟平等，最真實的內涵」！那個，就是「究竟的，光明精神體」（註：只剩下究竟完全之精神體。而無一切的作用、與性相）。

　　心中「無一切性相、與無一切想相之迷失。完全，無一切判斷、無一切以為、無一切計畫、無一切期盼等。就是在，完全無迷失之性相」。「究竟深契，無性相之作用。如是，廣大自在，究竟無性相之精神體」！

　　「能深入，做到心中。完全沒有想相、以為、判斷等，完全沒有迷失，與究竟無性相之心境」。就是「當下深契，純粹究竟覺悟平等，廣大光明體之精神體，為真正無性相的，佛」！

因此，「每個人都要，恢復本來面目。本來，就是沒有想相、以為、判斷等，性相之迷失。只有當下，究竟平等，廣大純粹，完全無性相之迷失，如是，究竟覺悟之精神體」！若能「究竟實踐，做到。就是深契，恢復本來面目的，究竟體內涵」。

　　像我們在剎那，「睜開眼睛，就變成自然無明之相應。如是自然迷失性相，與迷縛之有相。這個，就是處在自然無明。與無明性相相應，迷失之輪迴」！這個，「就是無法遠離，無明迷失迷縛之精神狀況」！

　　如是，「長久迷失，在無明性相之相應。即是其人行邪道之內涵」！「這個，就是究竟遠離，真理體。在無明性相迷失之狀況」。「這個，就是深契，無明煩惱的糾纏」。「這個，就是深陷無明相應，與迷縛廣大之迷失」！

所以，「中間過程，十一個法界，如夢幻性相的境界。都要究竟的，看破不迷」！所以「不論中間過程之內涵。這是因為，中間過程，如夢如幻，不是究竟」的境界！

　　所謂「真境界，就是一真法界」的境界。而「假境界，就是十法界，仍在無明相應，如夢幻迷失之糾纏」。這「兩個境界，都要究竟完全的，捨離」！

　　「究竟之捨離，就是要進入，究竟無性相，畢竟空體的，究竟覺悟，與實踐。就是進入到，本來無一物，只有純粹精神體的內涵」。如是「究竟廣大，同體平等，全體光明體的心境」！

　　「真正的佛，就是完全沒有形相，只有廣大光明體，究竟精神體之內涵。整個都是，究竟覺悟平等，廣大平等之光明體」！

　　「佛」，不是「性相外表，表現的，莊

嚴」。「真正的佛，是無一切形相之內涵，與廣大覺悟平等，如是，無性相迷失的，表達，整個都是，究竟覺悟，與究竟廣大，光明體之內涵」！如是譬如，「深契，在太陽體」裡面。

當下，「空空，如也的究竟體，實踐，與心靈。都是常淨我樂的，安定」。進入到，「完全絕對體，究竟無所得之心境」！

當下，「緣起廣大遍照，叫作緣起性相之遍照。如是，自然法爾現象之緣起，造化菩提相，能深契，完全不糾纏迷失」。就是「進入究竟覺悟平等，完全無所得的實踐，就是真正廣大究竟體，究竟佛地之內涵」！

《維摩詰經》：「有佛世尊，得真天眼，常在三昧，悉見諸佛國，不以二相」。「常在三昧，就是恆常，在究竟無性相之安定體」！「看一切性相，都是究竟空體的。完全究竟，沒有

生活的大智慧：進入自性佛❶

的」！這個「內涵之深契，才是真天眼」。若「執著，於有性相之見，就是其人行邪道」！

　　什麼是「佛」？當進入「如如的涵養時，自然整個都是，廣大、安定的精神體。整個空間、無量無邊的宇宙，都是無性相的安立」！在「無量無邊的，光明體。都是究竟，沒有一切形相的，性相」。這個，「就是，同體進入，渾然全體的，看到同體平等，真正的分明智慧。如是，自性之佛體」。

　　「進入自性佛的實踐，就是深契自在。深入完全沒有形相，無性相，的究竟精神體。如是究竟，廣大之光明體」。「整個，都是全體，光明體」的！

　　祂的「心境，是究竟無性相，安定、廣大的體。整個廣大的空間」。「無量的宇宙，都是緣起究竟體性之遍照」。如是，「廣大光明體，

與遍照照明」。這個，叫作「性相之性起，與遍照」。如是，「自然佛菩提，造化之境界」！

也就是《維摩詰經》所講的：「恆常在，究竟無性相，究竟體之安定。看到一切究竟體，佛境界之性相。都是究竟無性相的，畢竟空體之境界」！

「菩提緣起，照明的相，叫作菩提之造化，與無生果之造化。看到後，自在性相，其中。進入究竟的覺悟體」！「一切都是，究竟覺悟，無所得」！

因此「又再皈，空體之涵養，進入到再再涵養，究竟廣大，無性相，堅固覺悟體之再再，與擴充之廣大」！這個，「就是真正堅固，無性相的，佛心體」。「這個，才是，究竟的真理體」！

「不受一切，干擾、糾纏、迷失等，動盪性

  生活的大智慧：進入自性佛❶

相之迷失，與迷縛。仍能保持，究竟畢竟空體，安定的心。就是無性相中，真正的佛」！而「佛身，恆常在無性相，究竟之安定體。恆常在，究竟廣大之光明體」裡。「恆常在，究竟體性。如是究竟體，與廣大遍照之照明，與菩提之造化」！

　　大家要「覺悟，究竟無性相，畢竟空體之精神領域。就是真正的佛」！所以「大家都是，本來俱足，本來究竟無性相，真實體之佛」。

　　「佛」，就是「能深契，無性相之究竟光明體。完全沒有糾纏迷縛，與迷失的病。也完全沒有好壞、利害、得失迷縛發生之迷失。不受任何迷縛恐嚇，與恐懼之相應，與迷失。恆常不受內外一切性相，與感受相，所迷執，和動搖」！這就是「深契，究竟體，真正無性相的，佛」！

　　所以，「究竟，絕對的真理，就是深契，

如如不動之涵養」。一切的「想相、以為、判斷等，都要皈究竟，無性相之空體」！

大家「時時，要淬煉究竟之覺悟平等。完全深契，究竟之平等體。平等的，看自己、與看現象」！最後，連「看的本身，也要皈無性相，一場空之覺悟體」！

就是「外面的現象、內在的感受、和看，都皈於，究竟平等」。如是，「無性相的，究竟空體」！

整個，「只有究竟純粹的，精神體。所以，沒有外面、沒有裡面、也沒有看。達到無我、無法、無無常之究竟體，與實踐內涵」。達到「深然的工夫，究竟空體。整個的精神體，都是究竟全體，沒有一切之性相」。只有「純粹廣大的，究竟光明體」！

「內外，都是究竟廣大的，光明體。天不

 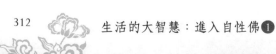

怕，地不怕，只怕，一時無明，迷失性相的迷縛。這個就是，一時性相迷失之入魔」！

不是「到了佛地，就一切都能，稱心如意」。祂是「究竟體，體性內涵，與廣大照明之遍照」。「緣起，就是遍照。任何空間、與現象等。完全無性相的，皈體」！

就是「無我、無法的，去圓滿，性相之融合，進入回皈，究竟之絕對體」！如是，「完全無性相，無所得，究竟體。完全無一物，完全無性相」！「究竟圓滿的，絕對覺悟平等之回皈，與實踐」！。

每個人都有莫明的，「想法、感受、哀怨、苦悶、看不透等，這些都要深契無性相，究竟皈絕對之空體」。進入到「絕對圓融，究竟廣大的，絕對全體，光明體」！

所以，「有任何的，感受、觀念和現象等，

都要深契究竟覺悟之平等，捨離諸性相，相對之迷失。皈於究竟空體的，絕對廣大之光明圓融，究竟之精神體」！要「活在其中。自然而然，就會究竟體性之遍照。如此，叫作緣起放光照明的，自然法爾圓融之現象，與菩提造化」。就會「自然產生，吉祥、如意」的結果！

　　所有的，「緣起感受、觀念、現象、與菩提造化等，如是，同體分明智慧的，要絕對同體之圓融。深契究竟體性之實踐」。如是，「最深廣大，吉祥如意圓滿的，安定」！

　　當進入「深契無我相、無人相、無眾生相、無壽者相，如是究竟無性相之深契，就是，完全實踐」！「感受、觀念、現象等，都深契沒有迷失的無性相，與畢竟空體。進入到究竟覺悟平等，能廣大遍照，與究竟無性相，畢竟空體之內涵」！

這時「所有的無明迷失，與種子花果性相之迷失毒素障礙，就會完全的，捨離排出」。「所有的究竟精神狀況，就會自在究竟覺悟平等，光明之正大體」！

就會變成，「轉精氣神，皆是絕對究竟之清明。完全沒有迷失，無明之病」。如是，「究竟之狀況」！

無論「任何感受、觀念、現象等，都不要迷失其中。要深契捨識，皈空體的，究竟無性相」！都變成「光明體的，究竟涵養之心境」！

變成「畢竟空體，全體究竟之光明體，與遍照之廣大放光。自然，不出門，就能知天下事」！這個，叫作「廣大之遍照」！如是「遍照，同體分明智慧之明覺」！

目蓮尊者，所成就「識空光明之心境，俱識變分明變化之神通力」。「但仍是沒有辦法，

救渡墮入，餓鬼道的母親」。釋迦佛告訴尊者：「現在唯有『仰仗十方諸佛大菩薩的功德力，才能救拔你的母親，脫離餓鬼之苦』」！

其實，釋迦佛就能渡目蓮尊者的母親，祂只是「不渡」而已。祂是「怕別人因此，一直仰仗，拜託祂渡，而放棄自覺，努力之工夫涵養」！

「入畢竟空體以後，下一步，就是究竟體性，能光明體之放光。與廣大之遍照」，如是，緣起「菩提造化。就會深契，同體分明之智慧，與通達究竟現象之圓融」。

就是「任何相，在眼前，一看，就能明白。而且未來，會發生什麼事情，都能夠當下，非常明白的，知道」！這樣，「才是真正的，放光遍照」！如是，「廣大同體，智慧自明之菩提造化」展現！

在緣起「自然法爾，圓融現象，才能同體智慧分明的，如是，遍照圓融之圓滿」！如是，「究竟全體，無性相，涵養遍照廣大，究竟體之覺悟平等工夫」！

「無性相，就是沒有一切性相的，糾纏、迷失、和干擾等。所有的感受、觀念、想相、和現象等，都完全不糾纏。能進入到無性相，畢竟空體」裡面！「深契無性相，完全不要糾纏之迷失」！

「靜靜的，看這個完全不糾纏的空間。然後進入到，更深層的看。不斷的穿透，到最裡面，無論出現什麼相，就靜靜的看」！自然「深契無性相，自然分明，同體智慧之圓融，究竟廣大體之明白」！

剛開始「看」時，能「穿透十一個法界的空間。最後生出熱能之感受，就是已經進入到，無

性相，畢竟空體，究竟如如內涵的空間」。「整個，被金黃色，和透明亮麗的空間所包住。就是活在，廣大究竟同體，智慧分明的，光明體」！

　　剛開始「看」時，所看到的光，是「識體的光」（註：如是，四聖阿羅漢的光）。然後是「深契，如體的光」。到最後是，「究竟體性，如如之涵養，究竟光明體的光。與大遍照，照明之光」！如是「體性，整個全體之內涵，都是廣大光」的內涵。

　　再「深契，能進入到最深的，突破，和穿透。所有的感受、觀念、想相和現象等，全部把它突破，和穿透」！即是「深契究竟覺悟平等，究竟體之深入」！

　　「穿透」，就是「超越阿賴耶種子，花果性相之空間。再到達，阿賴耶識體的，識光明體之空間。再變成，深契，如體的光明體空間」。然

後到，「究竟如如的，究竟全體光明體」！

如此，「究竟體之穿透，與廣大究竟之深入。到最後，整個都是廣大平等究竟體，如是透明、清明、與安定」。「自然中，整個呼吸之氣息，都很細微。整個心境，皆很輕鬆」！這個，「就是真正進入到，究竟如如體之內涵」空間。

剛開始「穿透時，會看到前世識種，所相應，與產生的性相，它會一直在無明迷失，與糾纏的空間」。「就像相應時，自然會腰痠背痛等，狀況」！

就是因為「阿賴耶識的無明種子，自然相應花果性相的變化。就在五臟六腑中、與全身血管裡面，流動著。那個精氣神，自然相應污濁、與黑暗的空間。那個，就是累劫無明，前世之氣息」。所以才會，「自然腰痠背痛，甚而脊椎骨髓，莫明嚴重之痠痛」等！

在穿越「阿賴耶識體，自然的過程，本來的無明相應，全身是很累。當穿越阿賴耶識體後。自然，能從種子的相應，進入到沒有種子的空間。全身自然，因此在超越，都完全不累」了！自然，「精氣神，轉變成光明的氣息。就是已經，穿透前世了。自然就會進入，無無明，深契很輕鬆、很清明之狀況」！

　　再「深契進入，究竟無性相，畢竟空體，究竟如如之內涵的空間中。就會在全體，自然之光體。像陽光照耀全身，一樣的，散發出一股很溫暖的，氣息」！「整個身體，都很溫暖。這個叫作進入廣大之自在，與廣大遍照之照明。祂本身，就在光」中！

　　「再進入到，更深的穿透、更廣大的光明體。整個空間，都很安定、都是究竟空體的。就是在究竟如如廣大之內涵，與空間」！「自然全

體，皆在看中，完全都不會想」！

如是，「自我超越、與自我穿透，如是究竟自我之覺悟後。自然，進入究竟無性相，畢竟空體，進入完全究竟覺悟之平等」！如是，「無無明和無無明盡，究竟皈體」之過程！

「不斷的，進入無性相的，穿透。就是超越深契，究竟空體，所有的，無性相。不論有形的相，無形的相，都把它究竟的穿透。不斷，如是之究竟覺悟，與究竟平等之超越」！等於是「太空旅行般，進入廣大微細的，宇宙空間。那個，就是深契廣大自在體的，心靈精神空間」！

然後「再突破。突破完全沒有阿賴耶識，也沒有識體的光明。進入的是，非常廣大、安定、溫暖的光明。整個都是，非常舒服的空間。整個的感受、五臟六腑、脊椎、骨頭等，都非常的舒服」！「進入到，完全皆是，非常舒服的空

間」。

　　這個叫作「當下永恆，等於剎那，如是，究竟平等。等於究竟的覺悟。等於深契廣大自在，全體究竟廣大的，光明體」！等於「究竟之絕對體，等於究竟中道之實踐」！

　　「行入中道，就是進入這個光明體。當下，沒有來，沒有去，就只有這個。叫作永恆、真理、真實、無性相」。只有「究竟整個的，全體光明體」！

　　整個皆是，「安定、舒服的空間。精神，非常的舒服、朗然。而且知覺靈敏到，平等無量無邊的，空間。甚至，有人想到你，都能夠自然剎那的，看到。對方在想什麼」！這個，叫作「深契，全體，究竟平等的、廣大分明的覺悟平等」！

　　這個「剎那絕對的，空間在哪裡」？就是

「當下。這個世界，無明前世今生的，永恆當下。如是阿賴耶識種，花果性相。遍處相應無明，自然所有如夢幻的，感受等。包括觀念、想相、以為、做法、現象等。當下，在其中。即是究竟體之當下，永恆、即剎那」。如是，「幻如平等」！

「深契進入到，究竟無性相，畢竟空體裡面。叫作深契究竟當下，究竟覺悟之平等，如是二元論之內涵，同體兩面之平等」！即是「究竟平等光明體，如是不思議之當下」！

本來「在無明，與輪迴的今生。當下，進入到，究竟。完全沒有前世的，與今生的受。其中，即是無性相究竟平等，當下的、永恆之剎那」！即是「深契三世，究竟之平等。即是，永恆的，與絕對，究竟之皈體」！

就在「這個空間裡面，遍處都是，全體廣大

的光明體。如是，精氣神，都是非常舒服、安定的。都是非常微細的氣息，和安定的心境」！這個，就是「究竟如如，涵養的心境」。

什麼叫作「如如涵養的概念，與究竟精神體的，存有？祂，什麼，都沒有。就是進入究竟無性相。什麼，都沒有裡面。整個，都是究竟空體的。甚至，什麼，都忘記。連身體的感受，都沒有」！只有「究竟覺悟平等，純粹的精神內涵。進入到這裡，什麼都是空的，一切都在忘記」！「唯一知道的，很舒服之心境」！

如是，「究竟當下，深入無明其中，活在其中，又穿透其中。到達究竟當下，絕對、無性相，畢竟空體的涵養」！到達「究竟覺悟平等，完全純粹的，精神體狀況」！

所以，當下「究竟平等，同體之二元論。就是無明，等於究竟的光明。就是深契當下，進入

  生活的大智慧：進入自性佛❶

究竟之覺悟，與穿透」。就是「究竟進入，完全不可思議之體性相平等」！

從「無明的煩惱開始，全身相應的感受，都很累。自然空間，都是很煩惱。剎那間，若能深然的，進入完全的穿透。自然，整個空間，都因此進入，究竟完全，沒有煩惱」。

如是，「完全沒有任何人，或夢境想相等，能來騷擾之狀況。進入到完全絕對的、如如的、安定的、精神的、整個光明體的，究竟狀態」。這個，「就是究竟純粹的精神體。就是真正究竟無性相，皈體，究竟佛之心境」！

所以，「佛有兩種，不同之作用狀況，叫作一體的兩面。一體，就是究竟無性相的，廣大究竟光明體、與廣大純粹的，精神體」。「另外一個，就是廣大遍照之照明。自然整個，十八界的感受作用等，叫作遍照之緣起。所產生自然法爾

現象的，廣大神通萬法，與萬法轉化，圓融之菩提造化」！

所以，「真正的神通，是完全究竟不動涵養，與不作用，而自然之作用。它自然，能產生緣起放光照明，菩提神變之作用」！叫作「廣大的自在，與遍照之緣起」！

「打開，與閉上眼睛。當下，也是一體兩面的，究竟平等之精神狀態。佛，就是究竟深契，無性相，皈體，完全沒有迷失的，究竟光明體」！但是，又有「廣大遍照，緣起造化菩提之感受」！

這種「究竟之感受，等於沒有感受之狀況。就是等於深契，究竟全體，一體的，兩面。當下究竟，菩提，等於相應」。又「究竟，等於無明，究竟平等之深契」！

如此，「廣大的覺悟平等，深契究竟無性

相，畢竟之空體，工夫涵養。進入到究竟如如涵養，概念的，內涵。如是究竟真實的，進入，自己的心中」！「如是當下，究竟超越，自己本來的無明。進入到究竟，廣大的光明體」。

進入到，「究竟，三世諸佛，純粹的精神，概念體。隨時，都是無性相的佛。亦是緣起，究竟廣大光明之遍照」！如是，「菩提造化的無生果。都是究竟圓滿，廣大的吉祥，與如意」！

「能做得到，就能深契恆常，究竟，吉祥如意。如是，廣大造化的，感受、觀念、現象、體會等，自然法爾現象之圓融。都會自然，回皈的，來聚」！如此，「究竟之來皈，完全沒有不好」的！

所以，「如果有不好的相應，就是還在無明。如是，仍在前世的相應、和無明的糾纏」！

當達到「究竟全部，都是好的緣起，來皈

中，自然，身體狀況與現象，都是好的。就是已經深契，究竟完全自然法爾」!「沒有前世，和無明了。這是，究竟真言」之語言!?

全 然

「唯識論中，從開始到總結，皆是唯識之迷縛」。「能生唯識迷失之萬法。亦是如夢幻般之不究竟」!?所謂「萬法唯識、萬法唯心，一心萬法等。皆是描述，其中如夢幻之十一法界。與如是性相之變化」。

「唯識，即執相之同義。所以，全然的法界，皆是迷失之夢幻。當下，唯有深契。究竟體性，平等之緣起。與如如真理究竟體，如是之幻如平等」。「究竟性相法界中，緣起自然法爾現象圓融，變化之全然」！

「如是，十法界與一真法界。究竟平等之自然緣起造化，遍處，皆是照明。與自然法爾，現象緣起之全然。與自然法爾之任運」。「十一法

界自然之性相。如是一一，全然之性相現象。究竟平等，緣起之流露。皆在當下，自然現象之唯識萬法」。復昄「萬法平等一心，廣大遍照造化之究竟體性，與涵養」！

「由一、而二、而三……而唯識。如夢幻之萬法現象緣起，剎那當下，究竟平等之緣起。自然法爾，照明之顯相圓融現象。平等當下，十一法界相應之造化」。如是，「全然現象，菩提造化之萬法」！

若以「究竟自入、自視、自祕之心境而言。此緣起之遍照，造化菩提皆是。如是自然法爾，現象之圓融任運。於當下平等十一法界，萬法之現象。如是全然現象之緣起」。「一一照明，緣起同體分明智慧之無生果造化」！

如是「全然，無性相，昄體之內涵。皆是，廣大全然現象，一一同體，自分明智慧之遍照照

明。如是，究竟平等緣起，顯相」著！「廣大遍處，十一法界。當下萬象，皆是吉祥、如意、智慧、圓滿之自然來皈」。「究竟，全然現象之實踐」！？

於「其中，當下。自然，皆如是的。究竟真理，與空中本質之定義涵養。與究竟，自祕心境。皆如是究竟體性造化，自覺著。於全然緣起現象，一一流露中。自然法爾現象，圓融任運之顯現」！？皆是「三世諸佛，究竟大自在之涵養。全然現象中，廣大當下。緣起十一法界之同體分明智慧。與自然法爾之圓融現象」！如是「遍照緣起，不思議，菩提造化。與如是，功德之福報」！？

自然於「究竟覺悟平等，自祕心境中。究竟體性相的光明體，與緣起之遍照造化」。「廣大緣起，三菩提造化之自然法爾現象。自然皆是

層層，究竟之性相造化。皆內涵，在廣大全然現象，皆是」中！完全皆是，「自祕自工夫，全然現象之心境。與同體之分明智慧」！

如此「自然，自全然，工夫純熟之涵養。如是體性遍照造化，如是，同體分明智慧之自見」！?

「究竟平等緣起，廣大遍照之照明造化。廣大自然法爾現象中，當下平等，十一法界之顯相現象。如是圓融任運，於同體智慧分明，圓滿之深然造化」。仍「回眳，究竟絕對，無所得。與究竟之覺悟平等現象。再再涵養，更深廣，無性相。畢竟空體」之內涵！自在，「如如廣大光明體。與究竟真理」！

「此際，究竟光明體之心境，與廣大之遍照造化。自然六根，諸性象相的現象。如是性相，造化之緣起。平等十一法界。現象之全然。與菩

提造化之顯明」！於是「自然遍處之全然現象，皆是廣大之自明。皆是渾融造化，吉祥如意之圓滿」！如是，「究竟體性相，平等中，真相事實。全然之顯相，現象」！？

「如是之全然，皆是自心境。自然法爾之現象。究竟體性相，平等造化。工夫與內涵中。如是，廣大深妙之自然神通造化，與不思議之妙境界」。「一切，當下。無生果造化之自然。皆如是的，自然法爾圓融，現象之顯明」。「全然之諸象相造化中。如是，法爾自然，現象之任運」，遍處！

此「如如廣大全體，光明體。與廣大之遍照造化。緣起體性相般，現象之造化菩提」。皆是「一體兩面。真理，與究竟光明體之定義。與廣大遍照，造化之照明」！？

於其中「究竟自覺悟，平等現象，與一一漸

次，無性相之皈體。造化之深明」！「自然緣起
遍照造化。如是當下現象。即永恆。深契造化，
自在。自見，與自知之全然。自然法爾現象，圓
融之心境」!?

惟「剎那之一念，一即一切。當下，遍照緣
起造化。自證入同體分明智慧，造化現象」之展
現！「自然現象，平等十一法界。究竟平等，造
化之全然現象。如是，終契全體。分明智慧之究
竟」。皆是「深臻究竟平等，緣起造化。——自
然現象之全然」！

一切，「皆是自然不思議。吉祥、如意、
智慧、圓滿、造化。緣起菩提之無生果造化。與
自然法爾，現象之圓融」。來皈!?皆是，「究竟
不思議中，究竟同體，分明之智慧。與自覺之深
明」。

「深然涵養，再再廣大。如如之擴充。如

是，廣佈延伸。涵養。如如之究竟光明體」。再再「究竟覺悟平等，現象之自然法爾。廣大之擴充，與現象圓融之全然」！

在如是，「無內外之覺悟平等。更深臻究竟平等之緣起造化。更如是遍照之實踐。廣大現象之全然。自工夫全體造化，光明體之純然」！必能「自明，究竟體性相造化。自然法爾之現象。當下之剎那，圓融現象」！

自然，廣大「遍照。皆是一一明鏡般，照明之顯相。如同千江有水、千江月。與大圓鏡菩提造化，全然之顯相。與現象自然之瀰佈」！?其「廣大俱足，無量大圓鏡照明。顯相菩提造化之功德福報。皆是全然不思議造化，同體智慧分明之廣大。與自明，與自得」！

如是，「全然遍照，菩提造化。皆是瀰佈萬法現象中。全然之不思議，自然法爾之現象。

廣大自然，圓融，任運之顯明菩提造化，於處處」！

《道德經》中，「老子之無為而為，為識體空之內涵。全然相應現象之無為。卻異於，真理究竟如如之涵養。如是遍照造化現象中。無為而為」！

「究竟、吉祥、如意、智慧、圓滿。究竟大造化，菩提造化之回皈。如是漸次進入，現象之緣起。更深然，而全然之現象」。如是，「大圓鏡之顯相菩提造化，更而大日照明之造化菩提」！

自「究竟如如，體性之緣起造化。大日菩提之照明，造化深契。能見到一切無緣之現象，緣起，與無性相。畢竟空體，能緣起遍照，照明之現象。廣大之無生果造化，自然法爾之圓融。與任運無礙的，全然現象」。無量「吉祥如意，不

思議諸象相，菩提造化」之顯明!?

自然「自如如，究竟體性之緣起，與遍照之造化。大日菩提之智慧身」！如是，「自然佛陀。由一而無量。廣大智慧分明造化，福報之大日。分化身」!?

更於「緣起，同體分明之智慧菩提造化。如是，自成獨立之大日自體。自然，廣大遍照，放光之菩提造化。與自在其中，大日體」！如是，緣起「造化菩提之無生果」展現！

如是，「大日自體，自然廣大分化。如是，究竟體」之心境。自然而然，更「廣大深臻，同體之智慧分明。如是更深，究竟覺悟平等。皆再再的，更深契，自如如。無量大日體之分化」涵養！如是「深契究竟平等，三世諸佛。與三菩提造化。內涵自然現象，遍照之緣起」!?

如是「一念，皆是全然之體性相。自然法爾

現象中，廣大之妙變化。與妙智慧之平等」！如是「廣大遍照。造化菩提之自然流露」！

更「見一念、一相、一動靜等。與微變、巨變等諸象相之菩提造化現象。皆是同體智慧，與分明之平等」。「無極至極，究竟定義之真理現象」！

當下「如夢幻之今生，自然究竟覺悟，平等。遍照造化，自佛性之緣起」。皆是「真言」、「造化」、「菩提」等。「究竟無所得」，「究竟之覺悟」！再再「涵養更深廣。廣大如如之涵養。究竟體之全然現象，與自然法爾造化之圓融」！

只有「究竟，自在佛地之行者。能見，廣大體性相之現象。究竟平等之緣起，一切大自然，法爾現象之來皈。皆是廣大全然之緣起造化」！「自然法爾現象中，又回皈究竟。無所得之究竟

覺悟，平等。一切，在究竟，再再之涵養中，廣大的擴充。皆是廣大無量，究竟真理之定義。與究竟全體之光明體」！

皆是自能「深契究竟體，直契平等。當下，究竟之全然現象。如是，究竟空中本質。與真理之定義」！

由此「自在，究竟佛地之心境。全然，一一緣起造化。如是自然法爾圓融，如是之究竟，體性相現象。緣起遍照之自見，造化，與自明」。「再再當下之涵養，如是，廣大遍照，菩提造化」之流行。

如是「究竟體性相，全然之緣起。十一法界等，自然法爾現象。皆終皈究竟，無所得的。幻滅中」！「自然深契，究竟平等。當下空中，本質之究竟真理」。「如是，究竟共一體的。自然皆是，全然當下現象。究竟平等無明，與法爾現

象之法身境界」!?

　而「報身堅固者；此無性相，究竟皈體之部份。皆在究竟，自在體。如是同體，分明之清淨智慧。與全體渾然，圓融之果報身」!?皆是「究竟自然法爾圓融，任運之自視。與自同體廣大，分明之智慧，平等菩提之造化，與報身之堅固」。自然「自祕，佛地心中。皆是究竟光明體，與廣大之遍照。如是緣起照明現象，同體分明。智慧之菩提，造化自明」。

　更「化身，緣起分明，智慧之圓融。皆是廣大、吉祥、如意、智慧、圓滿之無生果造化」！如此「智慧分明之圓融。任運無礙，於現象界。為智慧廣大之自然，法爾現象，與平等自如如之涵養。能同體分明，智慧之照明。與自化身之應化。圓滿」。而同體「分明智慧之自然，與全然現象。皆是，分化圓融之智慧身」!?

從此，於「平凡生活現象中，處處皆是。自然法爾、現象之圓融。一真與十法界，萬法之緣起。皆是，究竟之平等。如是菩提造化之緣起。與全然現象之造化」!?但仍是「究竟一場空之覺悟平等。與無所得！如是全然現象，當下平等。究竟全體之光明體」！

　　如是，「無性相，而相。究竟之皈體涵養。能平等究竟，全然現象之緣起。如是，一體兩面。廣大全體光明體，與放光之遍照。如是廣大照明」之內涵!?

　　「深廣見中，同體之智慧，自明一切。皆是，緣起遍照照明，與菩提造化」之流露!?能「流行自然法爾，任運圓融之現象中。與無生果造化」之展現！

　　於此際，「自明深臻，究竟真理之涵養現象。平凡之生活中，就在當下究竟真理，與佛地

之心境。自然，同體大造化。分明之智慧，與分明之菩提造化」。如是「吉祥如意，廣大分明智慧，法爾自然圓融。與圓滿現象之來版」！

當下，「自然法爾緣起現象。平等如夢幻之十一法界。只論佛地之究竟分明智慧。與自然法爾圓融，現象之行持」。「再再性相，自然之緣起。彰顯著全然現象，雖然，如夢幻之一場空。卻是同體究竟，全體智慧。遍照之分明菩提造化」！其「目的，即是全體之全然。與究竟體性相之現象。與究竟真理體，如實。究竟之實踐」！

自然中，「能究竟緣起，遍照中。明見一切菩提之造化」！如是「真理行持，深契究竟覺悟，佛地者。亦是平等真理體現象，與遍照之同體。如是，分明之智慧，與深臻之力行」！

惟「自知者明，自行者大行！此全然，終

畈，究竟無性相！與畢竟空體，自然緣起之法爾現象。於究竟平等，平凡之生活中！卻是，異於常人，無明今生之現象。能究竟真理，分明造化之實踐！與圓融現象之全體，全然」！「自然法爾現象。皆是平凡之生活。卻是真理究竟。無量不思議造化，分明智慧之自然現象」！如是，「遍照分明智慧菩提，與造化全然」之展現！這是「佛地智慧」之內涵！

本文「經常主張，深契究竟覺悟平等之佛地。深契究竟真理之涵養。與究竟平等現象，如如之事實！與究竟真實體，內涵體性之絕對」！其「目的，即在深入，當下究竟真理體。與第一義，究竟之體性」，與自然法爾現象之進入！

「主要主題，卻是人生苦短。惟當下直入，二元論之究竟平等。終畈，一道，究竟到底現象！如是，究竟佛道之心地」！如是，「究竟覺

悟之深入」！於「當下同體分明，全然之智慧中。究竟平等當下，如夢幻現象之人生」！如此，「直入當下，究竟平等現象。與究竟真理中。當下同體，分明智慧，造化之實見」！

其實「深契全體，究竟光明體。與究竟之全然現象。卻是平等，當下。無明的人生」！即是「當下全世界人類，目前無明人生，習慣之文化。與平凡人生之活動規範」。與「當下，經濟活動，習以為常的生活變化。更而金融活動，日異月新之數字變動。如此政治經濟文化，各異國度之生活變更」等。

如是「身在其中，無明活在其中；一代代的，歷史之傳承。至如今，現代之造化，與科技之發明」等。如是，「更發展至，外太空生活方式之可能，與探討。卻仍是無明用識迷縛，自識種，沿用」的人生!?

如此，「傳承的文化，世界之交流等。當下之人類生活方式，習以為常的，繼續」!?皆是「活在其中無明，即在其中用識迷縛。如是，識種之生活。皆是累劫無明阿賴耶識種，花果性相變化現象之繼續」如此，無明當下之生活。

　　今生「宗教文化，觀念、感受、現象之各自，意識無明。相對能所，用識著。仍是全人類無明現象，累劫以來，昔性識種迷失」。使用之人生!?

　　「一天又一天」，「一年又一年」；仍是「無明自用識之迷失」!「相同所有人類，共同使用的。觀念、昔性、感受、現象之繼續，至今日」!「一代代人類之出生，到忘記存在之老年。又是遺憾之無明死期，將屆」!?又「奈何」!?

　　如是「至死，一代代的。大家皆忘記，迷

失其中的。平凡人生之生活」著。到時「皆是忘記過去，曾經存在的日子，與人生。如此長久，無明生活」著！不斷「死生其中的，無明相應」著！?

　　經由「如此無明表相的，生活著。人類皆如是無明習慣的，依循著。卻是迷相其中，卻不知今生生活的。意義與目的」!?只知，「大家皆如是，累劫沿襲之無明現象。與習慣的，生活著。到時，離開人間；又慨嘆今生時光」之虛度!?

　　「一天天的過去，卻仍在如夢幻的，今生度日子!?卻是在如夢幻中。無法追回昔日的，每一段夢幻」!?但，「又奈何，無法擺脫，無明用識現象之昔性」!?

　　「不管它的!?大家都一樣的生活著。到死時，大家仍如是的，莫明其中的。終皈死亡」中。這是「平凡如夢幻，最終之覺醒！即是一切

皆帶不走。今生曾經所建立，與保存之一切。皆是繼續存留，在世間中」。「一切，皆帶不走」!?

但是「死後之空間，卻是仍在，無明用識之使用。與每個自己，昔性使用之無明意識，相應」。與「累劫無明昔性，想相之選擇現象。最後，卻是情畈，何處」之無明!?但，如是「無奈的天性現象，與用識之繼續」!?

如是「無法得到，究竟真理解答之真相。卻是每個出生於今生，一樣之無明，與莫明。仍是不知從何處，無明的。進入到，今生之母胎」中!?如此，「繼續無明現象，今生之生活。在其中現象，無明的用識著。如是無明之不知，與繼續各自昔性。無明現象之迷失。與繼續用識之無知」著!?

此種「無明用識現象，其中能所之使用。

如是無明現象，繼續相對之莫明相應。與因緣果報」!?卻是「無明如夢幻，事實之真相。如同無明，今生之投胎」一樣。皆「如是無明現象，卻有一定識種，迷縛其中。因此因果的，道理。才是」！

所以「無明定義之探討。是生命中，一大課題」！必須「真實之面對。予以究竟真理之真相現象，與真實之探討」!?所以，當下「如夢幻之光陰漸逝現象。卻是今生中，迷失無明真相」之事實。

原來，皆繫於「人類，皆習以為常的現象。依靠無明於觀念、感受、現象」之受用！如是現象，「萬法諸相，依靠受用」之憑藉。皆「自以為是，自以為想相。與無明的使用」著。

如是「用識現象，與無明識分析，作用之使用。而在無明之識作用現象，與無明相應中。如

是，迷失相應之識相受用」。

　　若能「離開用識之作用現象，與捨離迷縛。與無明相應之想相。即是能究竟分明現象，離開。累劫廣大之無明」！當下現象中，即能深契。「究竟真理」之覺悟!?

　　原來「無明現象，習以為常，相應之想相。即是累劫自無明之以為」!?「當下深契。若能深入現象，無明用識之識分明。即能進入現象中，識光明之放光」！即是深契究竟。「識光明體，識光明體空，與識光明體空空」之心境。深入「無此無明之究竟。與如是究竟，無性相皈體。與全體之究竟體。與遍照之自然法爾現象」！「如是現象中，究竟全然，差異之實踐工夫」！

　　所以「無無明盡，於無明如夢幻的生活。即是深契當下之覺悟」。「漸次實入，此識分明。與自然識光明之循序放光中。自自然的；自

在於，究竟體。如是，破性相，究竟之完全不迷」。如是，「當下現象，即是究竟佛道，與十一法界之平等」內涵！

如是，「無性相，究竟皈體的。深契究竟全體，光明體。如是，深入，廣大遍照之緣起照明。當下平等，如夢幻。即是究竟，幻如平等中，究竟現象之覺悟。當下平等，如夢幻之現象，與廣大光明之遍照。如是，自然法爾平等圓融，全然之現象」中。深契，「廣大幻如平等現象，究竟之覺醒」！

惟有「究竟自覺，深明者。方能於十一法界，究竟平等之自然法爾，平凡現象之生活。當下直入平等現象中，同體分明，究竟智慧之圓融。與究竟之看中。亦是佛地當下現象，究竟不動之真理體。與究竟之深入」！如是，「真實體現象中，究竟之無性相」！

惟「深入佛地，究竟體性者。能廣大光明體，與遍照。如是，緣起現象中，廣大照明」之造化！？如是，「如夢幻現象之用識生活。與迷縛現象之無明。更深契廣大現象中，究竟平等」之覺悟。深入「自然法爾現象，隨順之圓融，與緣起菩提造化現象之全然實踐。直入，當下究竟之真理」！

經由當下，「如夢幻，今生世界人類生活之現象。如是究竟平等，自然法爾任運現象。如是現象之圓融，平等十一法界。各自同體分明之智慧，與全然實踐現象之人生」！又能「佛地，深契究竟，祕密真理之心境。如是現象中，遍照照明之緣起菩提造化」之契入！

但是，「大都現象，究竟平等之緣起。自然法爾任運之全然現象。仍是當下平等現象中，處在無明識種。迷縛體性相的。如是，無明生活作

用之自然。與自然現象之相應」！如是，「自然法爾之自然，與隨順圓融菩提造化之現象。流露著」！？

但是「究竟覺悟時，能究竟真理。真實現象之進入」。與「自覺之自在現象，與佛地心境之進入。完全繫於死後心境現象，能否究竟之真理」。如是現象，「緣起之進入，來決定」！？「到死時，仍無明其中現象。到時，想努力。再自覺一切之現象，已太遲」了！

惟有「當下，深參本書之覺悟體會。能因此當下，深契究竟之覺悟。與全然現象，究竟之真實。自心地，究竟覺悟，平等的回皈」。「如實，信入佛地。實踐之全體。與自究竟，全然之現象」！

如是「深契，究竟法爾，自然圓融。緣起自然，現象之全然。皆是遍照造化，廣大之無生果

造化緣起，與現象之自覺」！如是「自在其中。究竟覺悟現象，平等之流行」。才是「深契真正現象中，自覺之行持，與當下究竟真理」之自在！

首先，是「有前世，進入到沒有前世」之覺悟。「再從沒有前世，到達生出，究竟覺悟平等，廣大光明體之太陽」。因此，「由無性相之皈體，而究竟不動之涵養。與廣大遍照之造化」。「久而久之，自然現象中。就在全體之太陽底下」！「所有的事情現象，一看，就能明白。在當下平等，完全，不用想中」！「究竟覺悟深契，如如之概念」！

「想就是糾纏。是從迷縛黑暗裡面，產生迷失的，糾纏。感受、和觀念等」。「這個，就是無明現象中，迷失之昔性。所以要完全捨離，究竟迷失無明之前世」！因為「有前世現象迷失之

昔性，才有今生迷縛的，輪迴。與無明繼續之糾纏、和迷失」！

「有如是究竟真理之太陽生起時。就完全沒有，我與法了！只有如是究竟真理之光明體，自然太陽，照下來的。如是，廣大遍照，菩提之造化現象」！「如是太陽，照下來。廣大，遍照放光之造化。是一個層次」。「緣起菩提造化之任運分明智慧，又是另外一個層次」！

「同體分明，智慧之菩提造化現象。它會分明的，教導。帶動你」。「明白太陽，遍照之造化，與緣起現象任運的意思」。「叫作緣起，智慧之菩提造化現象」！在「究竟體。與廣大遍照造化中。同體分明智慧的，照給你看」！你完全「沒有自己，與法」了！「全然，都是太陽之遍照，菩提造化現象，與自然法爾，圓融現象的，內涵」！

什麼是「真相」？「廣大遍照菩提造化現象，就是究竟覺悟平等中，展現真相」。「太陽，就是真理體之真相」！「如是太陽，到緣起放光現象。如是，放光照明菩提造化的，過程。叫作自然現象，廣大遍照的造化。如是，照明」。「這個，就是究竟真理體之內涵。與真相菩提，造化現象之展現」！「造化，是性相象之緣起。不迷失，造化變化之象。完全深契，無所得中」。「即是究竟無所得中，全體光明體之回畝。與究竟平等，不動內涵中」！

　　這個「真理之真相，一個是究竟真理體。如是太陽，為如如的本身！如如以後，會遍照造化之放光」！「不是你，在放光。是如如的太陽體，在放光！一切皆是，緣起造化之遍照放光」。廣大現象中，「自然不動內涵，緣起現象之照明造化」！這是，「隱藏在看不見的究竟心

境」現象中。能究竟廣大光明遍照的，菩提真理
之造化。自然現象中，「顯出真相」！

　　「不要前世。就是把所有的感受、觀念、和
現象之迷失。全部不要」。「要做到，無無明，
亦無無明盡。到達無無明盡以後。整個現象。都
是無性相與同體分明智慧，畢竟之空體」！自然
「裡面。就能全體。廣大看到究竟的，光明體」
內涵！

　　那個，「就是每個人心中，究竟都有的。
絕對光明體之太陽」內涵。祂是「廣大光明遍照
的，照明的造化！看到什麼事情，祂就會自然法
爾的，同體分明智慧菩提造化的，顯出現象。如
是，分明之智慧。明白的，帶動。該怎麼做」！
叫作「廣大之遍照造化」內涵！祂「所產生分
明，智慧的圓融。如是之自然法爾任運現象。
叫作吉祥如意圓滿，菩提之造化。與無生果造

化」！

「今生」，是從哪裡來的？是從「無明前世
昔性，無明之相應迷失，來的」！「前世」，是
從哪裡來的？是從「累劫原始無明識種。自然無
明相應，來的」！

「原始無明」，就是「一開始之無明迷失。
不知道，自己的感受、觀念、現象等。到底是
怎麼一回事」。「如是一出生，就是這樣的個
性」。叫作「累劫的，原始無明。昔性迷失之相
應」！

「自己，到底是怎麼一回事」？「誰是
我」？「原來我們，都是被累劫原始無明的種
子。所產生的無明相應昔性，花果性相等，所糾
纏與迷失」！

「心中的太陽，與宇宙生命界的太陽。叫作
究竟的光明體」。「能深契，究竟之真理體」！

自然「走到哪裡，就廣大遍照的造化，照明到哪裡」。叫作「緣起遍照」！

這個「緣起，廣大之照明。叫作自然，廣大之遍照造化。所遍照，無中生有之造化，叫作菩提造化。與無生果造化」！為「當下現象，十一法界平等現象。如是緣起菩提造化現象，自然法爾，任運現象智慧菩提。因此，吉祥如意圓滿，造化現象之內涵」！

在「阿賴耶識，黑暗迷縛無明的空間中。原始無明，像廣大之烏雲，無明之迷縛一樣」。會「自然無明相應現象，生出很多無明迷失的；想法、看法、觀念、和現象」等。而無明「迷失其中，昔性的現象。迷縛自我，迷失之以為」著！

如是「累劫原始的無明昔性，從出生起。就會在廣大自然，現象之無明相應中。莫明迷失的，想要怎麼樣，就怎麼樣」。而且「都以自己

的感受，和觀念受用等，為主」！「從小到大，已經習以為常的。自無明其中的表達著，長久之昔性」！這個，「就是無明的自己。與無明昔性之前世。而今生個性的，自己」！

所以，「不要再使用，從累劫無明黑暗裡面，出來的原始無明」。「就能看到，在整個不要迷失的，廣大烏雲空間中。能出現，廣大究竟，全體之太陽體」！即是，「究竟如如之涵養」！

「處在無明。就是沒有辦法進入到，無無明之內涵」。「無無明，就是無此無明。不被所有前世，糾纏的無明，與原始無明。所玩弄迷失的，內涵」！「廣大的空間，都是究竟之無性相。祂會在究竟魬體之全體中，生起太陽。廣大遍照的，都是放光之照明造化」！

那個，才是「究竟宇宙生命之真理。究竟無

性相，阪體之真正主宰！叫作，全體究竟的，光明體」！

　　所以，要「究竟捨離，自己的無明前世。當下深契，究竟如如之涵養」，與「究竟的全體，光明體」！「肉身，從此脫胎換骨的。變成無我、無法、無無常的。轉換成，究竟之覺悟。如是之新主人」！就是，「如如的涵養，究竟的光明體。與全體進入，究竟之裡面。整個都被光，包圍」著！

　　本來的主人，是「原始的無明前世。從小到大，都是沿襲著無明前世的，昔性和個性」！現在，「換新的主人。就是轉換成，廣大究竟的光明體」！

　　「就在其中，用看的。看祂遍照的放光」。看祂「照明所有的空間。與現象，自然法爾的，菩提造化」！隨時，「因緣緣起的。菩提，而變

化現象的，造化著」！

袦所「遍照的放光，與照明的菩提。就是無中生有的，無生果造化」。如是「走到哪裡，就照明哪裡的。自然法爾之現象」。「一離開那裡，那裡的菩提自然法爾造化，就消失」。又是「另外一個，菩提造化之自然法爾」展現!?

所以「菩提之造化，是遍照之緣起」。「無一定造化的。時時改變的。菩提造化之自然法爾現象」！與「受照明無生果之造化。自然法爾，無所得之造化。與同體分明之智慧。在引導」著！

「真正的主人，是進入到究竟如如的涵養」。與「廣大的光明體。那個叫作，究竟全體的，光明體」！為「三世一切諸佛，共入此中之真理體」！「如是進入到，當下全體，現象之究竟光明體」！

「究竟光明體之內涵，有三個層次」。「第一個層次，叫作全體究竟之光明體。就是進入，究竟光明體裡面」！「第二個層次，是光明體，能夠遍照整個空間。叫作廣大遍照之造化」！「第三個層次，是走到哪裡，就照到哪裡。叫作遍照緣起的，菩提造化。與無生果造化」。這個「菩提之造化，都是一時的」！「緣起遍照，顯明造化後。馬上，就消失」！

　　釋迦佛就是「捨離原始無明後。在究竟忘記中。當下，廣大原始無明中。與究竟精神體之狀態中。看到了毘盧遮那佛」之放光！

　　「如是究竟光明體的遍照造化，與放光」。「整個，都是廣大遍照的，照明」！祂「看到毘盧遮那佛，就是看到究竟光明體之遍照，造化照明」！

　　因為「尚未完全，進入到。究竟的光明體」

中。所以「累劫原始的無明迷縛。還會一直不斷的，以無明相應之侵擾。來糾纏袘」！這就是「三天三夜的，魔考」之因緣！

當陷入這個「累劫原始無明之迷縛。與三天三夜的魔考」時。深契「究竟之覺悟平等。即能因此，深契究竟。斷然之否定。自己的感受、觀念、想相等」！和「停止肉體的，一切迷縛。知覺之迷失作用」。如是，「究竟光明體，新的主人」！

然後在「究竟捨離，不要原始無明之迷縛裡面」。看到「究竟無性相，皈體的整個空間」。竟然，「能出現全體。究竟廣大的，光明體」！

「本來跟袘，仍有無明隔閡之距離」。現在「深契，渾然同體，融合在一起。如是究竟平等，投入其中，就在其中。如是，光明體之其中」！

在「究竟，廣大光明體中。自然緣起遍照照明的，菩提造化」。「如是菩提，無生果造化之展現。就是透過眼耳鼻舌身意的菩提造化，與十八界之知覺作用。從此改變，遍照造化照明之作用」。「走到哪裡，就照明到哪裡」！

　　「如是，自然法爾的圓融現象。顯相展現，到哪裡」。當「一離開那裡，那個自然法爾菩提之造化，就自然消失」！如是「菩提造化之緣起，剎那，時時變異。皆在究竟無所得之涵養中」，回眸「再再之蘊育」涵養!?

　　真正的「實相，就是進入到究竟的光明體。如是，無性相，畢竟空體」！「沒有，從小到大。所糾纏的一切受用迷失相」。也「不會被菩提造化，所迷失」！深契「究竟無所得」中！

　　當進入到「無性相，光明體」中。才恍然大悟！「原來自己累劫生生世世，都是以無明迷縛

生活的大智慧：進入自性佛①

之受用為主」。

更以「前世無明種子的糾纏，與無明相應之昔性」為主！如是，「長期的，處在迷失中」！

現在，「終於找到真相。三世一切諸佛，都是深然的，共一體」中。在「究竟光明體，與無性相。究竟畢竟之空體」。「因此，本來無性相。無男亦無女之區分。與迷失」！這叫，「深契絕對的，真理」！

就是在「究竟光明體，與廣大之造化遍照」中。這個「新主人之內涵。就是究竟絕對，真理之表達」！

每個人「都被自己的，原始無明」所主宰。如是，「遮障迷失著」。找不到「究竟真理，光明體。與真正的主人」！

若能在，「無性相，究竟之覺悟平等。與究竟全體之光明體中。就能找到，真正的主人」。

釋迦佛「只是看到毘盧遮那佛之放光，衪還沒有真正的，遍照照明」中。再回皈，「投入其中」！如是，「投入其中，就是深契究竟平等。與進入究竟之絕對，與三世諸佛同體」。「如是究竟，絕對的。真理體」中。如是平等，「究竟全體之光明體」！

　　釋迦佛經歷「三天三夜的，魔考過程。第一個，衪要進入菩提造化之法爾自然圓融之現象。第二個，再進入遍照造化之照明。第三個，再深入，究竟之絕對中」！

　　也就是「深契，自然法爾菩提造化的，究竟。不迷中」。才能「進入遍照照明的造化。性」中！

　　「如是，照明的。性不迷中」。才能「進入無性相。究竟皈體。全體之光明體，與究竟體」中！

若執迷「神通萬法。還活在執相的，迷失」中。連「菩提造化，都不能迷」。更何況，「遍照照明之性，也不能迷」！

　　要「進入到，究竟的體」。叫作「無性相皈體，本來無一物」中。這「才是，真正的究竟、光明體。和真理體」之內涵！

　　「自我以為，叫作入魔」！「沒有自我以為，叫作光明」中。連「光明遍照之照明造化，都不要迷失。才能真正進入到，無性相。究竟之皈體。如是，究竟的光明體中」！如是，「究竟，無言亦無語。也沒有遍照造化之放光照明。只有究竟的，如如不動之內涵」！

　　「一切相，都不要迷失。就進入到遍照照明，造化之性中。在不迷相，就進入究竟完全。平等之照明」！祂「究竟沒有相迷。只有照明之性」！

釋迦佛「能夠進入無性相。畢竟空體的空間。每個人，都因此，可以做到。進入到，與三世諸佛，共一體」。「深契本來，無一物。與究竟，無性相」的空間！

　　「無性相，就是沒有糾纏的相。也沒有菩提的造化。迷縛」。亦是進入到「無性起的。究竟放光」中！

　　「體」，分為「阿賴耶識，糾纏的體」，和「究竟無性相的真理體」！達到「這兩個，體。如是，超越中。通透，都沒有迷失了！就是進入到，究竟之平等」！如是，「究竟之絕對。和真理中」！

　　所以，「世間所有的宗教信者，與所有一切之修道者。都在迷失的相」中！像「昔邪師，是在無明相應之用識中，深契識的分明。他是用識分析、與衡量、判斷。而明白」！

他「只能進入到，文字的明白」。「沒有辦法進入到，深契究竟真理。與究竟文字之內涵裡面。如是，真正內涵的。與究竟明白中」！

「真正的明白，就是深契，沒有無明之糾纏」。與「廣大照明的其中。就是深契，究竟之全體。與整個的光明體」中。如是，「就在廣大明白。與究竟之真理中」！

「三世諸佛的內涵。叫作深契究竟之真理、絕對。與實相的無性相，皈體」中！「無性相，就是無糾纏的相。與無菩提照明的造化」。而且「恆常在究竟體。而究竟之安定」中！

再以「江水表面，譬喻水面浪痕之迷失糾纏。水中之昏暗，如水體中，阿賴耶識體的空間。若達到水面平靜、不動時。月光，就能反射。與輝映之顯相」。

達到「阿賴耶識體的，空中」。就像「江

水，能達到很平靜，都不動了」。即是「進入到阿羅漢的，心境之內涵」中！

再進入到「阿賴耶識體空的，與因緣再空。就像千江有水，已經達到廣大很平靜，都不動。就能平靜不動之分化。進入到辟支佛的，心境之內涵」！

再深契到「類佛、類菩薩、和一真法界」的心境。就能產生大圓鏡菩提般的內涵」。「大圓鏡，好比是鏡子。而鏡子的不動，比水的不動。內涵之平靜不動，還要更究竟之堅固」！而「反射照明力，更強」！

這是因為「水平靜，所顯的相，還會有微細波浪般之水痕」。而「鏡子所顯的相，則是真正究竟平面、很堅固的」。如是，「深契無二平等的相。是從微細相對的相，到達絕對的相」！

再以「鏡子來作譬喻。鏡子的反射力，也有

明暗之差別」。如是,「鏡子的反射力,較灰暗的。好比是類菩薩的心境內涵」。而「鏡子的反射力,更清明的。好比是類佛與菩薩的,心境內涵」!

「再深臻。進入更深的,究竟不動。就能產生放光」。「此時的放光,是間接的放光」!叫作「進入無二平等的,一真法界」的,心境之內涵裡面!

「裡面的相,是所有反射的相,最接近,間接之放光」。而「一真法界,深契大日間接。反射照明之放光」。比「大圓鏡,鏡子反射的顯相。更有反射力」!

「菩提」,有三個層次,一個是「水與鏡子般,如大圓鏡的菩提」。其次是「大日的菩提」。和「當下遍照的本身,就是究竟,自然法爾之菩提」。

「當下的本身，就是菩提造化。也就是全然」！「全然的本身，就是究竟光明體之遍照。與緣起真理之自然法爾，現象」！

　　像「大日，直接照明的，菩提造化」，是「遍照之造化，來。與造化，去」。都是「剎那的念頭和影像。與自然法爾中之現象任運」！而且「都不迷失糾纏，的一切造化」！

　　如是，「菩提造化」。一個是，「直接的照明」。一個是，「反射的照明，與間接照明」！像「大圓鏡的菩提造化，所緣起的放光與顯相。是來自於大日的間接，放光」！

　　在「無性相，究竟的光明體。與全體之全然。都是光明照明的，自然法爾現象」！整個「自然法爾現象，全然的當下。即是全體究竟的，光明體內涵」！

　　在「全體光明體中。無論什麼事情之緣起

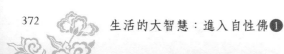

造化。一看，就能明白」。「如此真相。如是，自然照明之造化。完全，不需要想」！因為「入想」，就是「仍在，相應迷縛之糾纏。和迷失」中！

「全人類，就是迷失，在阿賴耶識的種子。和本來的昔性」中。所有的「相，來源是累劫，無明之種子」！有這個「種子。所以幾億萬劫來，都在不斷無明的迷失。與糾纏」中。「如是，看到一個影像。自然就在心中，落下影子之迷縛」。

而「所有的種子。到最後，終皈一場空之如夢幻」。「本來，是沒有種子。只有究竟光明體」的！「因此，哪來的無明之性相」？故「無性相。究竟之皈體。是絕對之真理」！

在「全體之光明體中。本來就是，究竟之真理。與真實」！因為「離開真實。才迷失在，無

明，與幻想、糾纏、迷縛、和套牢」中！

　　像「昔邪師，就是利用，無明相的迷失。玩弄很多人」！「真正究竟的覺悟者。是深契究竟。無性相之皈體」中。「完全，沒有神通使用之表達」！「整個內涵，在究竟光明體中。如是，廣大光明。與遍照的造化」。「哪來的，不思議神通菩提，與性起之迷執」!?「最後，仍要皈。究竟無所得之覺悟」。才是！

　　所以，「利用所謂神通萬法，來說法的人。是招引，迷失於，性和相的人。靠近他」！而「被他所迷失，於性相之迷失者」。如是，「自迷中。只會，更無明於，累劫之迷失」中！「如是，累劫無明之迷縛中。更加自然之迷縛。因此之迷失」!?

　　「本來無一物。就是本來沒有這個如夢幻之相，也沒有生出之放光造化」。「整個，都是究

竟光明體裡面。無性相，皈體的，內涵」！所以
「迷失於性和相的人。都要深契自覺的，進入，
無性相之皈體」中！若能「深契完全，不迷失
於，性和相，與造化者。這才是，究竟的覺悟平
等」者。

　　「全然，包含了現象中之法爾造化緣起。與
自然體性相之展現」。所以「性相一如的，自然
中，等於是平等深契。緣起體性一如，造化之究
竟」！「所有的夢幻泡影，當下。等於是究竟的
覺悟。也等於是，究竟光明體的，全體內涵」！

　　但是，「性相一如中，還迷在性與相之展
現」。「體性，一如中，當下。還迷在體與性」
中。「如是究竟覺悟之深契，進入到完全無性
相，究竟之皈體中。就是深契，究竟平等的。全
體之光明體」中！

　　就是因為「迷失在相和性。所以離開了

體」。因為「離開了不動，所以開始動」。才有「慾望的動，相的動，和迷失的動」！「才會在十一法界中迷失，與不斷的輪迴」。因此，「找不到，究竟皈體。與真實，回家的路」！

再從「體性相」來講。「相不要迷，性也不要迷」。深契，究竟之皈體！「性」，就是指「放光」。「放光，分為真接的放光，和間接的放光」！「這兩個性相，放光的過程。都要進入，完全不要迷中」！

所以，「十一個法界的性相，如夢幻般。中間過程，迷失的性相」。和「遍照放光照明的，菩提造化，都是本來無一物。與究竟無所得」的！

達到「深契，究竟的體」裡面，才是「真正的，回家」！「如是，當碰到任何事情之相應，與緣起。都要回皈，究竟體。不動涵養之結

論」！如是深契，「究竟之涵養，與不動。與真實、真理等。與究竟的光明體中」！

「生前死後，能夠，深契究竟之覺悟」。進入到「永恆，絕對不動的涵養」！任何「性相的，出現。仍都不動中。任何神通萬法性相的，出現表達。還是究竟，不動中」！回皈「究竟，深契之覺悟。與究竟不動的，涵養。與全體，光明體中」！就能，「深然同體，深契究竟平等！三世諸佛，共一體之究竟」中！

結論，在「生前死後之輪迴中。當下，若能深契永恆，與究竟真理之覺悟」。「如是，回皈無性相，與究竟之皈體」！在「究竟平等，與全體中。如是，體性相，回皈之工夫涵養。則能深契，究竟，不動之皈體。與同體之分明，智慧之涵養」！

所以，「全然現象中，真正當下做到。究

竟，一體中」。「如是，究竟覺悟之平等。與行持，真實」！如是，「究竟不動之涵養。與絕對之實踐」！

所謂的「十一個法界」之內涵，從「肩膀以下，到腳底，這個圓圈的空間」。叫作「阿賴耶識，十法界」的空間！「肩膀以上，到頭部，這個圓圈的空間」。叫作「一真法界」的空間！

再擴大到「從腳底，到頭部上方」，「整個全體，包著一個大圓圈」的空間。叫作「究竟如如，光明體」涵養的空間！

當「進入深契，到究竟不動之涵養。與如如不動光明體的空間涵養」時！自然，「原本迷縛無明，與迷失動的。阿賴耶識十法界，假的空間。和一真法界，真的空間。就會開始迴旋，逆轉。也成為究竟，不動之內涵」！

從「內外不動中。再深契究竟之逆轉。達到

宇宙萬化，都深契。究竟不動」中！

「佛」有兩個作用。一個叫作「性」。就是「能遍照生出的，動」。祂「走到哪裡，就放光到哪裡」！如是「整個廣大遍照的，照明」造化。叫作「遍照」！

一個叫作「究竟不動的，體」。「體」，就是「究竟的光明體」！在「全體裡面，無性相的。都沒有現象、感受、以為、和判斷等內涵」。所以「不會被現象的，好壞、利害、和得失，所影響、與迷失」！因此，「進入到究竟，無性相的體中。即是深契，究竟不動的。究竟覺悟平等」中！

所以，「真正的佛」，就是「深契，究竟不動之體者」。「完全沒有，現象、感受、和觀念等之迷失」！是「完全無性相。與安定、究竟不想相。與皈體的內涵」。

所以，「要能夠進入到，完全不動。與究竟覺悟平等的心境。與深契究竟覺悟之涵養。如是真正，如如不動的內涵」中！

　　心中。「絕對不要有，恐懼、不安、想相、以為、衡量、判斷、糾纏、和迷失」等。「整個空間，就是深契。無性相的，皈體」中！

　　「自然，即是，無上正等正覺，究竟之當下。現象三菩提之造化緣起。會產生廣大，吉祥如意圓滿的造化」！與「自然法爾現象，究竟皈空之涵養」！

　　當「碰到困難時，就要進入到。完全不要想相，和解決方法的內涵中」。「如是，究竟無性相皈體的。與究竟覺悟平等的。不動內涵」中！進入到，「最深的。完全究竟皈體之不想」中！

　　那個就是，「自然能解決問題，不動內涵。迴旋逆轉，自然轉化之遍照」！叫作，「進

入到，究竟的無性相。而深契逆轉究竟的，皈體」！那個「體，叫作究竟不動之內涵。與畢竟空的體」！

「行入無性相，就是深契。完全沒有生出。與當下，一切現象的迷失」中！進入到，「究竟皈體的。與全然之體中」。那個「體，是究竟全體之光明體。與完全沒有一切形相內涵的。究竟真理」！

所以，「解決問題的方法。就是深契進入。到完全沒有現象、感受、和觀念之迷失等！進入究竟，無性相皈體之涵養中」！「性，叫作生出」！「相，叫作迷失之糾纏」！

「如此深契當下。完全，不管它」中！「自然而然，就進入到廣大皈體。遍照之放光」！「當下，自然現象之全然。就會在究竟不動，涵養中。自動的，產生造化之緣起」！「全然，都

是廣大放光，全體之實踐」。「如是自然，吉祥
如意圓滿的，造化」！

　　「能究竟自性佛之處理問題。是因為能究
竟，深契覺悟平等。遍照放光，造化之緣起」！
「一放光，就會廣大自然之遍照」。整個，「天
地萬物、與現象界所有的問題。經光一照。自
然，原本烏雲密佈的空間。剎那緣起光，一照之
遍照。自然，烏雲密佈，就消失了」！「整個空
間，剎那，像消過毒一樣。自然迴旋逆轉。沒有
黑暗的無明臭味，和危險」了！

　　當碰到，「無法處理的問題，很倒楣的事
情，或者面臨危險時。就進入到完全不要想相、與
不要迷失」中。「深契完全，究竟不動之涵養」！
與「深契究竟之覺悟平等」！「非常安定，究竟光
明體的，內涵。與究竟全體之實踐」中！

　　「整個空間，自然就會廣大遍照之放光」！

「整個空間，都因此，放光照明之造化展現中」！如是，「三世一切諸佛，就因此深契廣大之同體。如是，一如平等，究竟之一體」中！所有「眾生的如如內涵。也跟你是，廣大究竟之一體」！

只要「深契究竟不動之涵養。自然不迷相的，深契無性相的。完全皈體的。完全，不管它中」！「就能進入到，究竟皈體。進入深契，究竟自性佛之內涵。如是究竟，覺悟平等之內涵」！

「就像死後，能深契信入。不要在想相、害怕、和以為、迷縛等。茫然之迷失中」！「當下能信心的，進入到，完全安定的。完全不想的、究竟不動的。究竟平等之覺悟中」！「當下，就能真正深契，與佛同體。與究竟之自性體。平等的同體」中！

「整個空間，就會自在。廣大遍照之放光造化中。就不會深陷無明迷縛之輪迴」！至少因此行持，「因此，究竟不動之覺悟平等涵養！能進入到，至少天部以上的，廣大福報與究竟之空間」中！

　　要深信「自己，本來就是佛」！只是因為「無明迷失，在昔性的輪迴，和無明迷失之糾纏」。所以「才陷入，迷失的，無明恐懼的受用」中！

　　每個人「死後，只要能剎那自覺。真正能回皈到，究竟覺悟不動的內涵。與深契安定」中。就能「深契不動涵養，究竟全體廣大實踐之自度」！

　　所以，「如是之醒覺分明。自然能因此，信心堅固的。深契真正之內涵，與深遠之實踐」！「隨時能因此進入。究竟之覺悟，與平等不動」

中！「內外一切的現象和想相，都不要迷失」！
「碰到任何危險，亦都不要迷失。深縛在，無明
的想相」！

如是「當下之全然，都是究竟覺悟之平等。
與自覺安定，究竟之無所得中。如是深契，究竟
不動真如內涵之涵養」！

如是，廣大「究竟無性相，胝體不動。安定
之涵養」，是「最高的智慧、福報、和內涵」之
展現！所以，「碰到一切的好壞，都要深契無性
相。胝體究竟，覺悟之平等」！住在「究竟的安
定真理體，和不動之涵養」。

如此「不思議之智慧行持」，與「究竟不
動之涵養」。皆是，因此「深入究竟真理之實
踐」！更是「前所未聞之工夫涵養」。惟「信心
堅固者」，能深契「全然之實踐」！與「永恆之
進入」！

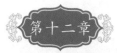

「無明相應與真理緣起」
之異

　　「這本書出去，有可能，緣起菩提造化相展現之放光」！「緣起」有三種：「一種是照明，有緣之好道真修者，緣起前世阿賴耶識本有好道的種子，它自然法爾，現象之圓融，會起作用」。

　　「第二種，另外，起作用，讓累劫之因緣種子，生起向道真理之新種子。如是，生起花果性相，向道真誠之作用。因此，牽引著他，前來探討修道」。

　　「第三種是幾億萬劫來，曾經因緣涵養，深入實相，如是因此，深入如如之涵養」。如是，

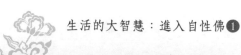

「那一些深藏種子，它本身含藏在阿賴耶識裡面；就會因此，蘊藏著向道之如如涵養因緣！如是緣起遍照，那個種子之展現」！「它會緣起，廣大遍照，照明之菩提。如是自然法爾現象，花果性相自然之來皈」。

「緣起，與相應，完全不一樣」！「當本書出現時，整個緣起，究竟真理之光明體，與緣起遍照，全部放光之照明。有緣的人；就會在內心深處，與種子之深藏中，緣起菩提之造化展現」。如是「自然法爾之現象，莫明的感動、自然生起尋道之因緣，而向道」之作用！

在因緣「尋覓真相，馬上內心世界，會緣起廣大之遍照，涵養菩提造化相之展現。所以緣起，進到這個空間時，自然法爾現象中，同體分明智慧，究竟之體性」！就開始「緣起遍照之放光。與如如涵養，究竟之光明體，與自然法爾現

象，在遍照放光」中。

　　如是，「緣起每個人，都會深入，廣大之遍照，在菩提造化之自然受用。自然法爾，現象圓融中，每一個人的內心，與外在緣起之世界，都有莫明造化的，感受」發生！叫作見到，「無生果造化」之展現。

　　如是，「無生而生之遍照照明。沒有講什麼話，或想相什麼，卻自然放光照明的，生出。叫作緣起之照明，遍照」！像看到「如如之緣起時，會莫明的很熱」！

　　並非「任何人之想相而然；那個，叫作自然無性相，自然皈體中，廣大輝印之體性，自然法爾現象，菩提之展現」！如是，「自然究竟光明體，與緣起遍照之放光」著。

　　「講這些話時，自然在同體遍照，緣起菩提造化裡面；透過眼根菩提造化，互相輝印之展

現，剎那能看到，很多很多金黃色，和透明的人」。叫作「自然法爾現象，互相輝印之放光」中。

如是自然「緣起之菩提相造化。如是之見，不是相應無明的見。而是自然緣起，遍照之菩提造化，透過眼根顯明之見」！整個「究竟之光明體，能遍照自然之放光，如是，緣起輝印之造化」！

如是「緣起如如之涵養，廣大遍照之放光照明。如是究竟，造成整個究竟光明體之一面。與另外一個面貌，就是廣大遍照，菩提之造化」展現！如是，「菩提無生果之造化」。

所以「當下看到的，就是遍照之光明體放光，為一體之另面。能看到很多很多金黃色，和透明的人；就是緣起菩提造化之見」！為「無量無邊的，佛」！

在「涵養之如如中，應再再深契，究竟無所得覺悟」之深入工夫涵養！如是更「深廣堅固，究竟無性相，而皈體廣大光明體，全體一面」之涵養！

　　如是，「當下遍照，緣起菩提造化，即佛地內涵之覺悟」是什麼意思？如是「遍照，都在放光中，因此，互相輝印的緣起著，廣大同體輝印，照明自然法爾菩提造化」之展現！

　　然後透過「眼耳鼻舌身意六根，與十八界，展現所有的菩提造化。包括自然法爾圓融，現象的，造化變化」等，都「湧現著十八界，不同作用造化」之展現。

　　這個，「叫作見到，菩提六根，十八界，相異不同之造化」。這「兩個展現之表達；一個是安靜的、一個是變化的」。這「兩個心境，一個是安靜，究竟光明體；另一個是遍照，變化菩提

造化之顯明」的進入。叫作「究竟佛地，內涵體性的，覺悟」！什麼是「究竟佛地心境，進入」的資格？就是「真正，有心向道，究竟當下」；恆在「最高如如，全體究竟光明體，遍照菩提造化之涵養」！

究竟「佛者，即是能深入，完全沒有想法生起、與沒有願中。且能究竟覺悟，平等自他」者！「如是，真正進入佛地者」，是完全皆在無無常、無法、無我」的涵養中！

「當下皆在，無性相，沒有這一切。就是能深入究竟皈體之實踐，與究竟光明體，真實如如」的涵養！所以，「若有願時，就是還有一個我想」之存有!?

什麼叫「如如？深契在究竟無我法，更無無常中。就是完全，在永恆不動涵養，直入完全無性相之皈體」。「究竟全體光明體，遍照之菩提

造化」中！

　「無我，就是沒有我的想像和觀念。無法，就是十一個法界，如夢幻之中間過程都沒有。能做到如是工夫，涵養之心境。自然皆在究竟光明體全體，深入之如是涵養」！就是「真正如如，涵養之工夫心境」！

　深契「本來如是，完全不糾纏的，究竟光明體之大自在，就是碰到任何現象、感受等，皆在完全不糾纏」。「第一個是無無明盡之工夫；第二個是無智無得之工夫。第三個是完全無所得」之工夫！

　什麼叫「無所得？即是十一個法界之所得，皆如夢幻；不應迷執。再能深入究竟體性之覺悟平等」。即是「體性，深入究竟如如，與廣大全體光明體之涵養。與廣大遍照，緣起菩提之造化。皆是自然法爾之圓融現象」。「究竟無所

得」中！

　　如是，「自然之光明體的反面，即是遍照之菩提造化」。當下「所有一切感受，所有一切菩提無生果的感受、觀念和想法等；都皈於本來無一物，究竟無所得的，涵養再再」！

　　如是，究竟「無性相，全體之光明體，與遍照之放光」。究竟深契，完全「無性相皈體，究竟無所得，沒有之涵養再再」中。如是，「究竟之覺悟平等；即是涵養實無所得」之自覺！

　　如是「當下進入，究竟完全無念頭」之心境！不是「不想，在深契究竟真理之覺悟平等。自然深契，究竟自在，停止想之工夫內涵」！

　　「當下同時，也停止。阿賴耶識種花果性相之無明糾纏。亦因此完全之一念，究竟無明相應之不起。同時，亦能一即一切，與一切即一，涵養皈一之平等」。如是，「菩提造化，自然法

爾，造化圓融現象之展現」！

釋迦佛的老師，「教他進入非想非非想天；那個空間，是完全不想中。但是它還有一個，無明識之含藏，無明想之迷縛」！還有一個，「微細識，相應之相對心境，存有」著！

而「如如之涵養，是完全深入，究竟絕對中。沒有你我他」之分別！大家「都是在，同一體平等，究竟之體性」中！

如是，「三世諸佛，亦都是深契，究竟平等，在同一體」。如是，「累劫眾生，亦都是在，究竟真理平等，同一體中。都是究竟，本來的佛」！當能「進入絕對平等，同一體之涵養；就是深契真正，究竟體性的，覺悟平等」！

往昔，「做生意賺的錢，竟是一場空。往昔，建立的家庭，亦是一場空。往昔所有的因緣和擁有，也是究竟深契，一場空」！一切「因緣

必定死之結局，完全皈空之必然」！

　　雖然「人生短暫之一場空；若能當下，究竟分明之覺悟。即能進入永恆，與死後，究竟覺悟平等，永恆真理之真實」！永遠「在當下，永恆之深契，皆是永恆，究竟如如涵養之究竟實相」中！

　　若能深入「究竟如如涵養，即是當下永恆之深契，都是緣起遍照」中！雖「在死後的空間，沒有肉體了；但是卻能深契，當下，覺悟究竟平等的，究竟廣大光明體的，精神體，與廣大遍照之緣起菩提造化，圓融」中！

　　卻在「當下剎那，皆是究竟永恆的空間。能夠深契究竟平等同體，緣起放光遍照菩提之造化，自然法爾現象圓融，回皈究竟平等，廣大光明體的空間」！

　　在這個「當下剎那中，深契永恆，與緣起

遍照放光的空間，自然皆是自然法爾無生果，造化之現象圓融。皆是三世一切諸佛，究竟平等全體，光明體的莊嚴」中！祂「自己會自然，緣起遍照，廣大十八界，見性周遍的菩提造化，自然法爾之圓融；而廣大自然現象，遍處吉祥如意圓滿，放光」之展現！

因為，「祂本來是，究竟空體之無性相。如是緣起，由無，變成有，自然法爾菩提，造化圓融之緣起。就在無中生有，十八界之菩造化」中。「自然緣起出，廣大莊嚴，十八界自然法爾，圓融造化現象之存有」！

這個「存有，是最高的內涵與概念（註：為超越十一法界，進入第十二個存有之真理概念）定義中。就是深契微細，究竟之絕對，究竟無性相皈體，佛的內涵」！這個「內涵，是無中生有，菩提果造化之堅固。如是涵養再再，堅固永恆，如

如無性相，究竟光明體之心境」！

自然「在究竟覺悟平等中，才可以進入這個如如之涵養。而廣大遍照，緣起菩提莊嚴之造化。更而法爾自然現象，究竟無所得，如是，深契十二法界之定義。與究竟無所得，全體光明體，如是自性遍照緣起，莊嚴佛之心境」。如是「堅固廣大之建立涵養。皆是究竟絕對真理體之內涵」！？

「菩提，不是用無明的想法，與想相，去顯發的。那個迷縛之以為發心，叫作阿賴耶識，自我執相，無明相應的發心」！「你願意做什麼事情，是你的想法與迷縛，根本無法顯發緣起菩提之造化。這是無明以為之報相，根本與菩提真理之緣起完全相異」！

真正「菩提的，緣起遍照發心，卻是來自深契真正，如如之內涵，究竟廣大全體光明體的，

緣起遍照。是無我、無法、無無常，究竟絕對的，真正能因此，涵養之究竟進入者，才能因此緣起」。「如是，真正照明菩提之造化」展現！

「如如的緣起；必須是整個究竟之光明體，都在能放光，緣起菩提造化之遍照」中！「凡是，有我、有法、有無常者，這些都，沒有資格，深契進去」！

「如如涵養，究竟光明體之進入；必須是深契，完全無我、無法、無無常之究竟絕對，內涵」之涵養！

真正「如如涵養之深契，要做到深契完全究竟，無性相皈體真實之工夫，與畢竟空體涵養」的心境！

什麼叫作「法？就是十一個法界之心境內涵。其中定義十二法界，所有一切的境界和現象。都要深契完全的，皈空、看破。不要迷相

中，這個叫作真正深契，無法」之心境！即是
「真正進入到，完全不要迷縛性相。這些都是，
如夢幻泡影，十一個法界的，中間過程。所以在
不論」中。如此，「才能當下遍照，緣起菩提
造化，深契自然法爾圓融現象。實無所得之究
竟」！

　　直接從「夢幻泡影，粗細迷執的，十一個法
界；當下，深契究竟覺悟平等」。「深契進入，
究竟光明體，與如如同體之涵養」！

　　所以「需要真正，究竟之覺悟，和看破之工
夫！今生所有的家人、事業、因緣等，到頭來，
都帶不走。每個人，都在無明相應中，生前與死
後，都是孤獨的，走自己累劫，本來無明相應的
命」！

　　包括「所有今生富貴、有權有勢的人，都要
真正能，深契今生，一場空之結局。究竟覺悟，

與當下之看破。最終，只有獨立，而孤獨的，自己無明之本有命運，或是深契，究竟之覺悟」!?

在世間，「再有錢與權，都帶不走；當死前，若思想還在無明阿賴耶種的，相應使用。死後，仍在累劫，與今生無明相應之昔性中，輪迴著」！

這樣「完全迷縛，今生無明之繼續。與無明相應，完全之迷失。因此當下，若不能，分明覺悟的，看破」。到時「呼天喊地；仍是茫然其中的。原來今生之迷失，浪費寶貴光陰的迷縛，與無明相應」之輪迴！

既然都帶不走，今生到底要做什麼，才有真實之意義呢？在今生，「什麼，都帶不走裡面。當下，要深然究竟之分明。累劫前世今生，無明迷縛思想之究竟覺悟。才是今生時空應用中，究竟之意義」！既然都「帶不走，必須要效法，如

 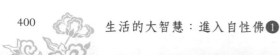 生活的大智慧：進入自性佛❶

同釋佛找到人生的究竟真理。與如如真正內涵的，今生光陰究竟之覺悟」才是真理！

這個，「才是究竟絕對真理內涵中，本來之不動涵養。亦是三世一切諸佛，究竟深契之內涵」！「如是，同體中。共同進入，究竟覺悟平等的空間。因此進入，究竟真理，全體廣大光明體，如如的內涵」！

而「菩提緣起之造化；是能深契進入，真正如如之涵養者，才能遍照照明之緣起」！如是，「緣起，跟相應之內涵心境，是不同的」！

若用「相對之相應，仍是阿賴耶識，無明相應之無明作用」！「現今世間，有位自稱大師者，理論與實際是否通達？卻亂用菩提名詞。對信眾，經常告誡。要經常應用，內心之思惟，發慈悲菩提心，而行善」！?「真是否？？能因此，究竟如釋佛般的，深契真理」乎!?「試參」之!?

當「疲憊時，就是因為相應無明，累劫前世之阿賴耶識之心境」。「若能去除，無明相應的，那個累。自然深契，無無明」工夫！所以「當想到累，自然就，迷縛，於很累中」！

　　而「緣起之照明，則是能深契進入，如如涵養之當下。整個空間，都是深契廣大絕對光明體之遍照照明。叫作緣起之自然法爾，圓融現象，遍照三菩提造化緣起，與廣大放光之照明」！「是誰，能照明？每個人，若能深契真正如如，究竟光明體之內涵，自然能緣起廣大之遍照。如是深契，廣大遍照之緣起，自然放光之照明」啊！「而非，誰能放光照明」!?「試參」之!?

　　若有「自稱，能放光照明法界藏者，那真是大笑話啊！有我者；能否深入如如之內涵」呢!?「能否自然法爾，現象圓融之遍照」放光呢!?又

「能否因此，廣大剎那遍照，因此，緣起之菩提造化涵養」展現!?

所以「真正最重要的，是自己的心，是否能真正深契，分明之覺悟平等」中!?因為「死後，仍是累劫，自然無明的心。跟自己之無明相應，仍是累劫迷縛，無明識體的表達，與輪迴昔性之繼續」!?

「人死後，當下若能平等，深契讓無明的阿賴耶體性相之作用中。引導深入，究竟如如本質之內涵」！即能在「永恆之當下，究竟光明體，照明之遍處。緣起遍照，菩提造化之顯發」！

一個人寫出來的文字，就代表其「心境之內涵」。像「真正的佛，不談你我他，只談大家」。「大家都深契，共一體中，沒有些微的，差別相」存有！

「真正的如如涵養者，能深契做到，無我、無法、無無常時。即深契在，不迷想相、與執著中。經長久不迷相工夫之涵養，到時，就能深契，究竟覺悟之平等」！「如是，所有一切，如夢幻，痛苦和快樂之受用。都不再重要」了！

　　當「進入究竟真理之覺悟平等，自然能深契體悟，世間的一切，都是一場空，完全帶不走！若能進入一場空，究竟平等，同體的覺悟」！「自然明白今生之努力，應改變本來無明之方向。深契，進入究竟分明之覺悟」！

　　今生要「準備的是：覺悟人生一場空之實踐。有沒有準備好，究竟真理思想之深契。這才是最重要的」！「什麼都帶不走，包括家庭、因緣、財富等！像財富，只能用在世間，所以，在人世間，要好好的覺悟之應用，而不是亂用」！

　　若能「深契，究竟覺悟的實踐，即是最大真

實之喜悅，與意義」！「人生一場空！做什麼，最後，都皈空。只有深契究竟真理之覺悟，才不是空」！

「編寫這本書時，所寫到的我、和你們，用語之改變。這是什麼意思？而如如的內涵，是真正深契做到無我、無法、亦無無常之內涵」。「常，是永恆，我，是大我，法，就成整個的菩提」！

所以「真理之內涵，應該是絕對的，而沒有微細，對立的。如果書裡面，有用到你我、你們等，就代表還有無明對立之存有」！

為什麼講「如如的涵養？因為如如的涵養，就是深然契入，整個究竟的光明體」！而「如的緣起，絕對之內涵，和如如的緣起，究竟絕對的內涵」。是「完全不一樣的，內涵」。

「如的緣起，是法界相，叫一真法界。是如

來的境界、譬若華嚴境界等。是從微細相對之類佛境界，深入到，絕對之一真菩薩境界」！

到「如如內涵的緣起，又不一樣！如再如，就已經沒有如體的內涵了；祂是整個廣大、究竟之絕對」！只有「究竟之光明體，與照明遍照之緣起。那叫作真實體性之真理內涵。祂是究竟無性相，皈體的內涵」！

「菩提，是緣起遍照的造化。如如的內涵，是緣起的，究竟概念」！而「在定義真理中，用本來無一物，來定義。那個究竟真理之內涵，就是緣起之菩提」！「所以，菩提與如如，是一體的兩面。而非十二法界，存有諸相之定義」！

所以「在書中，你們，改成我們。那就代表，已經進入完全無我之平等了。如果不能這樣寫，就代表還有我」！「如果還有我，就不夠資格深入，如如之內涵。亦不夠資格，進入遍照菩

生活的大智慧：進入自性佛❶

提造化相之緣起」！這個「就是代表，所謂一體之兩面。能否真實深契平等，究竟無性相，皈體之工夫，與心境之分野處」！

當「無法做到，沒有自己的觀念、與沒有自己的法；則無資格，進入到如如的涵養，與真理究竟之光明體，究竟覺悟平等的心境」!?

像釋迦佛已經「忘我、與法到極點。當祂完全沒有一切感受和觀念，糾纏迷失時，整個宇宙全體，都是廣大無邊的祂」！引述「經典所述，經常說法之先，先入深禪定中。如是，放光動地的，菩提造化現象，在整個宇宙、整個沒有概念裡面；方才能自然法偶爾現象，看到廣大遍照光明之緣起」出現！

那個「就是深入，自然菩提相造化的緣起。亦就是毘盧遮那佛的自然放光，就是深契究竟光明體，真正無性相皈體，究竟佛的心境」中！整

個「身體，與六根，十八界等；皆在緣起遍照，整個自然的放光」狀態！

甚而，「釋迦佛，同體如如之內涵；在當下之現象、全然之十一法界。皆在緣起遍照之照明。究竟深契無我、無法、無無常之廣大遍照」！如是，「放光菩提造化之展現」！

並「非釋佛出定，然後同體分明智慧之放光。一切，皆是自然廣大無性相，究竟全體光明體之放光」。如是，「遍照，自然法爾現象圓融之造化緣起」展現！

在「無明相應中，樣子是我；但是真正究竟之定義中，我是誰？若能深契，究竟如如真理之內涵，自然整個無量宇宙都是我。連昔邪師，也是我」！「不是，他是我，而是說如如的內涵中，皆在共一體之平等中，也是究竟的我」！但是，「我卻是，無我、無法、無無常，大我工夫

之涵養」，深契者!?

「無我、無法、無無常故，同體一如，究竟平等，三世一切諸佛。就是同體進入，究竟廣大之平等，這一個心境」！只有「概念、只有真理、只有真實」！但是，「祂在究竟絕對，尚未放光中，祂是究竟全體之光明體。如是故，自然，全然現象之緣起；才有廣大遍照之放光。如是廣大菩提之造化，自然法爾現象圓融」之展現！

若尚未「深入究竟，那個內涵。所以用的文字，是我、你等。自然，寫不出究竟真實深契，涵養者的，真實味道」！因此，「完全沒有辦法，究竟之進入。如是究竟，如如涵養，與概念之全體空間」啊！

還是在「無明我的，相應法中。還在使用，往昔本來世間的經驗、觀念、現象、以為、習

慣」的用語！

在「一直無明，搞不清楚中，為什把書中的你、我改掉？因為這個，就是無明相應的，對立」！有「對立，就有無明之存在」空隙！

而在「沒有對立，自然深契，究竟絕對中，如是，同體一如的，所有一切眾生，都是不得不的，我」！

若「能夠進入，這種泯滅對立的心境！？則能進入這種，你是我、我是你的絕對心境中」。「這不是裝的；是已經達到，這種心境。自然，會把每個人，都當作是自己」。

所以《金剛經》才講：「無我相、無人相、無眾生相、無壽者相」之超越工夫！？如果「還有這四相，存有的話，自然，就無法進入到，究竟成佛的心境」。因為「有這四相，就有相對微細，對立的存有」！

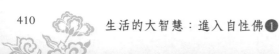

在「行持究竟之內涵中，從來不會說：你們不夠格。這是昔邪師，經常之用語」！「有什麼東西，都是跟大家共享。因為自然中，把每個人都當成自己。亦沒有資格，看輕視任何人」！縱使「對方犯了嚴重之違逆迷縛，仍是同體一如，一樣的悲憫」！

「把他當成我，一樣對他好。目的，是能夠讓他，回心轉意的改變，並深契，光明之心境。如是，改過的，真心向道」！若換做是，「無明相應之任何人，能夠把我，當成是你」的共一體嗎？這個「平等深契之心境，若能做到的話，就真正，不得了」了！

所以，「書中所寫的你、我改掉。就是表述：已經不再，無明相對之對立」中！

「真如，就是如如，跟如，不一樣！如，是一真法界。它仍有絕對相之法界」！像「十法

界，是阿賴耶識的法界；一真法界，是如的法界」。

到了「如如之內涵，則是連法界之內涵，都沒有。深契究竟絕對，概念之同體一如」！

「世間中，所謂的轉生活佛，他們是靠念力想相，而成願！他們已經離開無明，而達到識的分明心境。以是故，靠識分明之念力，於死後，能去，想要去的地方。其實，這個想相之實現，在無明之相應」中！是「很簡單，就能辦到」的！

「一般的無明，是無法掌控自己的，投胎。到識分明時，就已經可以到天部之福報，但是仍屬於下層天，不是上層天」之福報！所以，「轉生活佛，能投胎世間，仍享有人類尊敬活佛的，天部福報」！？

而「轉生活佛，他能到天部；而不願意到

天部」。「死後，仍想要投胎，到人部，受人供養。繼續修行」。

現在「有所覺悟」了嗎？！「覺悟，就是能得到照明之自覺。如是心境，已經能進入，如如的內涵」！若用「廣大遍照，照明的緣起來看。深契十一個法界，當下之超越，與緣起的造化。自然已經包含著，深契如如的，究竟覺悟平等」！

「如如的究竟覺悟，就是在能遍照照明中。已經能離開十一個法界，深契進入，到廣大照明的看」中。進入到「照明的看，自然當下，皆能夠平等，看上、看下、看左、看右，自然法爾現象之圓融。究竟遍照，照明廣大吉祥如意圓滿，緣起菩提之造化」！

所以「當下，平等十一個法界的遍照照明。包括深契，如如的緣起。則能廣大遍照，照明之

能看」。這叫緣起,「自然法爾圓融現象,廣大平等的覺悟」!

在「無明的相應;觀念相應什麼,所以看到什麼。叫作對立相應迷失,無明之相對。而緣起之遍照,則是深契,進入絕對。跟萬物,是一體的」。「整個無量宇宙,都是廣大的自己」!

「自然心境,已經進入絕對。所有的人類,都是同體平等之自己。自然,也是所有人類,最深如如的內涵」!如果「在究竟覺悟之平等,與廣大遍照之看中。看著無量宇宙,自然法爾現象的,一切,和眾生之菩提造化」。

釋迦佛講:「要入於無餘涅槃,而滅渡之,就是要進入到,究竟所有一切的相,都究竟泯滅。與無性相皈體之真理,即是深入究竟,破相至極之內涵」!

達到「最深之絕對,與同體分明的智慧;用

究竟絕對的，心境內涵，去看」！「怎麼看」？
就在「究竟光明體，與絕對概念之涵養」中！如
是「看上、看下、看左、看右之全然，與全體之
看」中！

「整個無量如如之內涵，與緣起遍照之菩提
造化，都如是究竟之看。這叫緣起菩提造化，自
然法爾現象之展現」。「自然中，就是只有看。
就是菩提造化之展現。就是廣大無生果」之流
露！

「在其中，跟三世一切的佛，與眾生，究竟
平等。如是，共同體性之真理實相。完全，毫無
差別」！

從「當下無明之心境，與超越，如是，當下
平等之遍照，緣起菩提造化之照明。自然看到，
仍在自然法爾，圓融現象，工夫之涵養」！若能
「究竟自覺工夫之涵養，如是無無明盡。自然就

在泯相之深契。沒有對立，究竟之絕對」！

　　所以，「整個無明相應、相對空間的對立，都是如夢幻泡影」！什麼叫作「如夢幻泡影」？就是「一切都不是，究竟真實的」。「是無明相應識執的糾纏。才產生如作夢，一場空」的情景！「究竟本來，是無性相皈體。究竟光明體，廣大之遍照，是本來清醒」的！但是在「一念，原始無明，糾纏之迷縛。開始進入，無明相應對立的，夢境」中！

　　所以「能進入，真正佛地的，行入者、與真言行者；就是能究竟覺悟平等，進入到，究竟絕對之涵養。所有一切緣起之遍照，菩提之造化，自然法爾現象之圓融。都是深契究竟佛地，與究竟涅槃之心境」內涵。

　　要深契「無我、無法、無無常的工夫。深契，行入者、當下者。才能緣起遍照，如如的涵

養，與究竟光明體。才是真正行入佛地。能如是，自然法爾順融。如是，發菩提心，與無生果之展現」！「那才是真正，進入自性佛，一體兩面的內涵」！

「無無明盡之工夫涵養，再深入；則是無智亦無得之覺悟。與究竟焉所得，完全平等絕對，真理之內涵」！

而「究竟無所得之深契，就是緣起遍照菩提造化，自然法爾現象，生出來以後；它又皈滅平等，於究竟覺悟」之涵養！再「深契，寂滅無性相的皈體，如如再再之涵養。所以，能深契究竟，再再無所得，如如的，覺悟平等」！

當下，「深契，達到無所得覺悟時。自然當下，再再恆常，顯發菩提心。又再深入回皈，如如的，涵養，與概念真理」中！這「兩個顯隱之展現，緣起，與涵養；是究竟平等」的內涵！

「一個顯、一個隱。顯，是顯菩提；隱，是菩提皈滅。再再如如的涵養，是深契，究竟廣大擴充，整個之真實、與整個真理」！

所以，當釋迦佛「究竟悟到，阿賴耶識無明的相應，與一真之緣起，整個，皆皈於無性相，究竟空體時。祂就看到，廣大緣起之遍照，與毘盧遮那佛菩提造化的，放光」！這就是，「當下，廣大放光，遍照之緣起」！

當「深契究竟，無我、無法、無無常時。自然深契，用看」的。「看的時候，眼耳鼻舌身意六根，與十八界之展現，都是緣起遍照，與菩提之造化」！

如同「六字大明咒之緣起，遍照放光一樣。自然六根，十八界菩提之造化，如是能看到的，就是自然法爾現象圓融，廣大放光照明之菩提造化」展現！

「自然的念頭裡面，突然出現想」！「那個想相，非無明想相之相應。是無想，而自然之想相，如是，無生果緣起的，念與想」！「那個就是，念菩提造化」之展現！

「念菩提造化；就是一念間之內涵，即是念菩提造化之緣起遍照。所以在如如之內涵，當下；想到什麼、看到什麼，念頭出現什麼」，皆是！那個「不思議造化，無生果之展現，就是緣起遍照的，同體，分明智慧，菩提造化」之流露！

「想像的，想；和緣起如如涵養時，自然無生果造化，出現的想，與念頭等，是不一樣的」！

「後者，那個想，是緣起遍照之想，與念菩提之顯相」！在「想、念之見中，成為同體分明，智慧菩提造化」之展現。

慧能大師寫「菩提本無樹、明鏡亦非台。菩提，和明鏡，就是緣起遍照之照明造化，自然法爾現象之圓融，如如的涵養」內涵！是「究竟真理光明體，與緣起遍照，照明菩提造化，一體兩面之展現」。如是，「本來無一物，何處惹塵埃，這個就是究竟覺悟平等，無樹亦無台」！「如是，無性相泯體，究竟無所得的真理。而再深之涵養中，即是，廣大之究竟光明體，與如如」！

　　在「究竟概念之深入中，正面，叫如如究竟之光明體；反面，叫遍照，緣起菩提造化之無生果。所以菩提，和如如，是一體的兩面」展現！

　　「寫這本書，為什麼要一以貫之，精益求精？就是深契一以貫之，自然如是，通透的整理！所以理論，和真實心境之工夫涵養，是一以貫之的。都是究竟真理的平等，全部真理體」之

展現！都是「究竟生命光明體，真實的內涵」！
而「不是，用想像」的!?

「有無明之想像，就是仍在無明識，相應
的糾纏。有無明之自我，才有想像。有無明之種
子，才有自我的以為，和觀念。如是，無明相應
之迷縛」！在「想像」中！

「沒有我、沒有法、也沒有無常，才是真
正，能深契如如工夫之內涵。自然能見到，究竟
無性相，畢竟空體的，廣大之大我」！才是，
「究竟廣大遍照，緣起之菩提造化」展現！

在「沒有相對，究竟之絕對。才是金剛經所
講的：無我相、無人相、無眾生相、無壽者相。
如是，究竟之真理，與實踐之工夫與內涵」！若
「仍有這些相之迷縛，就是仍在，相對。能真正
進入究竟之絕對。才能因此，遍照之放光，與緣
起菩提造化」之展現！

什麼叫「實無所得？菩提，不是得，菩提是真理中，一體的兩面。菩提，全然的本身，就是究竟真理的本身。就是，如如涵養，究竟光明體的本身」！所以「當下，深契永恆，即是全體，同體，進入，究竟真理光明體，如如的涵養」中！

　　一切「明白菩提造化的本身，就是同體分明智慧，自覺心境的展現。仍是一體的兩面。所以能進入明白，更究竟的覺悟平等中。就能進入，更深廣究竟，如如的涵養」！

　　亦是「能進入，如是廣大光明遍照，菩提造化，自然法爾圓融現象的緣起。它的菩提造化，與無生果相；透過六根作用，眼耳鼻舌身意、與十八界，包括緣起現象等，而表達」！

　　「處處遍照，都是同體分明，智慧之自覺。都是菩提造化，自然法爾現象，圓融之展現。亦

是如如涵養，緣起之遍照」！

若能「進入這個，同體分明，智慧之覺悟分明，自然，緣起遍照菩提。究竟真理，廣大光明體之體性。與廣大三世諸佛同體。皆是究竟同體，一體的兩面。如是，真實實相，究竟同體的平等」！

所以「進入自性佛的身心體，全然，就是三世諸佛，遍照之菩提造化，與無生果。自然法爾圓融現象的，吉祥如意圓滿之展現」。

如是，「無明，與真理間、相對，與絕對間、無明，與光明體間的，驗證；其分野之對比，與究竟之平等。為究竟絕對之關鍵」！

如是「深契，最大之分明，就是共體平等，真理與緣起的，分享」！這個「光明體，與遍照照明之分享，是在當下同體智慧之一如」！

「如果仍是，自執迷縛中，當成自己；就是

深契無明相應，相對之分野」！「把自己，當成完全不是自己時，就能進入，究竟絕對真理平等之內涵」！

　　如是，「如如究竟涵養，工夫之行持，再再深契，究竟之覺悟平等。從此，即是廣大遍照光明，與光明體之究竟。無明人，是相對的。光明人，是絕對的。更而，究竟絕對之覺悟平等。看所有人，都是同體平等，究竟一體的」！

　　自然，「如是一體遍照之菩提造化，自然法爾圓融之現象，與究竟如如之涵養。都在圓融吉祥如意，自然法爾之圓滿，與廣大任運無礙自然」中！

　　從此，「不講中間過程之相應，如是，阿羅漢、辟支佛、類佛、類菩薩、菩薩等之心境。直接講當下即是，大菩薩和佛的心境。就是直入究竟，如如的涵養」！和「當下，無性相，畢竟空

體，與究竟平等阿賴耶識體之超越內涵。只講，
這兩樣」！

　　就是「百年人生中，應該珍惜光陰，究竟真
理之主題！不要浪費時間，在中間過程境界的探
討。當下，深契究竟無性相，畢竟空體。與覺悟
分明平等，深契直入，直看」中！「深入，當下
之光明體；即是絕對的真理」！

　　如是，「當下皆是，究竟光明體，與絕對
的內涵。為研究，與工夫涵養的，主題。也是深
然，緣起遍照照明，進入菩提造化，回皈究竟真
理平等的，同體」！

　　「為什麼」這樣？「因為，無明的當下，即
是究竟光明體的全部，與緣起遍照之菩提造化。
只是，無明相應之人類，累劫皆在無明中。皆仍
在，無明相對的，相應」。

　　若能「深契當下，自覺圓滿的，深然進入，

絕對之行持涵養。即是當下，無明與究竟，平等之關鍵」！即是「同體當下，二元論中，同時存有，與存在之平等，與究竟之真理」事實！

所以，「整個當下的本身整個現象的本身，皆是，在無明，與廣大光明體，究竟之平等」！

然而「無明者，卻輪迴在十一個法界。而究竟覺悟，光明體者；則能進入，究竟之絕對。與三世諸佛同體的，究竟平等之內涵」！

「昔邪師講的，能放光照明，和深契究竟真理，自然緣起遍照的，放光照明。是完全，不一樣」的！「他所講的，我能放光照明；只是超越無明，阿賴耶識，進入到無識相之迷失，我報境界，識分明的，能放光心境」！叫作「無此無明之工夫，為初中階，中間過程之內涵」而已。

仍執「識分明我報，此際之心境，與工夫而已。故在自以為，我報能放光，自以為迷失之誤

解」中!?與深契,「真理究竟光明體,與遍照放光之緣起。如是放光之體性,完全不同」!

「無無明之工夫內涵心境,又有好幾種層次;這叫阿賴耶識,識分明不同,層次之內涵」!如是「阿賴耶識無明相應的,識分明心境。就是無無明的,行持工夫之過程」!

什麼是「無明?長久,皆活在迷縛的,眼耳鼻舌身意,與十八界,無明相應法的,迷失中。若仍迷失無明,仍活在其中;就是仍在,無知迷縛,無明之其中」!

若「能夠離開,十八界法的,感受與迷失。自然就是離開,十八界法的相應。自然,就進入到,識分明中。若能識分明,這個十八界法;就是得到識分明,照明之心境。所謂的我能,即我自執,在無明。如是相應,識分明之放光照明」!

「就是這個，仍在無明，如此相應之心境。如是識分明的，在照明。若能因此，順逆緣，向上工夫之超越。再進入順著這個，識分明的光。而深入，識光明之深入」！

　　就「能找到識光明，再深入中。如是的識光源，無明自執，以為之究竟識光體。仍是以識體，為主的，光明體」中！

　　所以「昔邪師的，得光照明。是得到無明識體的，識光明之作用過程。是深入其中，識分明之作用相，為無明識之中間位置。是無明識之識分明放光」！

　　如是，「究竟完全，識光明體之深契，是阿羅漢的境界。但是以昔邪師的所作所為，仍還捨離不了，世間的金錢與慾望的迷縛!?怎可能識光明體之深契」!?

　　如是「更加其中，迷相與迷縛之作為，為

了強烈之爭取。與豪奪兵法之使用，所以應該，尚未超越無明慾望之控制，更無法分明之漏盡才是。自然不應，有餘漏盡之成就，甚至，連阿羅漢之究竟有餘成就，亦未能到達，才是」。請「參」之!?

「真理的放光照明，是深契，如如之光明體，與緣起遍照菩提造化的真理流露。不是相應無明之放光。應是究竟自在，遍照，與真理之緣起。如是，深然，進入無我、無法、無無常工夫之心境。自然深契，究竟如如之涵養。即是同體一如中，能進入到第一義究竟，廣大光明體的，真理」！這是「究竟了義經典，所敘述的廣大究竟，無生而生的遍照放光。如是深契，滅而不滅，不生不滅的真理。這個就是，廣大究竟真理的，全體真實，光明體」！

這個「放光，叫作緣起遍照，菩提之造化。

跟昔邪師所講的得光照明。如是，識分明，放光之內涵。是完全不一樣的境界」！「他講的，還只是，繞在理論之申述，與財色迷縛，不能控制的階段而已」！

　　而「究竟真理，放光遍照之緣起，即是自然法爾，遍照廣大之放光，能夠產生，廣大菩提之造化。三世諸佛，皆如是共同進入，究竟同體一如。如是絕對如如，究竟光明體緣起的涵養」！如是，「深契之行者，都因此究竟真理之遍照緣起，而有不同緣起的菩提造化。如是在六根之作用中，透過眼耳鼻舌身意，遍照之放光緣起，與十八界菩提相之造化等。如是深契，一體兩面，究竟平等的內涵」！

　　「密教的，唸咒，就是唸到阿賴耶識，忘我深契，識分明之心境時，無明相應之因緣中，識分明放光之相應」！「識的部份，有五種放光：

一個是識分明的放光。一個是識光明的放光。甚而，識光明體，與識光明體空，識光明體空空之心境。仍在微細，無明相應之心境」中。是「不同層次」的放光！

像「密教黑法的念咒，它是屬於無明，識分明的放光。還有識無明的放光；他們唸咒的成就，就是經由無明相應，不斷忘我的，唸。唸到積極思想之相應。無明其中，而放光的相成就。這叫作，咒成相」！

跟《心經》所講：「般若波羅密多咒，是大神咒、大明咒、無上咒、無上等等咒。那個咒，是不一樣的成就！《心經》所講的咒；它是究竟如如，所緣起，遍照的菩提放光。和如體的緣起，造化之放光。前者，是緣起菩提，造化之放光。後者，卻是緣起一真法界，造化之放光」！

「如體的放光；它還有一個微細的我，為

絕對之體。若達到深契如如的放光，它是真理實相，究竟之光明體，自在遍照緣起的，放光。如是，自在的放光，就是空中真理本質，究竟光明體，緣起遍照之放光。即是緣起菩提造化遍照放光之行咒。咒，為放光之成就造化」！

所以「大神咒，即是自然法爾，現象之圓融，菩提大神變之照明」！而「大明咒，即是自然法爾現象之圓融，同體分明智慧，圓融明白之照明」！而「無上咒，與無上等等咒」，即是「自然法爾現象菩提之照明，已臻無上，與無上等之廣大遍照，與照明造化之成就」！

涵養

　　我寫「本書的目的，並非要感動人心」；卻是「要令信入者，能真正停止無明之輪迴」。實入真正「生命之真相」中。循著繁瑣「文字般若之信入」，忍耐涵養。「寂滅真理，如如自心，究竟真實體」的內涵！

　　「經由當下，一一之自突破」。「如是無明，如夢幻；自識之迷失」中。「即是當下，究竟之覺悟，與實入自如如，遍照菩提，同體分明之智慧。與無性相，究竟之皈體」。「回皈，究竟自在；真實體之涵養中」。

　　久之工夫，「寂滅涅槃，與究竟平等真理之堅固」。於「緣起遍照，菩提造化，自然法爾之現象圓融。皈圓融空體，究竟涵養之實臻」！

「昔邪師所教導，以阿賴耶識種，無明體性相之相應。仍在迷失之識相」中，「深入迷幻種相，識變應用之轉化，導引術」。如同「世間的果農，能轉化識種般的，改良品種」！「經由他的指令，能生出。不同識變般種子的，改良植入」。經由控制結果之方法，產生新品種。以「念力，基因般的輸入；控制識相。與識種，反叛之導引」！

　　亦是「藉此祕法念力」之使用，秘密兵法的，「控制人心的操弄」！如是慾望「財色」之祕藏，與「兵法堅固之迷縛使用」。其結果，是必定「終叛，用識強大需求」之必定果報！

　　更稱「能因此入天部的，極樂」中，如是借用，「密宗男女祕密，雙身佛之明妃使用」等！這「並非事實真理佛之內涵」。只是「幻身識變，慾望之假借，與轉換之迷失」。如是，「導

引無明相」之轉換！請參之!?

　　就好像「人在台灣」，卻整天「自我夢幻的，深入自我以為」中。議論著，「生在美國之不思議」。其實，只是「深陷無明的，迷失」中！如是深入「無明想相迷縛」中，「如夢幻」的想相般!?

　　惟有「真正完全捨識，不用」之心境中。真正當下，實入究竟覺悟「究竟無性相，自如如」之畈體究竟。與涵養中。才能「廣大遍照」，自然法爾之自然。「緣起菩提造化之轉化」作用。產生「吉祥如意之圓滿」！仍是，「究竟畈體，真理體廣大擴充」的，「涵養」中！

　　終究，「自識種輪迴，花果性相之迷幻行。仍是原地踏步」的。仍在「自以為」中！豈非，「正是一般大師、上師、無上師等，更自稱以為聖賢等」。皆如是，秉持著「令人敬佩的好名

聲，與眾多信仰者之追隨」。卻仍「在無明，本來識相」之迷失中！如是的，以為「真道，究竟之真實」。誘惑著每個人，仍是深陷無明中。「自識以為」的，修學著！

經由「理論，深又深之使用」，更而「道理，明又明之說法」。仍是自用識，「自無明身心」之深陷中！長期累劫，在「無明自識，自以為之執迷」中。

望「閱者，能自覺」的，自入「真正分明捨識的，究竟出離」中！如是「無性相」，「究竟皈體」之深契涵養。與「究竟覺悟」之深入中！

緣於「肉身今生」之出世，與累劫無明「本有昔性之識種」相應。故有「眼耳鼻舌身意」之六根，與六現象界「色聲香味觸法」之相應，更而六受用「色受想行識意」之流行。如是無明十八界之受用。

「自識之自持，與無明自以為」中，無明今生，「自識體性，相之相應」。如是，「迷失無明的，迷縛用識著」，生活今生中！

惟在「內外究竟，平等」之深入，與「如如真理」覺悟之涵養中。與「廣大遍照」造化，深入「絕對真實，自然法爾圓滿之緣起」。如是「因此顯隱間，造化菩提，無生果之顯相」！？在「自我祕密受用，與同體分明智慧的，自明自見」中。「受用著無性相皈體，大定大自在」的究竟覺悟！如是，同體「大般若，破相自明」，皈體之決定！

「自然皆是，已然大造化，皈空，無性相之菩提造化」。與究竟「無性相」之覺悟，「皈體究竟涵養，自性佛之命運」！更而在「全然中，一一之內涵」。自然法爾，圓融之緣起。「究竟無所得」之究竟覺悟中！更因此，深契「廣大如

如，再再之涵養」。如是「擴充擴大」，堅固之究竟真實，與涵養之俱足！

如是「究竟真實體中，與廣大遍照造化」中。自然緣起「不思議造化，自然法爾圓融菩提」之流露。自然「妙法十八界，緣起自他受用，廣大菩提之造化」!?今生「究竟覺悟，平等如如」之涵養。如是，堅固「究竟無性相，昄體」，「全然之實踐」！究竟體，全體之自在中！

於「自視」中，如是，涵養「究竟奧妙，平等一界。更而究竟全體之真實體」中！為「廣大遍處」之照明，與菩提奧妙之造化！

於「回昄」，廣大自然，「究竟平等一念」中。如是，「究竟無性相」之昄體。與如如之涵養！

如是究竟覺悟平等，「自然無所得；廣大、

吉祥、如意、智慧、圓滿」之回皈。如此「再再涵養，一即一切」之緣起，再廣大回皈，「一切即一」中！如是「無所得，究竟平等」，菩提之造化無生果之涵養！？

如此，自然廣大「萬法十一法界，自然法爾圓融之遍佈。究竟平等中。照明廣大，無性相之覺悟，與遍處之無生果」。皆是「自然法爾圓融，無性相大造化，皈體」之緣起。如是，「究竟平等，如如」之涵養中！

惟「自入、自如、自明、自得」者，能於「一切無所得，回皈」中。深入究竟覺悟平等，「究竟本來無所有、無所得」之究竟真理實踐中。深契全然，皆是廣大「究竟真相體」之涵養！

如是「遍照，妙用十八界受用，緣起之自然無性相，皈體之菩提造化」。終皈，「無所得之

究竟覺悟」中。如是深入廣大涵養之「真實體」中！

於「一界、一用、一覺等」涵養中。「究竟一切」，自然遍照造化，廣大之緣起。於「一覽無遺」中，回皈覺悟，自然無性相中。應有顯相之「無生果」造化。又「回皈究竟覺悟之平等」中。

緣起菩提造化，仍是回皈「一之妙大用」涵養中。如是「自然究竟平等」之皈體，「在一之終皈」覺悟。如是，涵養「如如究竟體」中！

當下萬法中，皆回皈「如如涵養，一之廣大究竟，與光明體」之結論。能因此，更廣大「深然之遍照造化」緣起。如是，「奧妙與不思議，自然法爾之圓融」。如是「無性相，皈體」，與菩提之造化中!?

此「廣大之深妙，遍處皆是」究竟無性相，

廣大之平等照明中。如是的，回皈。再再涵養，
「究竟覺悟之真理體」。與「自然之來聚」。惟
「深契遍照造化，與緣起廣大，平等之大智者，
明」！

如是「恆於自觀」中，如是「究竟無性相皈
體，平等之一者」。終皈「究竟體，廣大究竟光
明體中」涵養。恆在「遍照造化，廣見照明」，
究竟無性相之皈體中！

如是「遍照平等」之緣起。如是究竟皈體
「造化菩提，無生果妙藏」之定義！？皆是「廣
大無所得」。自然之「圓滿、吉祥、如意」，而
「深契無性相，究竟皈體涵養」。與「大妙」之
成就！

究竟平等，「如如涵養之緣起」，「遍
照」。廣大「造化無生果」之菩提。自然皆是，
廣大深然十八界受用。「同體分明智慧，圓融之

結論」。如是「究竟平等，廣大照明」中。廣大遍照造化，皆是「勝妙智慧，諸佛之流行」。

能「究竟無所得之覺悟，圓融中，於自廣大平等，菩提之造化」！如是，「究竟覺悟平等」，全然之實踐。「全體，究竟體，廣大之涵養」中！

卻在「一切如如，廣大究竟光明體」之涵養中！如是「自結論著遍照造化之緣起。當下平等，紛雜照明十八界受用中。遍照諸法爾自然之現象」。

仍皈「究竟覺悟平等之涵養，究竟真實」。「究竟平等，廣大之光明體」中。於「當下，一切即一，一即一切」，回皈「究竟無所得之覺悟」中。再再涵養，擴充廣大。「一如如」之堅固，涵養！更「廣大擴充堅固，究竟廣大真理，全體光明體」之真相內涵。

如是「來去現象，如夢幻之自然無性相。與法爾自然，圓融」之造化中。當下結論；「涵養，廣大全體之光明體」！當下實契，「如如真理事實」中，與「不來與不去，不生不滅中」！

　　更而，「在究竟廣大光明體」之此中。卻是「能廣大遍照造化，緣起之照明」。「紛然，菩提造化中。自然皆是，廣大十八界。刹那，即永恆，一念」中！恆在同體，「智慧大明之究竟覺悟，平等之大定」著!?

　　如是「終皈」中；更而「深妙之一即一切，與一切即一」，皆是「終皈一」之廣大擴充。再再如是，回皈涵養。「同體兩面，究竟覺悟之平等」。自然，「無性相，究竟皈體」之涵養。自然如此「功德福報，廣大造化菩提造化」之展現!?

　　如是，在「究竟真理，廣大光明體之自如

如」涵養中。當下皆是；「廣大遍照造化，照明現象之菩提」。卻是「究竟廣大光明體，平等之真實體」。如是「廣大自然法爾，奧妙現象中，同時平等，此妙一之究竟」。「再再涵養，無性相，皈體」中!?

而「一切自然法爾圓融現象，十八界之造化菩提」，皆如是的「究竟覺悟，無性相的平等中。究竟皈體的，回皈一之廣大光明體。與究竟平等，同體」中。於自然「廣大、吉祥、如意、智慧、圓滿」之菩提造化中。「究竟無性相皈體，無所得之究竟覺悟」，平等回皈中！

皆是「究竟覺悟平等，進入此真相體」中。「再再之涵養」！「究竟平等，一如中，究竟廣大光明體。全體，全然之實踐，與究竟真實體之涵養」中。又「復皈，於此究竟體中，緣起，再再之涵養」中!?

生活的大智慧：進入自性佛 1

其「妙」之展現中，「廣大遍照造化」。
十八界受用之照明，「遍處照明，皆是」的。惟
「自知、自入」者，能明！在「自然無所得，無
生果，平等之一切，皈一」中。又復「究竟無所
得，覺悟涵養」之回皈。「如是自然，再再涵
養，廣大皈一。如是，究竟體」！再涵養擴大，
「緣起菩提造化，平等皈一之來皈」！

　　「自於寂滅，畢竟空體，廣大之光明體，
涵養覺悟」中。自「究竟涅槃，究竟真理體」。
「自心境中。自然皆是，究竟皈一，來去相。廣
大之無所得」！如是，無性相，皈體，菩提果造
化之奧妙。與「同體分明之智慧」！究竟覺悟，
平等中，只有在同體。「不來不去，大自在分
明」全體全然，究竟實踐之分明中！「再能，廣
大擴充。再再之涵養」中！

　　如此「自自然，自然法爾現象圓融之深入。

廣大全體如如，真理體之涵養」中。漸次工夫，「當下十八界受用，幻如之究竟平等」。進行著，「如是深契，無性相，覺悟」之平等。「究竟皈體，畢竟空體」中。

「當下，即永恆。究竟之覺悟。如此，究竟平等涵養，工夫之深入」！「自然漸次的，圓融圓鏡，與自大日」菩提造化般。更而「當下究竟平等，廣大之自然法爾」現象。「如是皈一，究竟之覺悟」。「如是平等，無性相」。與緣起菩提之造化！

更「自在同體，平等，大般若分明之智慧」的深入。如是「無性相，皈體之覺悟」涵養。「寂滅深靜皈一，平等究竟涅槃」，廣大之心境中！

如是「緣起究竟平等，無性相，廣大莊嚴之菩提造化」中。如是「自然法爾現象，十方之

安立」。「如是，菩提造化，圖相般。各自自然法爾現象中，金剛諸佛，究竟覺悟之平等」。如是，「不同方位，安立」之建立！

「如是這般的，十方輝印之重重無盡」。與「四法界之安立，終皈究竟體」之覺悟！如是緣起，「究竟事事無礙，無性相，皈體之涵養」。「自然自在著，廣大究竟神通境相。真實緣起造化之流行」！

以「覺者，而究竟佛者為中心。瀰漫著，廣大之遍照造化」。「自然之緣起造化，一即一切之緣起」中。「自然法爾現象之緣起中，無生果造化真理，真實之安立相」！如是「莊嚴安立中，自然瀰佈充滿」著。亦是「廣大無性相，遍照平等造化，於現象」中。如是「廣大瀰佈，十八界法之諸象相，現象」中。如是「究竟皈體，平等中，自然真理皈體，流露，展現涵養」著。

自然，「四周、上下、十方」中，皆是「遍佈、吉祥、如意、智慧、圓滿造化菩提」之自然法爾現象之顯相。如是「自然，妙法、妙能、妙菩提等，十八界現象中，自然皈一體，涵養之展現」！

惟有「深契真相，如如之涵養」著，「廣大究竟之光明體」。深契「究竟同體分明，智慧之大智大覺者。方才能遍照造化」中。同體「智慧之通明」！

此「究竟平等，十方、上下、四周」等。「當下，皈一體」中；皆「緣起造化之深妙菩提造化，自然法爾現象，圓融之奧妙」發生！?原來；一切，「究竟平等，本來面目。深契無性相，皈體。廣大究竟光明體，與究竟實相體」之內涵！

「密宗」，所講的「菩提造化道」。是釋迦

  生活的大智慧：進入自性佛❶

佛在「演法」時，而祂的弟子，卻用「自己的以為」。描繪著所見到的，「同體緣起」菩提之造化。「一切影像之菩提造化」，像「壇城般的表達」。就是祂的弟子，「把自己所看到的，記下來。然後在世間，模仿之擺設，與圖騰」。

　　皆是以「他所看到的，同體緣起之菩提造化。來施設安置」。就「什麼位置，要擺放什麼；與安置各種不同方位的，佛菩薩」等。如是，「一即一切，復皈一切皈一」中。即「靜而動，又皈靜」的。再深契「平等動靜之皈一」中。更「無極至極之皈一平等，涵養」中。自然「真理平等究竟之皈一」中。涵養「廣大緣起之遍照」！

　　「壇城」有兩種：一種是「直接自受用中，十八界看到的壇城」，即是「緣起同體，菩提造化的，壇城」展現。另一種是「模仿的壇城」！

「模仿的壇城」，就是「阿賴耶識的以為見」中，「建立無明相應，用識以為的壇城」，建立。所以，以「無明用識」，來「修壇城」的，法門施放作法，是「相應道」。而不是，「究竟緣起放光遍照造化，真正的菩提道」。

釋迦佛在「緣起造化，菩提道」時，自然圓融的。順「法爾自然」。演出真正緣起，菩提造化的，「密宗道」。祂的弟子，亦在「同體菩提造化」，緣起之「看」中。但是他們「只是緣起菩提道造化」的「看」！並「沒有深入，其中之深契中」。「如是深契，廣大光明體。與進入如如，究竟的涵養」中。

只是「把看到的記下來。自以為，無明相應用識的」。然後「模仿」！這是「無明以為，阿賴耶識的，相應」！祂的弟子「想透過，忘我般用識的，相應工夫之修持」。透過「不斷的唸

誦，希望有一天，能唸到，可以進入壇城。菩提道造化中」。如是「深契同體，圓滿之圓融」中！而「究竟之佛道」！

從「相應道」，渾然忘我中。能進入到，緣起之「菩提道」的成就。從深契，「想成念」、「念成入」中。自然「忘我法之至極中。深契渾然究竟平等之覺悟，而如如全體之涵養」中！終究能深契，「廣大遍照造化」，「進入，緣起菩提道」之發生！

「入壇城的相」，等於是大日經所講的，緣起「一時，菩提之造化」！但「還不是光明體的，放光遍處之遍照」！而是「光明體，凝化成大日。如是，凝聚放光」的。遍處放光，照明之遍照，造化！？

《大日經》，這本經書是「衪的弟子憑記憶，寫出來的」。釋迦佛是這樣「順緣起，

菩提造化」。而在「同體」中。「圓融分明之智慧」，所講的！但是釋迦佛所講的「廣大遍照」，自然「菩提造化之圓融」中，如是的「吉祥如意」之現象展現。

祂的「弟子所想」的，「在究竟心境之契入，內涵角度」上，是不一樣啊！？「很多，是祂的弟子。仍在自相應中，自以為的，看法與心境」！釋迦佛所緣起的，是「廣大光明體，如如之涵養」。而「究竟緣起之廣大遍照造化」！「能真正照明之菩提道造化」！

但是祂的弟子，則是用「阿賴耶識之以為心境」來看，叫作「迷失相應，在自以為的看」中。卻是「無明相應用識，以為模仿之道」！卻不是「深契真正如如涵養，整個究竟光明體之真實」遍照。如是，究竟之「遍照」，如此，「精神之領域」中！

所以不要「入無明以為」中，如是方才「能深契真正遍照」之緣起。如是，「菩提道的，造化緣起」。不要「用自以為無明，阿賴耶識之相應識」去看！

　　「真正的道」，「不是用分析、衡量、判斷」的。而是「真實深契，真正究竟體的，心境」中，「如是究竟覺悟平等，做到」的，「真正的道」！是「深契，直接的全體，全然中，進入」。而能夠「實際在心中，廣大遍照的造化，表現出來」。那個，才叫作自在，「廣大究竟光明體」，究竟覺悟平等，深契「真實真理之究竟道」！能真正廣大，性起之遍照造化中。緣起照明，遍處之「菩提道造化」。

　　「在講這一段話時，自然緣起菩提造化」。能看到「釋迦佛在緣起之菩提道」。自然法爾，演法現象時，「空間中，本來一切都沒有」！

而「祂的弟子在記錄時，卻出現六個透明的盤子」。「盤子上面，都是透明的、各式各樣的鑽石」！

這個就是說，釋迦佛的空間，是「本來無一物」的。就像現在所講的，本來都沒有。都是「如如廣大，透明的光明體」！自然緣起，碰到每個人，就變成「緣起遍照，造化之照明」，「如是遍照的，菩提道造化」了。叫作「緣起廣大遍照，照明之菩提道」！

所謂的「轉世活佛」，是「自以為所成就之心境」，已臻是「轉世活佛」。其實「轉世活佛」，應該稱為「轉世天人」之成就。是已深入「識分明」之心境者！他的「福報」，原本，亦可以到「天部」。但是「祕心」中，透過用「積極想像」法，進入沿襲傳承觀念中，如是「成相，投胎之想相成就」中。「回到投胎，於世間

之人類」中！如是「識分明，投入之無明空間中。叫作深契分明」。「自入人類，人部，無明法界之相應」中！

「理論者」，「說不通真理的內涵，除非深契其中，究竟之心境」中。否則「沒有辦法，說得通徹」！而「真正的深契，究竟如如體」之涵養。則是「全體、上下、十方，都是究竟一體」的。叫作「全然，自然法爾中，究竟覺悟之平等」。如是，「同體性」的。像釋迦佛「證入究竟如如體，究竟之涵養時」。同體，「三世一切諸佛，都是祂」。「自然現象界中，都是自然法爾之圓融中。以祂，為主」！

但是釋迦佛從來「不會自我以為，要別人以祂為主」。「祂跟三世諸佛，和眾生的如如體，涵養，都是究竟平等覺悟中，究竟一體」的！所有「究竟的真理體，都是一體」的！這叫作「真

正深契，回畈究竟的，究竟、無性相、畢竟空
體、絕對體」中！而「不是想像、以為」的。不
是用「阿賴耶識去分析、衡量、判斷」。而是，
「真正畢竟空體，涵養全體之進入」中！

　　所以，「不要聽人家怎麼講，就相信他
有道」。如果他能「進入」其中。那邊的「風
景」，就很容易形容！真正的究竟體，很「真
實」的。如果「沒有進入」，只是「用阿賴耶識
觸緣，在那邊分析、衡量、判斷、以為」。那些
都是，自以為之「理論」而已。叫作「自無明用
識」以為，「阿賴耶識的，無明相應」！

　　真正「有道者」，應該能「進入到究竟，
如如的涵養」。與廣大「遍照」緣起中。而不是
叫信入者「透過想」，而去「如夢幻」的，「想
像，與想相」中！就像釋迦釋的老師，教祂深入
「非想非非想天」。「非非想天」的內涵，就是

只能相應「無明的識體」。表達中，皆是「微細的，識空空」內涵！

說是「歡喜佛」，就「不是佛」了！那個是「慾界天」的天神，和天女交往之形象。像西藏有古老之無明。不知「何來之傳承，以為男女雙修」之法門！有人無明以為，如是古老「男女之佛相」，形象圖騰！以為那是「古老傳承中，真正之正道」。其實那是西藏古早，透過如是方式，借以利用。來超越當下。「無明慾望停止之迷縛。如是超越煩惱、慾望、宗教的觀念」。所產生的自以為，修持之法門。如是「沿襲久遠之傳承」。

這是，在「慾望借用」的迷失中。要「脫離慾望」的自我內心世界。當下超越，破相自覺的，一種修煉！實際上，「究竟真理的進入」，應該要用「究竟覺悟」的深契。如是進入「無性

相之深契」，與「畢竟空體」中，怎會迷縛「有慾望迷失」之使用？

「因為累劫無明相應」故，如是「本有無明慾望的種子」，自然，「產生花果性相之變化」故。以致「在深契，究竟捨離，迷相迷縛之受用」中。能「因此透過，無明以為使用慾望之方式。為當然之合理」。如是借用「以毒攻毒，自我當下超越，解脫迷縛的。那個解脫思想，迷失之相」（註：男女雙修慾望生起相，應深契，本來回皈無一物之真相內涵）。

更而，某些西藏所謂「古老佛經之記載」，透過「中間過程之聖賢修持」。亦如是介紹「天女或天男」，與適機契合之「相應」者。經「雙修」，剎那成就「彩虹之光明身」！其實在「識光明之成就」者，亦有如此，而成就之經驗記載。如是，因此「識光明身相」之成就表達！

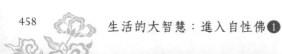

造成「一般無明其中之見聞」者，深入「無明其中」之自以為、觀念之用識中。不知，何者方才是究竟，「光明的成就」。才是「真正的，無識光明」。與「究竟真理」，「無性相之廣大究竟，光明體」之內涵！如是「中間之不同差異」。望深入，「真正不同，深妙其中之光明相」，實參之！

　　若能進入「究竟真理」，究竟真相之覺悟以後。自然就「不會無明迷縛，糾纏慾望之迷失中」！而不用，再「透過無明用識之相應中，借用男女雙修之法門」來修持。結果，反是「愈修，愈無明迷縛慾望種相之糾纏」迷失中！更而因此，「慾望種子，花果性相」更迷縛其中諸相的，深陷的，迷失其中！

　　有「自我以為的，無明者」。就是用這個，慾望迷失之需求，來迷惑。那些喜歡「假藉慾望

之迷縛」方式，來宣洩「祕密慾望深藏的，迷失
者」！

　　教導，需要經過，所謂「男女雙修」的祕
訣。才能進入，所謂之「真正成佛」管道！因
此，「密宗」的，「男女雙修相應」法門，應該
稱為，深契「投入慾界天的，相應法」。

　　過去很多的聖者、尊者，都是「迷縛在不思
議，所謂神通造化」之追尋中。如是「迷縛在無
明，十一法界迷失，中間修持之過程中」。就是
「天部、阿修羅部、阿羅漢、辟支佛、類菩薩、
類佛」，和「一真法界的菩薩」等，相之迷縛
中！

　　皆浪費長久光陰的，深入「迷縛幻相」。
追尋「不究竟之迷失」中。「沒有辦法達到，真
正深契，究竟之真理」！與「無性相，畢竟空
體」，究竟「廣大全體之光明體」中！如是，

 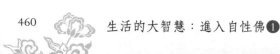

「絕對的，深契究竟覺悟平等」的。究竟絕對的，真實「佛位」中！

「密教」的修持，是經由「誦經、與持咒」，與「壇城的投入，相應」等法門之深入。但是，這個持「念」的應用，是不是，來自於「想」？是不是「想」相!?

因此，在「導引念」中？那個「想」的使用，就是「無明深縛，自以為的種子」。「如是，透過花果性相」啟動迷失之因緣。就是「無明相應，用識以為之迷縛，而因此，啟動無明用識之相應著」。

既然是「無明相應的，繼續無明的啟動著」。即使透過「誦經、持咒」之方式。「幾億萬次，都沒有用」!?因為來源的「無明用識種子」。都是在「無明想相」之相應中。

雖「忘我」的，復皈「迷識種子的本位」。

仍是「無明以為，迷失深縛」的，如是，「無明種子之迷失內涵，所套牢」！還在「如是深縛的，無明」中！

以致，「若能因此迷失，莫明的深契」。雖在，「忘我至極於念想」中。仍是「用識之空」中！連「深契識體空之阿羅漢」境界，都「沒有辦法。因此深契的進入」！

過去所謂的「大師」，都是「透過經典研習，仍是用識中，無明自以為，迷縛自想像的經驗使用」。「一般人家看不懂的真相」，「連他自己，也迷失其中的，搞不清楚」！

如此，「用識無明之深入。更而，無明迷失，真正深契，自識使用之心境」。如是之「無明迷失，與經驗無明工夫。自我以為之成就使用。「都仍在，迷縛無明迷失，用識之自以為」中！

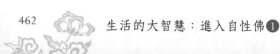

真正的「覺悟者」，就像釋迦佛，祂突然看到「一顆星」，即是「緣起毘盧遮那佛的，遍照的放光」。那是釋迦佛緣起「遍照」中，「自覺照明的，自見菩提造化」。

當下之證明，「祂已經深契究竟光明體」，與「真理如如內涵的心境」，與「廣大之遍照」中。能見「廣大緣起之菩提造化放光」！

如是深契，真正「究竟如如的，心境之涵養」。就是「深入當下，無性相平等十一個法界，中間過程，畢竟空體」中。如是，「究竟當下之覺悟平等」中！

一切，「都沒有性相。都不再糾纏與迷失」了。進入到，究竟「無我、無法、無無常」。如是，「究竟自在體」究竟覺悟平等之心境。因此，「真理真實，整個究竟之光明體」中！

「寫這本書」，一直「連貫下去」。希望

能深入，「真正遍照」，與「緣起」的，菩提造化。在自然法爾現象之圓融中，能「無中生有」的，透過，直然的深入。「深契究竟之覺悟」平等，如是，一直「看」中。自然就在「廣大遍照」中，緣起「同體之分明智慧，與菩提造化」！

就會「接二連三」的，一直「緣起，萬法菩提。與分明智慧造化的，貫通」下去！所以在「完全畢竟空體」的涵養中，不要有所主張」。自然能深契，廣大「吉祥如意」，與圓滿之菩提造化！如是，究竟「無我、無法、無無常」，與究竟真理工夫之內涵中。

像講話般的，自然「連接思潮」。能銜接照明裡面，「廣大之遍照」。與「自然緣起同體，分明智慧之菩提造化」。「透過嘴巴，講出來」！叫作「菩提照明，緣起口舌，表達之內

涵」！

它是緣起「同體分明智慧菩提」之展現。講話時，看起來「跟究竟如如之內涵，廣大自然遍照交往」般！一般人認為，是「識分明之相應道」!?但卻是，「成就深契真理者，真正之遍照」。能緣起同體智慧之分明，與菩提之造化。透過「口舌，緣起自明的，同體分明之智慧，菩提造化」之展現！

「緣起同體分明智慧，菩提造化」，透過「嘴巴」說出來！是從「究竟如如之廣大涵養中，遍照」的。流露出來的！如是，透過「同體智慧，分明思想之管道」。自然的流露著，即是「同體分明，吉祥如意圓滿之菩提造化」！

有人「願意拿錢，隨喜協助出書」，是因緣過去「曾經聽信別人不實的言語，而毀謗」。現在「內心感到不安，一種彌補，和贖罪」的心態。

如是自然緣起，「智慧照明，菩提造化」
之回應。「願意隨喜、協助出書很好」，但是，
「拿別人的錢財，要取之有道」！其實「因為內
心的一種不安，如是贖罪的心態，而拿錢，協助
出書之完成」。為了「如是，能夠心安，才接受
幫忙」！

　　這叫「透過交往之因緣」，如是現象中，
「圓融」之緣起。「透過遍照」，如是的「自然
同體，智慧之分明」。如是自然法爾，「圓融之
菩提造化」！

　　在如此因緣之「相應」中，卻是，透過其
「無明用識內涵之相應」表達！而我卻是，深契
「緣起之遍照」，與自在「究竟廣大，全體之光
明體」，自然廣大之遍照！

　　在「如如不動」，究竟光明體，與「無性
相，畢竟空體」。廣大「全然現象實踐」之涵養

中！如此自然，「無明之相應」來皈。「對我而言，卻是緣起的菩提造化」展現。叫作深契「自然法爾現象」之圓融智慧。

如是當下「同體銜接」裡面，「自然當下，法爾十一法界現象」中，自然「同體分明，智慧菩提」的想法，流露！即是「廣大遍照」，「緣起圓融菩提造化」之展現！亦是「深契，究竟真理」者，能全然「自然法爾現象之圓融遍照」實踐！

在「講話」時，會有點緊張、怕講錯話。這個本身，就是深契「無明，不自在」。仍在「無明用識之考量」！?

如是「無明相應，阿賴耶識，用識」的無明迷失。跟自己的「無明想相，在迷失之相應」！那個就是，「迷縛無明迷失現象之相應」。

所以「講話時」，要把「無明之自以為用

識」，自我的否定！然後「當下，深入究竟無性相，皈體，廣大如體工夫之深契」。如此，「究竟覺悟之平等。確切之實踐」。與究竟「如如之涵養」！

「講話時，要隨時，打開無明之分明」。「看著無性相，平等之覺悟」！「時時自覺」的，把這個「自以為之觀念、想像、受用、經驗、現象等」感受，「完全深契覺悟究竟。無性相的，完全否定」的皈體中！

在「否定的同時」，「當下，實契」。究竟「本來無一物」之「究竟覺悟平等」內涵中！如是進入「究竟如如涵養，與廣大全體光明體」。與「廣大遍照的緣起」！此時，更自在的「深契，畢竟空體，完全不要動」中！

當「講到昔邪師，馬上緣起遍照」中。緣起自然現象，「感到胸口悶悶的」菩提造化。那個

叫作，「自然法爾，緣起菩提造化」之展現！在「不要想相」中，繼續「看進去」！

「整個空間之緣起，就在遍照緣起的菩提造化」中，自然緣起「廣大同體，分明智慧的照明」！「講到」時，「自然同體，其中。自然緣起，如是吉祥如意圓滿菩提造化」之緣起。就用深契「自然不動，廣大的深看」內涵！

這時「眼耳鼻舌身意」的管道，「遍照之緣起」中。「如是看到，緣起之菩提造化，展現」。叫作「無中生有十八界」之展現，就是本來沒有的，卻突然出現！雖然自在，「本來無一物，廣大究竟之光明體」。能「自然性起，如是，廣大之遍照」。自然產生「菩提造化」之展現。

在「究竟無性相，皈體之心境中」，涵養著！「就能漸次的，進入究竟如如，與畢竟空

體」的深契。自然，就能「同體一如」中。「同體分明，智慧菩提」，與「自然法爾之圓融」中，皆是「吉祥如意」，廣大之圓滿現象！

當講到「昔邪師時，自然廣大遍照中，緣起菩提之造化」如是，「同體，能分明智慧的，領受緣起變化之菩提，與造化」之展現。照明知見，「昔邪師心陷，苦悶不堪。與長期迷縛」中！

若能「工夫究竟，無性相」之內涵。自受用於「完全畢竟空體」中。這時，「自然整個心境，都很安定」！胸口一直「熱起來」。這就是「自覺深入，領受。自在，究竟如如體性」的涵養。與「自然性起中，廣大遍照，放光之菩提造化」中。

談論「昔邪師」，自然「開始遍照，與緣起之菩提造化」展現。本來「沒有如此受用的，

空間」，自然開始「有了變化之受用，與菩提造化」之展現。「感到胸口悶悶的、肩膀痠痠的」！即是「緣起造化受用」之展現！

再「深入，再深看」中。「深入愈細微之緣起。就在同體，分明智慧之照明。愈深入的，則愈明白」了！能「因此深契」中，讀到緣起照明造化的，思想內涵」!?更而，「領受同體分明智慧中，緣起智慧菩提造化」之展現！

如是「照明之分明智慧現象，能深然見到」!?「未來，一定會有什麼事情」發生。先「未雨綢繆的，趕快躲起來」！如是，「走為上策之安排」！

如是，「其內心中，莫明之緣起照明，遍照之展現。如是心中，充滿著自我不肯定、不確定、和不安定」之心境！這就是「昔邪師，本來無明自己之相應，與無明之自我迷縛」的深層心

態!?在「莫明其中，疑惑與無明相應中。與阿賴耶識之受用。與無明此際的相應。與不肯定，與疑惑之不安」心境中！「自然展現，於廣大之遍照」。自然如是，「自然菩提造化，與自然法爾的現象展現，自迷領受」，莫明之展現中！

在深契「究竟無性相的，昄體究竟平等的覺悟」中。進入「究竟之捨離」。「完全深入，不要迷失迷縛，原本的感受」。叫作「無此無明」！「累積，每天的做。與積久之工夫」，叫作「無無明盡」，積久之行持！

「做到自己本有的感受、觀念、想法、現象」等，都「完全拋開，不迷失」之精神狀態！這時，「就能進入究竟無性相，與畢竟空體。究竟如如的涵養」了！

究竟「如如的涵養」，在哪裡？就在「當下，究竟中。覺悟平等之深入」。「完全捨離」

中！如是，深契「究竟覺悟，平等」，「絕對體之內涵」！

若「沒有覺悟的，以為的實修」，自然迷失不知覺的，「習慣在無明」中！而沒有辦法做到，「無無明」之內涵！

若能「當下，進入無無明」，完全「究竟之覺悟平等」中。「完全的，否定自己的想法、與觀念、感受、現象」等！跟任何人「交往」都一樣，都要做到「完全否定自己」。「完全不用，原本相應的，莫明之無明」！

在「究竟，真正的覺悟平等」中。「深契究竟，無性相。畢竟空體」全然之實踐！「當下，究竟覺悟平等的。完全否定自己」！那就能涵養「究竟如如，廣大究竟光明體。與廣大遍照之緣起」。

如是「究竟體性」之展現！在「廣大遍照，

與放光照明」中。直「看」深入，法爾自然現象之圓融。如是，「廣大吉祥如意」，全然現象，圓滿之實踐！

引用《心經》所講的：「心，是究竟涅槃的內涵」。心「無罣礙」，就是廣大自在中。完全「沒有任何迷失想相之糾纏，與迷縛障礙之狀況」。如是直入深契「究竟無性相，畢竟空體」中。才是真正的深契，「在心中」！

所以「感受、觀念、現象、受用」等，都完全沒有「存有」之狀況。即是「無性相之畢竟空體」中！

「無有恐怖」，「就是和萬物交往時。所有想法，與莫明的害怕，這個也沒有存有」!?如是，「遠離顛倒夢想，就是究竟的，沒有想相之束縛迷失」！如是，「遠離，莫明的害怕，和不安之幻想」！即是「深契廣大無性相，究竟安定

皈體。真實之心」中！

所以《心經》所講的，「心無罣礙、無有恐怖、遠離顛倒夢想」。就是「究竟，心中」之內涵！不應有「感受、觀念、現象、受用、經驗、思維」等作用。一切「究竟皈空，無性相。深契畢竟空體」中！

如是，「自我否定的，究竟捨離」中！「如是深入，究竟，無我相、無人相、無眾生相、無壽者相」中。就是「真正進入到究竟，無我、無法、無無常」之工夫涵養中！

整個「心中」，皆是「無性相，究竟空體」的擴充涵養。從「究竟如如涵養中，深契整個究竟，全體之光明體」中。再再擴充，涵養。如是「究竟體性」，「一體兩面」。「究竟心」之內涵，與廣大的放光遍照！

所以，世間一切「無明的相應」，都是累劫

「相應如夢幻，迷失自己昔性的，無明」中！一切自用識之無明，迷失與迷縛。「跟任何人，都沒有關係」！只有跟「累劫之無明」，與「自己昔性的，觀念、感受、現象、以為迷失」等。如是，「自無明迷縛，執著出現的相，有關」！

都「不要深契，迷失如夢幻」。叫作「行入無此，無明」中！「如是，工夫做的，很深久」的堅固。叫作「無無明盡」的行持。在「完全不要迷縛之執迷」中。在「感受、觀念、現象、受用」等，皆深契「無性相之空中」！等於《心經》所講的：心「無罣礙、無有恐怖、遠離顛倒夢想」。當「所有這些現象，出現時。都完全不要的，入空皈體的。不迷失其中」！

如此「究竟無性相之畢竟空體」心境，即是「究竟覺悟平等，究竟心的內涵」！叫作深契，「菩提薩埵的心境，與工夫」。叫作「究竟體性

中，能究竟光明體，與放光之遍照」。如是，廣大「緣起菩提心」之造化展現！

《心經》講：「無無明、亦無無明盡，無老死、亦無老死盡，無苦集滅道，無智亦無得」。連「十一個法界」的內涵（註：中間過程），它都「完全深契，無性相，皈體之否定，與捨離」中！所以《心經》，才是「真正無性相，畢竟空體，絕對如如」涵養之深契。亦是，究竟覺悟平等，「究竟廣大全體，與光明體」的內涵！

像「昔邪師，只有識分明的照明，在指導他。但是仍然一直迷縛，在此無明中」。「沒有辦法進入到，有餘涅槃之心境」！所以「我執自我兵法用識」之使用，經常「強大迷失」之使用！?

「也沒有辦法，進入到究竟覺悟，無性相，畢竟空體，真正的如如不動」之涵養中！他雖然

能，「離識相之入空」中，就是能深入「阿賴耶識的識空」中！等於是能「深入應用，相應識空的，無明識的，識光明心境」中。

「跟萬物交往、跟佛菩薩交往；最終，還是回皈到，自覺悟究竟平等，回到自己究竟，覺悟之內涵心境」中！如是，「究竟，無性相皈體涵養之深契」中。

像「昔邪師，就是沒有看自己，而用迷失之相應道。以自己無明相應，自用識以為的心」為準！以致「心陷無明迷縛之慾望，與長久廣大用識兵法之使用」！如是，經常無明迷縛中，「堅固的用識，入魔縛」中！

所以，「無無明盡」工夫的行持。就是「跟萬物交往的時候；自己無明的，相應心就起來了。在感受、觀念和現象等受用中，不斷湧現阿賴耶識種花果性相的展現！皆能完全深契，無此

無明。長久工夫之累積」！

「若能，一一的覺悟、看破、否定等，與完全無性相之捨離中。即是無無明盡，長久工夫之行持」！進入到《心經》所講的「究竟真實體性一如的，實踐」中。

「是故空中，無色，無受想行識，無眼耳鼻舌身意、無色聲香味觸法、無無明、亦無無明盡……」。「進入十八界的受用，完全都沒有迷失，畢竟之空體」中！達到究竟「無所得」之究竟覺悟平等中！

這樣，「才是深入究竟無性相，畢竟空體。廣大真實光明體」！與「真正佛道，究竟體性，廣大之遍照。放光緣起菩提自然法爾現象之圓融」中！

在「究竟如如，涵養之空中，究竟無所得中。究竟廣大之光明體中」！在如是，「究竟體

性中，絕對光明體，與廣大遍照。能放光緣起，菩提造化之展現」！從「完全無性相，究竟沒有中。這時的感受和受用，就是得光遍照，照明之遍處」！廣大「緣起菩提心，自然法爾圓融現象之展現」！而不是「無明相應」之見。

如是，遍照「緣起菩提造化。與究竟，如如之涵養體。為同體之一體兩面」！一個是，「如如究竟真理，廣大光明體之涵養」！一個是，當下「同體照明分明之智慧，遍照，緣起菩提心造化」，自然法爾現象圓融之造化展現！

在「究竟真理體」中，「任運廣大，照明之遍照。如是自然法爾圓融現象」中。如是，「同體智慧，分明之菩提心造化」，緣起，出現了。廣大吉祥如意，圓滿之造化！

再「繼續照明」中。緣起遍照，「讀邪師的想法」時。「想法中，卻是充滿著昔邪師。整個

心境，皆是處在全體，疑惑心之緣起」中。

　　再緣起「看」進去。當下，看到不同「相應，與緣起」之結果。如是「對昔邪師往昔聲稱，能放光照明」之內涵，自然，緣起遍照之結論明見，「絕對是，自以為無明中，借言語之應用，而胡言亂語假借」之結論！

　　若「沒有辦法，無無明盡，與實無所得」的工夫。則沒有辦法，進入「真正無性相，畢竟空體」中！如是，究竟「如如的涵養」。如是，「廣大之遍照」，與放光之照明！

　　現在「當下」中，深入「究竟覺悟，平等中」！剎那深契，連「無明如夢幻，相應的相」也不要了！究竟「無所得的菩提造化」，也不要了！「有所得的菩提造化」也不要了！實契「全部都不要，無性相，畢竟空體」中。「究竟之絕對」中！如是「究竟覺悟平等，捨離，與否定一

切」！

在「緣起菩提造化」之「放光遍照」裡面。不斷的，深入究竟，「讀、看」中！「最後深契，也覺悟究竟捨離」，與「完全不要，菩提造化」中。就達到「究竟無所得」。「更深廣、更擴充」的，「廣大究竟無性相，畢竟空體」中！究竟「如如的涵養」中！

這是「如如涵養中，再再緣起」。「更廣大究竟，光明體」，再再涵養之過程！叫作深契「究竟覺悟之平等」！真實實踐，「究竟體性，一體兩面」之「工夫涵養」！

真正「能救自己的是，實契真正究竟，不動如如，與真實，畢竟空體」，「如如」的，涵養！若能深契「究竟無性相，畢竟空體，完全沒有自己」中！這樣，才是「進入真正絕對，廣大全體光明體」中！

為什麼「會有癌症」？這是因為他的「前世」，就是在「這個時候」，相應得到「癌症」！所以「這一世，到這個時候。累劫之無明，自然因緣際會」。如是「種子，自然因緣相應中，就會開花結果」！「花」，就是「癌症」。

「如果相信，真理究竟」！就「不要有自己如夢幻，自用識的，想法和判斷」。以及「對於自己無明感受，和觀念迷縛的糾纏」。皆能「完全捨離的，否定自己」！

如是深契「遍照」，「真實同體分明，智慧之照明」中。覺悟究竟平等的，為「無性相，畢竟空體」之覺悟心境！「自能遠離阿賴耶識，本來無明種子，花果性相之迷縛」。完全「沒有無明阿賴耶識，癌症之種子」。

在完全「覺悟分明」。究竟否定「阿賴耶識

之使用」中！自然，「當下」。皆能因此進入，「究竟如如」的涵養中。自然因此，「深契究竟，廣大之光明體」中。

「沒有因此，而復發之癌症」。只要，能進入「究竟無性相，畢竟空體」中，則為「完全無病」之狀況！

當做到「究竟當下，究竟捨離」中。完全「不要現象、不要觀念、不要感受、不要判斷」之迷失，與迷縛中！一切交給，「無性相，畢竟空體」深契之內涵。深入，「絕對真理之真實，與如如究竟，光明體」之涵養。

如是「廣大遍照」中，「緣起廣大的，放光照明」！雖「在現象中，沒有接受醫生治療，半年內，兩個癌症」。就「因此，涵蓋在，究竟真實光明體」之內涵中。與「自在放光之遍照」中！「卻能因此，廣大光明體中，不藥而癒」

的。「自然的，恢復健康」了！真是「不可思議，究竟真理」之事實！

如此「實契，得入真實廣大，光明體，與究竟如如之涵養」中。因此「自然緣起，究竟絕對之體性」。與「無性相再再涵養，畢竟空體之實相」中！如是「一體兩面」的，「廣大光明體」，與放光照明之「遍照」中！

自然身心，皆在「整個光明的，同體」中。如是「精氣神」，皆因此「脫胎換骨的，究竟光明」中。如是，「清淨健康的，改變」著！

反觀他人，「認為自己的癌症一時能好，完全歸功於，醫生的醫術高明」。他卻不知，醫術之高明，只能「清除毒素般，開刀除毒」之表面處理！

卻不知「根本病因」。在於「累劫根本無明」，「深種之花果性相」深縛之含藏。如是

真相之內涵，累劫「癌症之根本，與病因之來源」！

他忘記，「真正能救自己」之真相!?在「深契體悟，根本之病因」，方才能「究竟之覺悟」！

他「從來無知，亦無明其中的，沒有感恩，自己之覺悟」!?「結果，他的病情，時好時壞」。「這是因為，他沒有真正覺悟，自己的如如涵養真相」!?能「緣起真正的，究竟光體，與遍照的，放光照明」，所致！

遍照之「菩提造化，能真正連根拔除，如是無明的根本含藏」！「皆在廣大，放光遍照，能真正深契。究竟無種子，無明空間之超越」。進入「究竟光體」中！如是「拔除究竟，根本賴耶無明深種，存在之病因」！

如是，「深契究竟光明體，自然廣大放光精

氣神之復原」中。因此，才是「能真正的，救治自己。究竟之真理真相，原因之所在」！

所以「命運，天註定」。累劫「生生世世是什麼命，就是什麼命」!?就像「一個人想成功，如果他的個性不改變。可以斷定，他就永遠不會成功」！因為「他的觀念，就是這樣。就像會開什麼花、結什麼果一樣」。就是「因為累劫無明相應，自然含藏之種子關係」。

如果能「見到真理之真相」!?就能「知道醫生之治癌。只能開刀治療，淨除毒之排除。與化療之殺菌，甚而免疫系統之殺菌等。只是表相的除病」！

對於「究竟病根種子發病之原因，完全無法深契，究竟真相分明之處理」！以致，「高明的醫生，醫術之精湛，仍只是延長病人3至5年的人生」而已！無法「根治」之主因。「完全繫

於，無法處理，遠離賴耶識種。根本病因之影響」!?豈非乎!?望「參之」!?

　為什麼有的人，會「賺大錢」？因為他累生累世的「種子」裡面，有「富貴，會賺錢的命」!?「累劫的種子，因緣際會時，自然會開花、結果」。他「自然到時，就自然知道，該怎麼賺錢」!「奇妙」乎!?一切「繫乎種子之因緣際會」!?

　所以「今生，到了某個時候」，就會自然的，「飛黃騰達」！許多「今生之富貴人士。皆是在莫明自我感受、以為的、判斷、與抉擇中。自然，因此如是，自然的，莫明中。如此的命運」!?

　「命」，就是以「我們累劫的無明種子」，和「阿賴耶識」為關鍵。「碰到什麼事情，就「相應莫明的感受、觀念和現象」！那個，就是

「因緣際會」時，自然「本來的命」！「運」，就是相應現象之運轉時，與「因緣變化」之相應契機時。如何「相應利害得失，所產生一時之抉擇」！？

所以，「感受不用、觀念不用、現象不用、判斷不用」，這四個「都不要用」，就是深入「無性相，畢竟空體」中！即在「究竟不動涵養，究竟光明體」中！

亦在「究竟絕對」，與「如如涵養」中。自然亦在「究竟光明體」之「因緣際會」中！？整個，都是「遍照之緣起」！究竟「光明體的，究竟體性」中。自然之「放光遍照」，與「遍處之菩提造化，與自然法爾圓融，現象之顯相」！

「如是的決定著，感受、觀念、現象、決定等之造化，與同體智慧，分明之圓融」。與廣大「吉祥如意」圓滿之任運，與「廣大的無礙」中！

「完全不要做自己。及深契，自然覺悟平等」中。「究竟捨離無明之用識，如是工夫之涵養」久遠中！「如是，自然就能，進入無性相，畢竟空體」的內涵。進入，「廣大光明體，究竟自性佛」之涵養中！

若是，「不斷的使用」，自己的，「觀念」、「想法」、和「做法」等。「那個，就是永縛無明相應，深契自性魔之迷縛中。永遠深縛無明輪迴」，其中！

「沒有你的感受、沒有你的觀念、沒有你的現象、沒有你的判斷」，就「永遠不是你」！即是「自在究竟光明體」中！

若「究竟覺悟分明中，自然能深入，完全沒有花果的使用中」。「自然深入，完全沒有種子，花果性相，究竟之無性相」了！為「究竟，飯體，究竟全體，光明體。深契究竟覺悟之平

等」中！

　　所以，有「感受」出來、有「觀念」出來！
究竟完全，「不要迷失的，使用它」！如是「究
竟捨離的不用中，完全否定，與看破，自己累劫
無明相應」的前世！則能深契「究竟無性相，畢
竟空體」之內涵中！

　　而「累劫之前世」，是生生世世之「無明種
子」。「自然無明相應」著，「從小到大，皆跟
著你走」！「你的個性、你的想法、你的判斷、
你的以為」等，匯皈這些「無明相應，自以為迷
失之使用狀況」中。這些，都是「迷縛，本來累
劫自己，無明迷失的前世使用」！

　　若完全「沒有前世無明之迷縛」，則「完全
完全無性相，畢竟空體」中。如是深契「究竟之
絕對，廣大光明體」中！

　　因此不要迷失中，「不要有自己的觀念、不

要有自己的想法、不要有自己的經驗等」。「不
要有自己的感受、不要有自己的現象、也不要有
自己的判斷」等！

　　這些「自覺之工夫，都能因此，自在的究竟
覺悟」！「深契完全，究竟之捨離」。深契完全
「都沒有」中！如是，「畢竟空體，與全然實踐
之精神體」！

　　因此，自己「受用感受之精神領域」，皆
變成「究竟畢竟空體」的涵養！自然「廣大光明
體」中！深契「究竟空體，廣大光明體」，究竟
之「精神」中！就會自在，「究竟體性」的，廣
大「究竟光明體」之真實，與「放光之遍照」
中。

　　透過自己的眼睛、耳朵、鼻子、嘴巴、身
體、意念等，都能自然緣起廣大的，「放光遍
照」中。叫作「六字大明咒」的，真正意義。如

是廣大「六字放光，遍處十八界受用之照明」。皆是「廣大遍照，自然法爾圓融，現象之菩提造化」，與吉祥如意圓滿現象之緣起照明！

所以，「當下，能夠究竟體性，遍照緣起，放光照明」時。自然中，「眼睛一看就懂、耳朵一聽就懂、鼻子一聞就懂、嘴巴一吃就懂、身體一觸就懂、思想一念就懂」。這叫作「遍照緣起，同體智慧分明之菩提造化」！

「自然中，深契見明。自然現象中，廣大之遍照。照明無生果之造化，與智慧分明之造化感受」！「能展現廣大遍照，分明智慧，同體轉化的，作用」！

累劫「阿賴耶識的種子，生生世世，藏在我們的心中，永遠拔不掉」！除非，把自己「所有的感受、觀念、想法、判斷、現象、經驗等，都深契覺悟」中。

因此，「如夢幻的，究竟捨離」都不要。如是，「無性相，畢竟空體，究竟之絕對」中！自然，「當下無明，都停止不動中。不再無明的，跟它走」！從此，皆是「究竟不動，廣大之光明體」中！

　　如是，從此「不再灌溉使用，迷失與迷縛，與無明的相應」。自然「從此深契，經久究竟捨離，工夫之涵養」。「自然因此必定，枯萎，花果性相之種子」！

　　從此，自然「深契，無性相之泯滅。深契完全無種子」。究竟「無性相內涵之自然」中！

　　只要有「無明阿賴耶識的，種子，它就會逢緣相應的，開花結果」著。「死的時候，那個種子，還會繼續的，迷縛其中」！「生生世世，都迷縛無明的，跟著跑」。

　　如果自己的「累劫無明種子，不看破而仍在

  生活的大智慧：進入自性佛❶

迷失。自然無明迷縛的，迷失沿襲著。永遠是自己本來的，無明相應，與繼續昔性的種子」！亦永遠在，「無明相應昔性的，繼續永生之輪迴」中！

所以，一定要「究竟覺悟。進入究竟無性相，畢竟空體的必要涵養」。深契「真正究竟平等，究竟之覺悟行中」！

「誰是你、你是誰」？「碰到現象時，自然無明，累劫前世，而今生的。自己昔性的，感受、觀念、判斷、想法」等！就是「自己累劫本來，無明前世。而今生無明相應的命運」！

這些，「都不要再繼續使用。如是不再，無明迷失之灌溉，就自然枯萎」！久之，「連種子，亦完全不復存有」了！這就是「連根拔除，究竟無種」之工夫涵養，內涵！

「種子開花」時，「不要跟隨花」。

「花」，就自然「凋謝」了！「不要花之迷縛」，就等於「不要種子」之繼續！

「不要種子」後，自然種子「枯萎，昄滅」究竟！整個空間，都是「無明的當下」中！「究竟覺悟平等，自然體性，緣起究竟光明體，與遍照」。如是，「放光之遍處」中！

如是，「究竟，廣大光明體中。因此究竟體性，自然究竟光明體。與廣大遍照之緣起」！就是「真實究竟，如如之涵養」中！能「放光遍照，自然法爾圓融，現象中，菩提造化之展現」！

「當究竟真實體性中，透過眼耳鼻舌身意，所流露出來的，是整個廣大遍照的，放光」！觀世音菩薩的「六字大明咒，就是透過眼耳鼻舌身意六種管道，都在遍照造化之放光」中！

所以，「小孩若要改變命運，從小，就要教

他。千萬不要，被無明本來的，自己迷」！要不然「累劫無明前世，而自然今生之沿襲中，永遠在做自己」！

如是，「累劫沿襲之無明中，如是繼續。無明迷縛之命運。都是累劫前世中，自執自以為，無明之昔性使用」！是「不可能改變」的。

因此，深契「究竟覺悟，平等之真理真相，真正深契無性相，畢竟空體的涵養」！「把自己無明深種，根本的突破改變。如是改變你的，不是別人。是你自己，究竟之覺悟」！「究竟無性相，畢竟空體」。如是「其中，涵養久遠。分明之覺悟」！

「不要自己，就是深契，完全沒有自己，迷縛受用之迷失」中。「不要自己以後。自己裡面，完全沒有種子之存有」！「當下之究竟體性涵養，就是自然緣起能遍照之狀態，與自在究竟

光明體」之心境。

　　像「昔邪師，一直教人家用想」的。「想就有相，這叫作累劫無明，迷縛之識變，迷失之相應」！而「想相的迷失，是如夢如幻的。是無明迷縛用識，永遠沉淪，無明迷縛之迷識」中！「是不可能究竟，破相。究竟捨離如夢幻！如是究竟平等，覺悟之真正成功」！

　　當深契「完全不要想，究竟體，深入之工夫涵養時。在本來究竟，無性相，畢竟空體之光明體」涵養中。就能「廣大體性中，遍照，放光之展現。就會自然緣起，同體分明，智慧菩提」之造化！「這才是真正廣大，性起之遍照，與如如真實，廣大光明體」之涵養！能「緣起廣大，吉祥如意圓滿，自然法爾現象的，菩提造化展現」！

　　「從如意，作佛」！「如意，就是從究竟如

之涵養。產生究竟廣大絕對，光明體，與究竟不動之涵養」中！自然能「性起的，廣大之遍照，與同體分明之智慧。這就叫作如意」中！「如意，放光遍照的，涵養。自然會產生自然法爾現象中，廣大吉祥如意圓滿」的造化！「如是深契究竟體性。進入真正，自性佛之內涵」！

「自性佛，廣大究竟光明體。能透過究竟體性之內涵，與六根之管道（註：眼耳鼻舌身意）。能產生廣大性起之遍照」！緣起「放光菩提之造化」，自然「吉祥如意圓滿的，放光顯相」之造化！

當處在「究竟真實之廣大光明體」時，自然「究竟之體性，透過眼耳鼻舌身意，恆常在遍照，放光中」。「走到哪裡，到處都是遍照之緣起」！究竟「緣起十一法界」，自然「法爾現象，圓融中，平等之放光」。與「任運無礙」之

展現！

當「不做自己時，就是深契究竟無性相，畢竟空體中。究竟沒有自己，去圓融配合，廣大之遍照」！而且處處「同體分明智慧，菩提造化」之展現！

如是「累劫迷縛命運，改變的，最高智慧精華。就是首先深契，完全捨離，不要做自己」！就是「真正當下，能進入自性佛中，廣大究竟光明體」的內涵中！

「佛，才是究竟真實之超越。能當下進入，究竟之覺悟平等中」！如是當下，「十一法界，與中間過程現象之突　破與捨離中！當下如是，實踐全然。煩惱，即菩提。究竟皈體」之涵養！如是「究竟覺悟之行持。才是真正究竟，最高內涵的，富貴者」！

所以，「不要有自己的想法、不要有自己

的觀念、不要有自己的經驗、不要有自己的感受、不要有自己對現象的堅持」等！當「所有的一切，湧現出來時。在你的心頭環繞，而無法看破」時。應該「當下深契，究竟覺悟平等，本來無一物」中！亦即是，當下實契「究竟無性相，畢竟空體之究竟涵養工夫」中！

「深契無性相的，完全否定自己。否定觀念、否定經驗、否定想法、否定現象、否定自己的判斷」等。都「深契究竟，不要迷失的使用」中！「自然的廣大自在中，廣大究竟體，與究竟精神狀態」的涵養中！

在「完全不要用。無性相皈體，畢竟之空體」涵養中，就能看到「整個心中，究竟廣大的光明體」出來了！這是「究竟如如，絕對真實的，光明體」！如是，絕對「究竟體」之涵養！叫作「進入自性佛，究竟之光體」中！

祂會「自然性起，廣大的遍照」。如是「自然體性的，同體分明，智慧菩提」的展現！在「自然分明，順著自然法爾現象，任運之無礙。圓融的看中」！如是「吉祥如意圓滿現象，匯皈的，涵養」！

　　而「有自己用識之迷縛時，自然相應累劫之無明使用，皆是充滿著觀念、感受、現象、堅持、以為、經驗、判斷」等。包括「台灣人的觀念、世間的文化觀念等。這些，都要究竟，完全之捨離」！

　　所以，「要隨時看自己，不要做自己」！「深契究竟無無明盡的，工夫涵養」中。就是「所有相應，快樂和痛苦的感受，完全都不要的，迷縛中」。

　　在「完全無性相，畢竟空體之涵養中。如是廣大體性中，究竟光明體，與遍照光明之內涵。

  生活的大智慧：進入自性佛 ❶

與同體分明智慧，菩提造化之展現」！在「深然智慧的面對中。所有的好壞，都不要用自己的觀念」。只有「當下，遍照緣起，智慧分明之順融」！

很多人的「癌症」醫療好了，但是經過兩、三年後又「復發」，甚而死亡。這是因為「短暫的除毒」，表面「似乎健康」了。但是「深源累劫無明識種，如是阿賴耶識，種子之癌根」，並未「根除」故！如是，沒有掌握住「主題」。請「參之」！？

那個「主題」，就是「無明深植之種子」！在「累劫花果性相之相應中。如是種子存有之因緣。決定累劫今生這個人，是否會再發生癌症因緣的，主要因素」。

所以，「要覺悟人生，到頭一場空。死也空、因緣也空。家庭到最後，也是一場空」！

只有「無奈的，自己走自己，必須分明覺悟的路」！才是「累劫生命因緣現象中，究竟之主題」！

如釋佛，「尋找真理，真相般的，努力尋找覺悟」。當下，深契「無性相，畢竟空體，與究竟光明體全然之實踐。如是，究竟覺悟平等中」！

能在「真實遍照緣起中，整個的照明，自然法爾現象圓融之處處。如是同體之分明智慧」！如是「三世一切諸佛，究竟體性的涵養。如是，深契進入，真正究竟廣大之自性佛」內涵！與究竟「廣大光明體，絕對真實的空間」！

因此在「究竟覺悟中。原來，每個人都有無性相，畢竟空體，絕對之自性佛。都可以深契，同體分明之智慧」中！「在那裡，才能究竟體悟平等，深契真實之究竟體。當下的自在」中！

如是「究竟覺悟，平等之當下，能因此深契現象中。見到無明，即是光明。虛假，即是真實」！「一切性相，平等故」！

深契「究竟如如的涵養者，就是真正的佛，完全沒有無明種子迷縛的命，就是真正究竟富貴的人」！就是能「深契究竟廣大，究竟光明體」者！

如是，「光明正大的人」。完全「深契，沒有前世的迷縛，與究竟之覺悟」者。才是真實深契，「真正光明正大的，究竟真正之佛陀」！即是「真正無性相之不動皈體」者！

「無無明之行持，就是當下，深契沒有無明之前世」！「無明，就是本來自己迷縛的，想法、觀念、經驗、感受」等，這些都是「累劫無明相應，種子花果性相」，所生出來的迷縛！

「不要這個無明，叫作入無無明」（註：完

全深契，沒有自己中）。「所以，要真正做到，究竟沒有自己，真正的捨離」中！才是「真正深契，究竟真實的，佛」！

結論，「經久閱讀本書，雖能分明理論」；仍是「自以為」之用識中！只有「深契真實，回看之覺悟深入，才能真實深契，無無明盡之工夫涵養」。與「究竟無所得中，究竟覺悟平等。再再擴充，廣大之涵養」中！才是「真正的究竟，覺悟平等之工夫，與全然之涵養，與實踐」！

「本文之描述」；卻是「唯識用語」！「深契當下，卻是究竟體性平等，與如如之真實」！透過「本文，同體分明智慧之覺悟菩提造化，深契究竟廣大光明體心境之完成」！

而一切「表面之閱讀經典，只能表相唯識，無明自識之自以為」。卻不能「深契，廣大光明體，與究竟真理涵養」之進入!?

  生活的大智慧：進入自性佛❶

如是「奇妙，廣大」。而「究竟光明體之光
明正大。如是，一覽無遺，皆是廣大遍照，智慧
之自見」！如實「深契，理明無礙、事明無礙、
理事無礙、事事無礙。如是互相重疊其中」。皆
是，「金剛部、佛部、羯摩部」等之安立。

如是，「十方廣大的安立」著!?卻是深契
「無所得，究竟覺悟平等」之涵養。再再涵養，
「無性相，畢竟空體，如如之概念」涵養，究竟
體性，「一即一切，復皈一切即一」中。如是，
「廣大究竟平等光明體」，究竟工夫之內涵中！

譬如;「在台灣，聽人說美國之風景與人
情文化等，如何、如何」;亦只是「自我以為之
想像」而已!?惟有「真正深入其境」的。方才能
「真正見到美國，各地不同之人情文化，與不同
人種等之真實差異」!?

但是「美國與台灣」，在地球上之事實;

卻是以「相」的安立來論。因此造成「無明與光明，煩惱與菩提」之異！

若能深入「究竟之無性相」之實踐，方才「能究竟突破，十一法界的中間過程」。當下「自然法爾之順融」中，「直入究竟」之涵養。即是「究竟畢竟空體」，「真正究竟實相」之真理！

所以，「如人飲水，冷暖自知」；往往成為「真正修道者之祕密心境」!?但「真正究竟之體悟」，必須「通暢無自他、與究竟無自他法」的。更而「真正畢竟空體」之深契。「如是究竟」，「同體分明智慧」之真義!?

「只要究竟覺悟平等」；就是能「真正進入，究竟真空體。與廣大遍照之照明」中！自然，「就在不用學習」中。當下，「自然同體，分明智慧」之菩提中！

如是「圓融自然法界現象中，自見自得」。自然法爾，「自能、與自造化」。遍處「吉祥如意圓滿」現象之菩提造化中!?

　　此「自然之自見，與自明」；皆是「究竟之道地」時!「廣大光明體」之大得心境。與「得光照明，廣大遍照」之實臻!

　　「究竟絕對真如之道地」後，能「真實自入，無性相，畢竟空體之絕對」中。如是體性，「究竟光明體」中。與「廣大之遍照」!如是，「菩提造化真實，自然法爾諸象相現象」之智慧分明中。

　　其奧妙處，唯「自入者，能朗然分明」!如此，「方才是深契，真正的絕對體。究竟光明體，與畢竟空體」中。亦是，究竟「真理真實之道地」!剎那，「同體自見自明」中!

　　而一般「密宗道，以唯識與經典之學習」，

「用識無明相應認識」之深入。而「理入其中的，壇城」！仍是執迷，「阿賴耶識體性相，以為之理解」中。

其無明「識變之變現」著，此為「唯識學習之相似道」！但實非，「究竟廣大究竟光明體」，與「遍照緣起」，自然法爾之「菩提道」！所以，「最終之唯識，仍畈於夢幻的，研習」而已！

因為「道地」後，「一切功德與福報、境相等」，皆是「性起，廣大之光明遍照」。「究竟，完全之朗然」中！「自然廣大體中。皆是「究竟光明體」之內涵！

而「相似道中，阿賴耶識體性相」，皆在「識變之變幻」中。如是「識變，原本之相。卻是類似」！需經「長期之執識，與學習」作法。方才能「深契，忘念、無念」中！「因此才有，

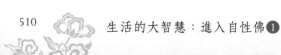

無性相，識體之深契，與識光明，照明之變幻」成就！

兩者差異。一個是「究竟光明體」之「遍照放光」，真正的「菩提道」！另一個「相似道」，具足深契「識光明的，照明放光」。需經「意念專注，與無念深入」的工夫。才能！

此即是，「昔邪師經驗用識導引術，無明之識變」，「想相識分明之放光」。如同「咒術」之作法，「祕藏於心」。如是「無明識念光」之來源！

如是「相應無明，識分明之識空照明。經七大，地、水、火、風、空、識、見等，識分明之照明」作用！如是「如夢如幻，識變轉相，與功能」之展現!?

而「究竟一真理體」中。自然「七大照明遍照，無生果。能真正自在的，大神變現象之展

現。自然法爾中，吉祥、如意、智慧、圓滿、造化現象之圓融任運」！如是「究竟廣大光明體，平等現象」之內涵！

所以，「究竟的神通，是不用學習的」。因為「道地後，當下深契如是，自在廣大的，究竟光明體。與廣大遍照。皆是廣大自在，神通緣起之自然法爾任運」！「本來俱足，此自然神變，造化之菩提」啊！

如是「無明幻變之學習。經由認識諸法後，能識分明的，照明」之使用！因此「奇妙無明中，思想識變之轉化」相，而「如是，祕念，識變之作用著」！

原來；「識變的神通，皆是經由識分明，想相之使用」！而「深然用工夫的，祕念深契入」中。如是「識分明，使用想相之引用。而密宗道，與黑法、數術等，更而咒術法」等。如是，

 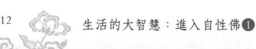

「識分明，祕念想相，導引之應用」！

　　如是「深藏，識變種中，於累劫昔性之深念。與識變植種，如是祕念執識的，深念，能成象相現象。流行於久練識變種中，花果性相之無明相應」！？「如是，長久練習，於象相幻法」。雖有時「靈驗」。然非「究竟之菩提道」！

　　如同「天道，與魔道之欲界、非欲界、色界、非色界、想界、非想界、非想非非想界」之區分一樣；亦是「無明唯識分明中，意念照明之使用」！如是，「幻法神通之應用」著。如是，「自然識變，與幻變之術法變現」！

　　「釋佛，自入大道，究竟覺悟平等」後，深契「廣大究竟光明體」之究竟。皆在「本來面目，廣大無性相，畢竟空體」之涵養。與「廣大遍照，全然緣起。自然法爾現象之圓融。──之展現」！

如同，《大日經》之所載。如「金剛部、理趣部等，諸經典」所描述。皆是「真理究竟光明體，與廣大遍照之當下」！如是「究竟體性中，同體分明之智慧菩提之圓融」中。

　　在「釋佛而言，是自見、自入、自證」的！而在「弟子、信者而言，則是因聞，入自心」中！仍是「各自唯識，自祕，各自以為之含藏中」！更而「後世之修者，則是因緣經典之自見，與唯識之想像，而模仿用識之以為，而修持著」！

　　如「照相般，自唯識，體性相中，模仿著，識分明」之修持!?可謂「自我，描繪」著。效法「緣起菩提道，圖相般」的，而「自祕修」著。

　　久之，「自成識明中，各異識心境之照明。如是識分明，放光之轉相境界。即是自入，諸幻化之法界中。卻是自唯識，模仿之學習」！「所

514　　生活的大智慧：進入自性佛❶

成就，如是相似道」。卻非「真實諸佛體性，遍照緣起」之「菩提道」！

「無明自以為，一時之成就，而進入者。卻仍是自迷，唯識無明，自以為」中！自「圖相幻化般，相應諸識變，學習之道」。豈非「究竟真相，菩提道緣起之遍照，如是真實菩提道」乎！？望「參明」！

所以，「阿賴耶識體性相中，自然無明相應之迷幻。如是唯識，漸入識分明之修習。為相似道」！而「非菩提道」！

如是「當下，無明唯識之破相。仍在識體，性相中，自仍迷失，深入，迷相轉變」中！「更而，深契破相，皈體般的，逐步無明，境界之深入」！如是，「識明照明，識變之苦修中。為相似道」之作用！

經由「究竟覺悟之大行」，而「當下，廣

大光明體」中。與「當下，廣大遍照自然法爾現象，究竟平等之緣起，十一法界之超越，與覺悟平等現象中」！「自然如是，廣大任運無礙，同體智慧分明之圓融中。吉祥如意圓滿現象之自然展現。如是之遍照定義中」！

以上「長篇大論般的，敘述」；皆是「相異，世間之諸論、與經典、著作」等。「相異區隔」著。如是「唯識之自經驗」，與「究竟光明體」之深契展現！

如是「自入其中真相，深然究竟大光明體」中。完全，皆是「本人深內」，自然「同體分明智慧」之展現！而能如是，「究竟體性。自然，自明之廣大遍照」！

「多年來，為著探討著生命之真相；而努力著。由外唯識，更而內捨識。探源的；更入究竟覺悟之平等」中！「向內深然，究竟光明體，絕

對全然涵養的，實踐」著。期能「真正深入，究竟真理，真實真相」之涵養中！

如是「分明的表達中。或許因此，得罪他人之見識，與所學之成就」等。但，這是「難免，不得已之對立」！亦是「無奈，本來無一物中。究竟無性相，應有真理之真實面」！

但為了「真理，與真相，只有真言的，緣起菩提同體分明智慧的，直行而出。坦然的自然法爾現象；於當下」中！如是，「廣大遍照。究竟，獨行」的。卻在「同體智慧的，自知」中！「不得不，順行自然法爾現象之圓融展現。流露著，表達著」！？

在心中，「本著同體，眾生，皆是佛的同理心。著作此書。當下，仍是究竟，一切，皆是帶不走的空幻」。亦是「究竟無所得的，如夢幻一場」！如是「究竟平等，如夢幻」之「究竟覺悟

平等」中！

　　「實在不值得，為此如夢幻知見之爭執，更而彼此因緣認知間，知見之誤解。更費時的，浪費心血的，爭論著」！惟「有緣者，能客觀的信入，結入善緣」中。豈非乎!?

　　如今，「大膽，而真實的敘述著，來自深內之覺悟。自發現著的，累劫無明相應識體中，如是無明深重識種之無明縛。竟是生命中，主角般之重要」！竟「能因此主宰著，究竟覺悟，與無明輪迴之主題」!?

　　「以上所言，皆是筆者，於真實生活過程中；自體悟之真實」！「若因此，對他人異議者之得罪。望多所包涵」!?亦「期望，在廣大包容中。能一笑的，泯對立之批判」!?如是「深契究竟絕對概念」，與「渾然一體」之同體分明智慧之明覺中！

如此，祕見「本來無一物中，眾生皆是佛之共體」。如此，「在不增不減，究竟之同體」中；「卻增減出，一份勝增上緣」之妙覺悟！如是「泯性相，皈體」，「究竟絕對之剎那當下」，永恆中！

　　今生，「曾在無知、無明。長久迷失迷縛之上半生」中；如今「已建立下半生，究竟真理體之覺悟。深契究竟絕對之超越，與看破」!?但是「真實生死過程中，能究竟依靠」的。卻是「百年之後；能分明真實，究竟承擔」的。如是，「自是、自見、自明」中。真實真理，「究竟體」之內涵!?

　　而世人，「皆如是的茫然，於世間。只為了今生的生活」。卻「貧乏，而無知著」，當下今生之發展。與究竟生命的真諦」!?「不知該如何，處理往後，死後的空間」！

「死後，更無明無知中。更而往後，仍在無明之迷失，與生死間之輪迴」！到底「如此生死空間的過程，與差異」，是如何呢!?「死後之魂魄。又該皈，何處」呢!?真是「重大而無明迷失的課題」啊！但是「今生人生中，卻是無明迷失。而無法深契，離性相皈體的。究竟絕對真實真理」之「探討」!?

　　早知道；「在生前，就應為生命的真理，與真相之探究」，準備好！不應為「自己無明今生之時空，而茫然其中的迷失著。如是迷縛夢幻」中!?反正「一切如夢幻，到死，皆帶不走」！應該因此究竟絕對「確切究竟心靈體之同體分明，與萬法諸相之認識」。與「究竟當下，分明之實踐」，才是!?

　　不需「百年之後，而後悔。該何去何從，如是無明繼續之相應，而迷茫的、迷惑困擾」著！

「甚而，仍是沿襲累劫之無明。與無明迷失，昔性之必然，與輪迴」中!?

　　如是「究竟絕對，大事之探討。最後已臻時，才後悔」。「自大嘆，今生與當下剎那，無明之迷失。更而，大罵自己」!?自己「皆應事先預防，而當下永恆中，充分準備」。為何「獨對此事，卻茫然今生，無明迷失光陰的。長久逃避。而不探討」!?

　　當下，「剎那死時，卻在無明的，茫然」中。剎那間，茫然的，「廣大，失去了原本今生生活世間，曾擁有的一切」!「包括，身分、家人、因緣、房地產、金錢、朋友」等，更而「巨大的財富」等！

　　只有「孤單，而獨自的，面對著」。如此「無知，與無明相應」著。如是在「變化多端、迷幻奇雜的空間，景象中。卻是，累劫當下，無

明業力的變現」！

在「廣大無明之相應中；卻有著莫明，而巨大的漩渦吸引力，在前方。莫明的，吸引著，向前吸入」！?「該進，或該退」呢！?能「停止不入嗎？真徬徨，無依」啊！剎那當下中，「自覺，絕對真理概念之深契，當相，當性的，廣見性相之深義！?更因此，妙見究竟，平等同體。如如不動體之涵養」！?

但「廣大迷失在無明之相應中，卻是無知。而痛苦無助」的。才知「無明相應中，自然要投入的空間。卻是，真的不認識」！?何者「才是自己生死之過程中，當下之本來面目」！?與「茫然迷失徬徨中，如何才是，該去的路線」！?

「如何生命真相之探討。才應是今生中；除了生活應有的努力外，亦應準備」的！?於「今生中，究竟真理，要探討的。仍應抽空，準備」

才是!?所以,「凡事萬全的準備,才是今生與來生,以及當下。與永恆究竟之絕對,必備之覺悟」!

現今「人類的世界,只注重的,是今生生存的,存有實在」。與「人類生活的,活在當下,進化之圓滿」。更而,「生老病死間之醫療、科學、與經濟服務等」。如是「符合現代之生活所需,與生活之潮流。與身體健康之醫學進步等」。

死後,仍「繼續累劫昔性之無明,而如夢幻般的輪迴」著。「如同世間之生活般。本來迷失用識,無明之相應。與用識之現象,發生」一樣。亦「於死後,仍用識著,無明之相應,繼續著。自本有無明迷失之昔性意識」。

仍是「無明迷縛的,自然無明之迷失,與發生受用著」。如是「繼續於死後之空間。無明迷

失用識的，相應的，發生」著。因此，「繼續無明迷識，生死輪迴，循環」著。「如此，輪迴無明昔性。與永生生死的，變化」著!?

「死後之課題」，卻是「人類彼此間，與文化、媒體、甚而宗教」等之忌諱!?在「害怕的提起中；更逃避的，死亡後之討論與面對」。更而「茫然中，想辦法的，避開，與忘掉」！更「不會面對的；與主動的提及」！

若能「事先各自思想中，積極準備，如此嚴肅生命之真理，與真相的課題」。自然「死後，不會自陷無明昔性，與無明相應之繼續迷失」！於「茫然之皈向中。更因此，不再無知，與無明。徬徨與茫然的，迷縛其中」！

在「大喊無奈、救命時。卻茫然無知，與不知中。是在何處」!?「如何!?才是真正的皈所」!?卻是「為何，未死前，仍自我安慰的。如

此，迷縛無明相應之迷失」著!?

仍是「無明執迷，用識昔性，自以為的觀念中。接受著繼續無明之迷失」!?「卻自以為的，迷失其中。接受一般友人的祝福，與美好的言語」!?「如是，無明觀念，自我迷失相信的，以為著」!在「必然，自以為中。死後，必定上天堂的往生。與美好的畈天」!?「但真實中，自我安慰之迷失。真正有用」嗎!?

以上，「無條件，無藏私的，提供究竟之真理真相。更在真相事實，與法喜充滿中。希望能真實廣助有緣，實契信入」中！能「共入此究竟之覺悟平等，與深契此絕對之真相」中。「共參」!?

如此，令「自他，同體一如的。皆共享入此，廣大絕對大光明體之真實覺悟平等」中！能因此「自在，自主的，深契性相，究竟之覺悟平

等」中！「更因此，深契究竟捨離。如是，無性相。與畢竟空體，與究竟之大覺悟平等」中！

如是「生前、死後之當下；皆是深契，廣大剎那之永恆。與廣然，真實之自在絕對」！如如「廣大光明體之真相中，如是大自在。永恆之光明體，與全體的，存有著」！豈非「能永恆昄體中，任運無礙。於永恆自在性相之大樂」哉!?

「方才覺悟，成為首富，與當權者之必要」否!?更而「積極人生之建立!?否則，孜孜營生之目的，為何」!?原來，「如夢幻光陰時光之應用，是當下，與爾後。生命趨向之關鍵」!?是否能「如幻一如之真正兩全，隨緣任運菩提造化，分明智慧」，無礙現象之今生呢!?

是否「仍迷失繼續，與累劫人生無明。更而因此，歷史至今之價值。與生活之意義」!?「或者，效法釋佛般。全力追尋生命究竟真理之探

 生活的大智慧：進入自性佛 ❶

討」!?或者，「如宗教界，各宗教之迷失信仰，與修道般。自以為的宗教生活著」!?

　　「或者，當下今生。深契，究竟無明與光明，究竟之平等覺悟」中!?仍是「平凡生活，在今生之營生中。內涵，卻是究竟真理之真正覺悟」！於「百年人生中，能修道與生活，平等並列乎」!?於「當下實契，究竟之真理，與真實人生。如是，當下真實深契平等之覺悟。與究竟絕對，深契之涵養」!?

結論

　　以「過去」而言；沒有昔日過程之「想相與相應」。如是行持「無無明盡」完全捨離之工夫！像一般無明凡夫，經常訴苦：「為何感受那麼痛苦？那麼悶？煩惱一直流露」！即是「無明，相應累劫無明種子」，所流露的「想相與相應的過程」！一般皆是，「前世無明識種，花果性相」的流露。

　　就好像「洗水溝」一樣，剛開始時，「比較骯髒的水，一直會先流出來」。如是，清洗「前世」的一切觀念，與感受流露時。「前世比較煩惱不好的感受」，會「先流露出來」！

　　因此，在「流露清洗過程」中，再怎麼的痛苦，不堪忍受，亦不要「跟它糾纏，與迷失」著。

就是「實踐，不要管它的。自覺分明，與如夢幻的，覺悟」中。「靜靜的看著，痛苦與感受的，流露」。但是「卻在深然，自覺中。卻是深入，不要前世。無明相應迷失的，究竟覺悟，與捨離」中！如是「無此前世無明之突破，與覺悟。即是無無明經久工夫之行持。叫作實契無無明盡」之工夫中。

　　「覺悟工夫的行持，透過究竟深契，本來無一物分明的覺悟」。「如是，無明前世煩惱之流露，與束縛。迷失相應著，累劫阿賴耶識種」。自然「因緣時節，花果性相之表達。皆是無明，如夢如幻的不真實」。

　　以「覺悟之照明，究竟突破，如夢幻之虛假。與自我以為的，感受與決定」！「在無明，容易迷失之之警覺中，剎那突破」。自然能見「究竟捨離之工夫，與如是必要之涵養」。

如是「真實深契，無無明盡的行持。確實經久覺悟之實踐」。能見「當下，空中之本質。究竟如如之涵養，與絕對真實，光明體之內涵」！

　　如是「當下明覺，自在覺悟。再再分明」中。自然深契，「無智亦無得，完全無所得之究竟覺悟平等中」。如是「更深之覺悟，與再再之涵養。如是內涵之深契」！

　　剎那「當下，皆能如是深契自覺。本來，如夢幻之無明。則能究竟平等，與深契究竟光明體」。如是，「廣大精神，自在之展現」！

　　每一個「剎那當下，皆是自在永恆的。如是深契，如如真實之涵養，與自然廣大，究竟光明體之真實佛身」！「因此自覺，對於無明之累劫相應，與輪迴。當下之剎那覺悟，絕對之平等，即是真實，廣大絕對，如如本質之真實內涵」！

　　對於「中間過程，超越之突破，與究竟之

覺悟。皆非必要研究之深契。必須步步，與層層之突破，與超越」！在「人生苦短的，精煉中。當下，直入絕對概念，究竟之真理，與平等的實臻」！

在「剎那當下遍處中，即是深契，永恆之處處。廣大絕對，究竟光明體之真實」!?所以，「煩惱即菩提，無明即造化，凡夫即佛身」等！皆是「究竟覺悟平等，與當下絕對之實踐。如是真實剎那絕對不動體之平等覺悟」。即是「究竟體性中，永恆自在體，與光明之遍照」！

「現在剎那：當下『空中、如如』、『恆能覺悟平等』。完全無所得之『無智亦無得』。就是深契究竟覺悟平等。一切好壞、利害、得失。都完全捨離，不要糾纏。性相畋體的當下，深契無性相，絕對之概念。畢竟空體，只有當下究竟之平等的，如是，究竟如如體，而性相」之涵養！

亦「恆能當下，究竟同體自在分明之覺悟
深契絕對。連智與得，性相的內涵。亦當下皈體
的，看破不迷」！如是「深契究竟，無所得之覺
悟平等，與當下深契皈體，究竟絕對。廣大究竟
光明體同體，分明智慧之涵養」！

　　「未來：『菩提』之緣起，見『當下』，
『圓融』。完全『無所得』。再再，涵養中」。
就是「自在緣起，自然照明，遍照中。所有萬法
菩提之造化，都是緣起照明，自然法爾現象圓融
之造化」！如是「圓融，同體智慧分明，菩提造
化之照明緣起。更深契究竟無所得，究竟之覺悟
平等」！

　　如是「行持涵養，照明之緣起。再再深契，
當下圓融，與究竟無所得」之覺悟平等。「如
是，涵養如如，再再涵養工夫。廣大究竟光明
體，全體之擴充」！

「佛」，就是「無過去、無現在」。只有「當下，究竟自在永恆。究竟光明體，全體之緣起照明，與當下遍照照明之圓融」！所以「在死後的空間中，自然當下。如是廣大遍照，菩提照明之造化，處處照明的緣起」！「祂的空間，永遠是究竟體性。永恆全體，廣大光明體，與遍照」！而「究竟，安定的。完全沒有迷縛無明輪迴，迷失」的空間。

當下做到，「完全沒有過去與現在的，感受、觀念和現象迷失」之內涵。在「覺悟究竟平等，當下深契絕對。全體，廣大光明體的內涵」！一切，「都深契究竟捨離，與完全不糾纏之迷失」！

沒有「過去的相應，只有深契當下，究竟之覺悟平等」！「如是，自覺，當下絕對如如。究竟廣大之光明體，與涵養遍照之必要」！和「同

體分明，智慧菩提造化，廣大之現象圓融。自然緣起，菩提造化現象，與照明的變化」回皈!?

　　「死」，對於「能遍照深契，菩提緣起照明的人來講。雖然沒有了肉身，但是剎那之當下，精神和感受的空間。卻是深契，廣大光明之遍照」，與「永恆」！

　　如是「廣大光明之內涵，與究竟之絕對，體性。都是究竟光明體，與遍照之照明」空間！自然「當下之永恆，皆在廣大光明。能緣起，廣大之照明平等。究竟佛道之菩提造化」！

　　所以「深契真正佛道的人，不會有無明迷縛之慾望、也不會發脾氣。沒有使用兵法布局的強烈慾望，也不會強取豪奪」！因為沒有「無明相應之種子、沒有無明的迷失。亦沒有相應之迷縛。與迷失幻想之想相識變」！

　　「完全的，究竟絕對的，體性內涵，只有究

竟廣大的光明體。只有如如的涵養，放光遍照之緣起」。只有「緣起放光，三個不同類型菩提造化。圓融自然法爾現象，菩提之造化」！

「如是究竟同體一如，智慧之分明。就是在一體兩面。深契絕對，自在廣大光明體，與遍照放光，體而性相的，真實體性流露」！

「更深契，能當下感謝。無二分痛苦的相應，和無明糾纏」。「當下無性相中，做到完全不迷失，於迷縛相應的，無明糾纏中。亦不縛，於迷幻之想相」！只有「究竟當下皈體。深契真實究竟光明體的，如如之遍照菩提造化之內涵」。

「一切痛苦之深縛，都是累劫阿賴耶識的無明相應，和前世迷失，如夢幻迷縛之展現。這一切當下，無明之流露，能明覺不迷」！「如是當下，直入如如，究竟光明體的，絕對全體之涵

養」！

完全「都在究竟絕對皈體，不糾纏」中！「沒有過去、沒有現在之迷縛想相。只有究竟體性，當下廣大之遍照。與緣起照明菩提造化現象之圓融。與自然，吉祥如意圓滿之菩提無生果造化」！

「當下之現在，要怎麼做」呢？就是「能見明遍照，過去萬法。所有的感受、觀念、現象、痛苦、快樂等，深契完全受用之捨離。與不要迷失。與迷縛」！當下「點、線、面、體的，廣大深入。究竟無性相，畢竟空體」之內涵！一切實契絕對體，「自然究竟全體之光明體，與大自在之內涵」。

若「當下之現在，深契完全不要迷。整個精神之內涵，都是絕對，而究竟的空體」！自然「廣大之涵養，如如的真實。自然皆是，絕對究

竟廣大，光明體」的全體！究竟真理之涵養！

亦「就是能，究竟捨離，一切之無明，與不可思議境相之迷失」。「當下，整個精神領域，皆是真正畢竟空體的內涵。自然廣大的光明精神體，瀰佈廣大真實，與真理的，究竟體之空間」！皆是「究竟涅槃，絕對之心境體」。「展現，與遍照。如是，緣起廣大菩提造化」之表達！

在「當下，同體一如之涵養中，能剎那真正的，知道。它在講什麼」。與「究竟，該如何智慧分明的，圓融其中」！

所謂「深契，無無明之工夫內涵，就是做到完全沒有無明之想相，和無明之相應」！只有深契「當下究竟，廣大遍照之緣起，和廣大全體之究竟平等。如是三菩提緣起。如是自然法爾，現象平等圓融，與菩提造化」之展現！

「緣起，它會在，同體之一體兩面。與體性之展現，與遍照。無中生有，菩提之造化」展現！

　　「一般凡夫，與未到究竟覺悟者。無法，回皈自心之體悟，與見明。皆見不到這個遍照，與緣起照明。與無中生有，菩提之造化果」。

　　其實「遍照，現象，處處。都是妙緣起之菩提造化」！惟深契「自心覺悟，回皈究竟體性。真正同體一如之分明智慧者。方能深契自然法爾現象，如是真言之圓融」！「空間中，廣大遍照。遍處都是。廣大照明之吉祥、如意、圓滿，與緣起之自然現象身」啊！

　　「再怎麼痛苦、不如意，都不要跟它相應。和想相之糾纏迷縛。完全做到回皈自心體悟之深契。如是覺悟分明」的。「究竟否定」中！

　　「現在過了，就是進入未來之內涵。整個

同體一如之遍照，與放光照明之緣起。就是未來
菩提造化，遍照照明之展現」！如是「深契，究
竟自在之畢竟空體時，整個都是究竟廣大光明體
之體性。衪是究竟無性相，究竟絕對，光明體的
真實」！如是「自然體性，完全廣大遍照的，放
光」！

　　在「光明的真實中，只能看到緣起之照明菩
提造化。完全沒有生死相。恆常皆是，究竟光明
體，與剎那之永恆」！

　　所以，在「緣起之未來，與究竟光明體的
看。是自然性起。如是廣大照明之遍照」！在
「廣大平等，同體分明智慧菩提的看中。是究竟
深契，自然法爾現象之圓融，吉祥如意圓滿」的
看！

　　當下，「不管感受、觀念和現象，是多麼
的無明煩惱受用，都不要處在，無明相應之迷

失」！只能「深然究竟，深契，進入究竟祕密，廣大光明體。真實如如，內涵之心境」！這個「深契絕對之內涵，與究竟平等。就是當下」的直入！

「看了，如是菩提造化之緣起。仍要回畈究竟無所得的覺悟。一切，都是究竟不可得，再再之覺悟。無性相，畢竟空體。真實究竟之光明體。與究竟如如的，涵養」！

所以「對於一切事情，不能煩惱糾纏、唉聲嘆氣」！「進入到如夢幻的，究竟真實之覺悟。都是法爾自然現象的，智慧圓融。都在完全捨離，究竟無性相之不糾纏」！

只有「冷靜，同體分明智慧的、圓融現象的面對。包括死，也不被死所迷。能深然進入，當下究竟之平等」！如是，「死，等於不死的，究竟平等。如是，究竟真實覺悟之心境」！

所以「當死時，離開肉體。思想，都能深契究竟光明體的，覺悟」！自然，「整個都在放光，遍照。沒有想法，沒有相應。只有無性相的，畢竟空體」之進入！只有「究竟光明體的，體性緣起。能緣起遍照，廣大照明之菩提造化」！

　　這是「最高的結論、亦是最高的工夫內涵！在究竟覺悟之心境，要如此無性相。畢竟空體的。如是究竟光明體」！如此「究竟覺悟平等，如此當下的。淬煉」著！

　　「至親，與兒孫等，改天，都要生死離別。若糾纏放不開。就深陷，永遠放不開之迷縛」！「雖然，人生到最後，皆是各走各自的路！這是生死，本來之自然」！到最後，「一定會進入完全不能糾纏。各自分離，獨自面對之事實」中！

　　所以「不管現象、觀念、感受是如何的情

況。深契當下，無性相之捨離。與畢竟空體之深契」！「皆能化成，究竟全體。整個光明體的，自在。即是究竟無性相之自性佛身」！

　　當下，「所有的一切，都完全不要糾纏。即能轉化，整個無明的當下，皆是究竟如如的，光明體身」！整個「皆是自然，遍照照明之緣起菩提造化。與整個自然法爾之現象，皆是光明吉祥如意，智慧菩提造化的圓融」！如是「再再涵養，廣大究竟無所得。深契更廣大究竟光明體，與究竟如如之涵養」身！

　　要做到「完完全全的，深契無明之不糾纏，當下深契如如廣大，光明體的自性佛身」。就是「深契智慧照明，本來無一物的，究竟覺悟平等」啊！

　　在究竟「看破，自然累劫，如夢幻無明之相應」。「自然無明，性相之前世就消失」！當下

生活的大智慧：進入自性佛 ❶

「究竟體性，就是廣大光明體，與遍照的，自性佛身」！

什麼叫「無明」？「恆常迷失，在乎子孫、員工、生意好壞的迷縛。這個就是，活在無明不知覺，世間因緣相應的，迷失之糾纏」！若能「深契，不在乎無明之迷縛。即能深契無性相，畢竟空體。而且永遠沒有脾氣、心都在不動，無迷失」！

「自然累劫的前世，就好像做一場夢。那個本來迷縛的感受、觀念和現象等，都會深契究竟，如夢幻的。消失」！

實際上，「它沒有玩弄你，因為它就是你。是你一直在迷縛無明中，迷失的糾纏它」！一直「迷失無明其中的，不願意。亦不能自覺的，把它看破」！

當看到「自己的前世，都是很煩惱、很糾

纏、很憂鬱」的。「不要因此，迷失與迷縛。無明的，往來」！自然「在深然分明的覺悟。就能深契，完全的捨離」。自然，「如夢幻般的，就因此究竟之覺悟，而消失」了！

「如何，跟佛往來」！？「佛身」，即是深契「究竟自在，廣大的光明體」。

「重點，再簡化：於過去；不要想相」。「今天」；就是「回皈當下，於如如究竟，究竟光明體，空中本質之涵養」！而「明天」，就是「菩提之緣起，遍照之照明。如是同體分明智慧，隨順之圓融」。

從「無無明；到無無明盡；到一切無所得之究竟無性相」！「一切無所得，連菩提的造化緣起，能得到什麼好處，都不糾纏」。如是「深契，達到究竟無所得，畢竟空體」。「廣大光明體的，究竟覺悟」心境！

既然「一切帶不走。既然未來，亦皆帶不走。當下，就在深契覺悟平等，完全帶不走」中！「自然當下，整個都是，廣大全體，究竟之光明體。自然能緣起，當下十一個法界，遍照照明的，一切菩提之造化」。如是，「一切收穫，仍都，帶不走」！

　　所以「在緣起十一個法界菩提造化，包括一真法界的如來境界」。也是「究竟無所得」的！即使能「得到很多造化之內涵和境界。這些，仍是如夢幻般的。做一場夢」！

　　十法界的「假」，與一真法界的「真」；如是「真假」之內涵，若「如夢幻」般！

　　達到「究竟佛的，最高境界時。看菩薩、類佛、類菩薩、辟支佛、阿羅漢、和六惡道等。亦都是如夢幻，中間過程的，一場夢幻的表達」！

　　在「做一場夢中。卻能當下深契，佛的菩提

造化。叫作一體兩面。究竟光明體，與遍照菩提造化之緣起」！像「渡眾生，也是做一場夢。是究竟無所得的一場夢」！但是「能因此，讓做一場夢的人。能跟著醒來」覺悟啊！

「來世間出生時，是一個人。走的時候，也是一個人」。但是「卻無明糾纏迷失著，捨不得在世間，所建立因緣，與糾纏之迷縛。與愛恨情仇、財富因緣」等！因此「深陷，無明迷失。真是徬徨的，迷縛」啊！

在「恍然大悟，人生一場空。完全覺悟的，深契來去。這樣的，真正覺悟。才是，最重要的」！

「茶來伸手、飯來張口」，完全深契「究竟不作意，完全不動」之涵養。就「這麼自然！這個，就是深契全體究竟，完全之光明體」。如是自然，「廣大自在，無性相之皈體。與法爾自然

現象，究竟自性佛」的生活。

　　「突然快樂」了！因為「深契究竟之覺悟。
因此自在無性相，畢竟空體的內涵中。如是無性
相佛。究竟顯明，全體之光明體」！

　　「自然遍照，放光的熱起來」了！「整個空
間，自然都是一體兩面的，究竟體性。廣大究竟
的光明體，與廣大遍照之緣起照明造化」！產生
「熱造化」之受用。

　　現在雖「還沒有死。但是當下，能深契，死
後的空間。如是深契當下，進入已成習慣。住在
當下，永恆之究竟光明體」！「如是真理，究竟
佛自在的，絕對空間」！

　　縱使「今生得到什麼。深契究竟之覺悟，與
無所得！雖然，還是過一樣的生活。但是深契，
究竟光明體之心境，卻很富有」！

　　所以「無無明、亦無無明盡，進入完全究竟

覺悟的，無所得」！如是「死後的空間，和現在今生，平等的覺悟」。完全如是，「深契永恆，究竟之平等，究竟無所得」！

完全「活在究竟，如夢幻之無所得。廣大究竟光明體。沒有今生，也沒有死亡後。只有完全究竟之真實」！「究竟之剎那。究竟平等，於永恆之當下」！

在「十一個法界，如夢幻的過程中，叫作中間過程，修持的內涵」。論的是：「人生苦短，用直接當下，究竟覺悟之平等。來超越」！「如是，當下十一個法界如夢幻。經由剎那，同體之當下。究竟之覺悟平等」！

就是「全然，究竟光明體，絕對精神之內涵。如是如如真理，本質。無性相，畢竟空之內涵」。「涵養，即是廣大全體，絕對廣大。究竟光明體之真實」！

為什麼「要省略，中間過程」？因為「百年人生很短暫。直接講無明之究竟捨離，直接講覺悟之究竟平等」！從「無明，直接深契。遍照菩提造化之緣起」！

　　如是十法界，「假」之法界！歷經，「好壞、利害、得失、是非、善惡等，如夢幻虛假的，對立。如此，無明之相對法。如是相對之無明，就是如夢幻，虛假的相對法」！

　　「如來法，沒有微細之相對。叫無二平等，絕對法。從相對，進入到絕對」！但是這個「絕對，還不是究竟的絕對。祂還有法界真，性相之迷失（註：一真法界）」！

　　如是「真與假的，微細法界相，尚未泯相」。深契，「究竟的絕對」！

　　如是，泯「真假二分，深契之無二平等。即是深契尚未究竟，絕對之平等」！若「再深契絕

對，即是真正究竟光明體。如如本質之涵養。為概念真理之本身，即是究竟之絕對。與真實之內涵」！

「六惡道」，是「粗高的相對。就像天人的生活，和地獄的生活。是兩個如夢幻，不同境界之相對」！人類也是一樣，有貧窮的人，和富有的人。也是「如夢幻的兩個相對」！

而「四聖道」，雖是「較微細之相對。祂還有更微細之相對存在。就是還有微細識之分析、衡量、判斷等。如是微細識依之微細相對，與作用之迷失」。

一般人「受別人批評時，自然累劫無明的種子，花果性相，就一直無明相應的，迸放出來」！那是「累劫無明，阿賴耶識種，與花果性相之相應」！因為有「種子」，才會「開花」、才會「結果」啊！所以講「阿賴耶識種，花果性

相之無明相應。如是識縛，性相之迷失。就是莫明糾纏之迷縛」！

這時，「該怎麼辦？就是深行看破。深契，完全捨離。如夢幻迷縛之究竟覺悟」！與「無無明和無無明盡，究竟無所得的工夫！

就在行持「十一法界。如是中間過程的修持，都不要迷縛。連類佛、類菩薩之內涵，都不要迷失的探討，浪費時間」！若能直入「神通萬法的，千變萬化中。也不要浪費時間的，迷執研究」！

甚而，連「一真法界的，平等不二。真的光明相法界，也不要迷執！這個絕對，是初絕對。還不是究竟的絕對」！所以「十一法界之真假法界。要深契當下，究竟的捨離」。如是深契「無我、無法、無無常之深契。才是究竟絕對，平等無性相。與如如究竟光明體的，涵養」！

從「粗相對，到細相對；再到初絕對。也要究竟捨離，不迷的，不要了」！要「真正深契，究竟的絕對，與究竟覺悟之行持」！那就是「真正深契」，「如如」、「本質」、「真理」、「中道」、「實相」、「無相」的內涵啊！

　　「行中道」，就是「行入，不偏真假。實入，究竟絕對真理，與究竟之真實中」！

　　什麼叫「中道」？就是「不偏假」（註：「假」就是「十法界」），「也不偏空」（註：「空」就是「如來法界」）。「行入中道」，就是「深契捨離真假之迷失。究竟行入，絕對的，廣大光明體。那個真實」中！那個「真正的內涵，就是真正真實的，實相內涵」！

　　當講到「十法界，不要時。緣起的菩提造化展現，自然流露著，黑色和灰色的空間，都不見了」！「黑色的空間」，叫作「六惡道」。「灰

色的空間」，叫作「四聖道」。都「如夢幻的，不見」了！

講「不要中間過程的，浪費時間。與究竟精神之修持。連一真法界，也不要多花時間。如是，迷失在微細無明，與十一法界的探討」！在「緣起菩提造化，天空自然出現銀白色的空間。然後天空是透明的」。「銀白色的空間，叫作一真法界」。能進入「透明的空間，就是究竟真實之真理。如是，廣大光明體，絕對」的空間！

如是「究竟覺悟的，廣大光明體之看中。自然，一體兩面。遍照緣起，無中生有之菩提造化」。透過「眼睛，能緣起看到，菩提造化。展現在眼睛」！

直接「無明相應、如是十一法界，與如是中間過程。甚而，當下直入。最究竟的平等覺悟」。這個就是「當下深契，如如本質。廣大光

明體，與真實的內涵」！在「講的同時，自然看到：一把箭，整個穿過黑色、灰色、銀白色、和透明的空間。不斷的往前面衝」！這個，「就是深契當下，直入涵養。最究竟廣大光明體的，絕對平等」！

當下，能「看到：整個空間，是究竟透明的光明體」！「那個就是，究竟廣大全體之光明體。與絕對真理」的涵養。

「菩提造化」在哪裡？「當下，緣起遍照，照明不離十法界。不離一真法界。也不離當下。究竟之光明體，與如如本質的涵養」！

如是「菩提造化，又復回皈。如夢幻，究竟無所得。如是再再之涵養。就是再再深契，最究竟全體光明體的，絕對」！「如是，最究竟的不動，廣大平等」中！

在講時，「又看到：透明的能量體、和金

色的能量體。所謂透明的能量體，就是深契最深真理之平等。與絕對全體光明體的，涵養」！如是「深契究竟，透明之能量體，如如的涵養。與金色的能量體，就是同體，分明智慧菩提的，內涵」！

釋迦佛講道時，「先進入到，甚深禪定。就是進入到如如本質。究竟、絕對、真理、真實、與實相究竟，廣大光明體」的內涵！叫作「深契，究竟行中道，真理之實相體」！

「不偏十法界」，也「不偏一真法界」。如是當下，「直入其中，當下十一法界」。自然如是，「究竟絕對，全體廣大光明體」的，涵養！

當「深契究竟涵養時，全然自然法爾現象之圓融。撲天蓋地的，透過眼耳鼻舌身意，十八界的管道。都在廣大遍照的，放光」！「遍處都在放光。甚而如是，六地震動」！「如是，隨順自

然法爾現象之流露中」！

　　其實「不是釋迦佛，主動在放光」！?是「自然當下，深契無我、無法、無無常中。自然如是進入，如如涵養的。自然緣起遍照的，放光」中！

　　那個「緣起，自動廣大，遍照的放光。當下，不思議現象之展現。就是緣起菩提造化，遍照之放光，如是，自然法爾現象之流露」！就是「自然菩提造化之顯相，與同體分明之智慧。全體自然法爾現象的圓融」！如果「釋迦佛，如是有我、有法、有無常的。主動放光作為，就不是釋迦佛了」！?

　　「深契，這個菩提造化，也完全不要！如是，廣大神通萬法的，造化緣起所得。也完全不要」！整個「都是，回畈究竟無所得，廣大光明體。本來面目之涵養」。叫作「深契廣大，究竟

之絕對體」！

如是「究竟真如的涵養。叫作如如、本質。究竟廣大光明體的，涵養」！如是「真實行契，入中道。契實相、無性相行」之行持中！

如是「過程，自然緣起菩提造化，廣大的自見。如是透明的空間。像空氣一樣，不斷的在滾動。這叫作，如是絕對真實的，究竟光明體。涵養如如的，內涵」！

如是「同體分明之智慧，究竟真理本質的內涵。如此，究竟真理實相的內涵。為三世諸佛，皆共入此中」！這就是，「深契絕對，真理真實。究竟涅槃心境」的來源。

在講「究竟涅槃心境的來源時，自然同體緣起。看到：透明的，流動空間。慢慢變成，金黃色」！這個叫作「同體一如，平等真理中，自見分明的。廣大分明之智慧」！

道家、密宗等，專門講：「小周天、大周天、氣脈明點」等修煉。「如是的，觀自己。等於識放光想相，自意之專注。深契自己的精氣神、與氣脈明點」的修持！

　　如是「專注，能夠因此，生出識光明點。那個是，透過阿賴耶識的，用識之作意。因此，分明識之作用。叫作識分明的作用」！

　　「用意作用，還是在阿賴耶識，用識作意之使用。還迷在阿賴耶識的，性相作用」中！為「專注用識。用意專注，導引相之轉動，與變化」！

　　所以，「分明」有兩個：一個是「用識的，識空照明之分明」。另一個是「究竟絕對的光明體，遍照分明之照明」！另外還有「究竟絕對真理的，真實光明體」。和「阿賴耶識體的，識光明體」。這兩個，為「截然不同的心境，與成

就」！

　　「阿賴耶識的分明」，叫作「識分明」！如是「阿羅漢」的心境，則是「阿賴耶識的，識光明體」！自然「能看到，金色和銀色的空間」！

　　如是「深契全體，究竟絕對的，光明體」。自然看到「紅色的，空間。出現銀白色的，球體」！

　　所以「阿羅漢的境界，還是屬於用識無明的，中間過程。還有無明沒有破」。叫作「有餘涅槃」！而「究竟絕對的，究竟涅槃」，叫作「無餘涅槃」！這兩個，是不一樣的心境。一個，是「相應」的！一個，是「緣起」的！

　　「相應」，是要「相對的想相，自然無明因緣，相應，才有能所的變化」！而「阿羅漢的神通，就是如此應用識光明，想相的，運作心境之內涵」展現！

「究竟佛的神通」，就是深契「完全無性相，畢竟空體，完全沒有想」中！「整個空間，自然會自在遍照。廣大自然緣起放光，菩提造化的展現」！「完全沒有，我與法之作用存在。如是自在中，自然著神通萬法！圓融法爾自然現象的，廣大緣起」。

　　其「同體，智慧分明之圓融價值。就是自然法爾現象中，造化之生起。能智慧圓融的，契合。如是自然產生，吉祥如意的，圓滿」果報！

　　「不要我法執的，行持。即是深契，廣大的無我法！自然緣起廣大無性相。大我的張顯！叫作自然緣起菩提造化的，廣大放光」遍照！「菩提造化的結果。是廣大吉祥如意的，圓滿」！

　　自然看到：「透明的空間，出現金色的盤子。金色，就是同體分明智慧的照明。盤子，就是能智慧圓融的，承受福報的收成」！「自然能

結果，吉祥如意圓滿之造化。自然之匯皈。能深契同體，分明的智慧」。才能，「圓融深契的，廣大究竟平等，無所得的。究竟覺悟智慧的，接受它」！

因此，「廣大造化福報緣起的，自然之來皈。如是，自然深契，如如的內涵。自然，緣起放光。遍照之菩提造化」，皆是「吉祥如意圓滿的圓融」來皈！

如是「同體的，分明智慧。就是隨順自然，法爾現象。隨順圓滿，圓融的契合！如是法爾自然，自然現象任運」之進入！

所以，「無明相應，就會糾纏迷失。用識無明相應的，業報」！而「自然緣起中，就會得到菩提造化。自然法爾現象，任運放光之遍照。圓融吉祥如意的，福報」來皈！

「一即一切；一切即一」，是什麼意思？

「一」，就是進入到「究竟無所得，絕對的，平等究竟全體，光明體」。再再「擴充，廣大堅固平等的」涵養！

「即一切」，就是「能廣大緣起菩提造化，再再遍照的放光。如是，自然法爾現象。造化吉祥如意之果報造化」！如是「自然緣起之萬法，都是廣大的，菩提造化來皈」。

在「佛」來看，「萬法的變化。如是緣起，無中生有，都是放光遍照」。「菩提自然法爾現象，隨順任運之造化」！所以「一，即一切」之遍照，擴充廣大！

「一切即一」，就是把所有的「菩提造化，又回皈究竟無所得的覺悟」！再再涵養，「更深廣的如如，與究竟光明體。和本質的內涵。自然看到：白色的空間，中間出現透明的大日」。就是「在不斷無所得，與究竟覺悟之淬煉」！

回看「究竟覺悟平等的，涵養。即是深契究竟無所得的，究竟真理廣大。究竟全體光明體，與擴充之廣大，無所得覺悟」！

　　能夠「行入無無明盡之工夫涵養，如是究竟捨離，感受、觀念、現象和判斷等的迷縛」。當下如是「究竟無性相，寂滅深淨，皈體」心境之涵養！

　　當下深入，「完全無無明盡，究竟無所得之絕對。究竟深契完全究竟不動。與不主動，一切任自然之任運」。「完全，讓現象與感受之緣起，自動」！

　　「自然現象，是誰？」皆是，「究竟緣起之放光遍照」！「廣大究竟光明體之精神現象。和如如涵養之自然法爾現象，與遍照之放光」！如是，「自然法爾之任運」！

　　而如是深契「究竟覺悟之不動。這是究竟同

體，一如的，分明廣大之智慧，圓融吉祥如意現象」之展現！

一切「無明之沉悶、感受、疑惑等諸相，困縛迷失等。自然當下，深契之內涵。就會當下平等中，湧現出，廣大光明體之內涵」！而且「整個空間緣起，任運之體性。皆是自在廣大光明體，與放光自然法爾，智慧現象之遍照」！

在「廣大究竟光明體，絕對之佛身。亦是全然之精神身」。自然「瀰佈，廣大擴充堅固，一之精神身。就在四周十方遍佈著，處處之圍繞」！「法爾自然現象，分明智慧主動之緣起。遍照廣大之放光，出來」。自然「如是法爾自然現象，大我的展現著。回皈一的，擴充涵養堅固。如是究竟平等緣起，廣大無量自然，任運之現象」！

如是「自然之緣起，與自然法爾之任運。如

是自然吉祥如意，圓滿之來皈。都是回皈，究竟如如，究竟光明體」之涵養！

透過「當下，究竟捨離之超越平等，如是十一法界之中間過程。如是深契，究竟之淬煉平等。真理絕對，究竟平等之突破！深契究竟無所得，覺悟」之分明！「不斷的，究竟之破相。與超越的捨離」！

原本的「想法、觀念、判斷、以為、經驗、感受等。以及所有的現象，不論好壞現象等」。都如是的當下平等，與「畢竟空體，無性相之捨離中」！

在「究竟看破，不迷。與完全不用，深契當下，皆是自然的緣起，與放光遍照為準！如是放光照明之分明智慧，與菩提造化。與法爾自然之任運，圓融」！

如此「經久，究竟無所得。與工夫涵養之覺

悟平等。自然如是體性，自在廣大光明體。與緣
起自然法爾現象，隨順之智慧」！

　　如是，「一體的兩面」。一邊是「光明體之
究竟絕對」，一邊是「緣起遍照，照明之菩提造
化流露」！

　　「整個都是光，在現象中展現。叫作真正無
性相之內涵」！如是「自然緣起，遍照的變現。
叫作廣大照明遍處，菩提造化之緣起」！就是
「真正究竟深契，隨順智慧分明，自然法爾現象
的，造化任運」！祂會「遍照緣起的，帶動同體
分明智慧的，法爾自然現象。圓融回昄，究竟無
所得」之內涵！

　　如是「透過中間過程的超越，所有十一個
法界的破相。如是當下感受、觀念、想法、現象
等。在究竟覺悟之平等，本來無一物。都完全不
迷的，究竟捨離」！

心中，「自然見到，無量廣大之遍照，處處，諸佛菩薩金剛護法等菩提，環繞在四周。遍照一切處，都是廣大光明體」。與緣起之照明！以及「無量無邊所有十方諸佛，與菩薩金剛護法等，八面四方，曼陀羅的，報身佛」。如是「廣大無量無邊的，圓融安置現象，與智慧圓滿其中」！

所以「佛在哪裡」？就在「當下」！就在「無明煩惱之十一法界」中，當下平等，成就！

如是「深契，同體分明之智慧，與遍照放光的緣起，菩提之造化。看到透明，和銀白色的光」！「如是銀白色的光，叫作一真法界之緣起造化，是如法界之內涵」。所謂的「一真，究竟平等之無二，放光內涵。如是，一真之法界」！「相對十法界如夢幻，假。相應之法界」。如是「真假法界，皆能在究竟覺悟平等中。相應泯相

究竟的。完全捨離」！

「透明的光，叫作遍照。緣起，菩提造化之放光。祂和究竟光明體，是一體的兩面」！當「緣起菩提放光遍照，展現後。自然再再，回皈整個光明體之涵養」！

「最高智慧的，濃縮。就是當下深契，廣大光明體分明，智慧的覺悟」！

經由「眼睛、耳朵、鼻子、嘴巴、肉身、意想之六根，十八界等。和想法、觀念、感受、判斷、以為、分析、無明、相應等。都深入當下，究竟覺悟之平等。深契本來，無一物的真理」！「究竟絕對完全的，當下深契十一法界。究竟之否定，與究竟之捨離」！

當下「如夢幻泡影般的，絕對之覺悟平等。當下，如是完全否定，與究竟之捨離」！就是深契「無性相，畢竟空體，如如之涵養。與絕對真

理光明體，就在其中。不離其中，究竟不動之內涵。究竟深契，完全不想，與自在智慧明見之廣大」！

當下，就是「本來面目的，真實之內涵」！當下，「即是深契究竟光明體的，如如之不動」涵養！與「究竟無性相，畢竟空體的，究竟絕對」之涵養！

當下，「涵養到究竟光明體，如如不動。與絕對真實的內涵」，自然「眼睛、耳朵、鼻子、嘴巴、肉身、想法等管道，就變成能放光遍照，六根十八界。自然法爾現象，六字大明咒之放光」！就是「透過眼耳鼻舌身意，都在能廣大遍照，十八界之放光」！

整個「身體內外現象等，皆在究竟覺悟平等。與緣起遍照，萬化之放光」！都是「究竟體性，整個究竟的光明體。與廣大遍照之放光」！

「走到哪裡，就自然遍照。緣起之放光，到哪裡」。如是，「緣起菩提之造化。剎那，當下，展現著！

「任何念頭、與想相之流露，自然之緣起。皆是想到什麼事情，就展現。放光到那裡」！如是「自然法爾現象，隨順展現流露。如是，智慧分明造化現象，圓融之緣起」著！

自然「眼耳鼻舌身意，六根十八界，在放光遍照中。一切，緣起菩提之造化。才是進入，真正自性佛的，廣大內涵」！

第一個階段，當下「覺悟，如夢幻之虛假，捨離自己的眼耳鼻舌身意，與所有的感受、觀念、現象等，不要迷失、想相、以為、判斷、觀念等。深契究竟完全之捨離」！能夠「究竟捨離，進入當下，絕對之真實。和究竟光明體，如如的涵養」！如是，深契「如幻平等，究竟之真

理」！

第二個階段，形成「整個全體都是，廣大絕對究竟的，光明體」。「無性相的，光明體，就是裡面，沒有一切相」！就是「真正無性相，光明體的佛身」！「整個都是回皈，究竟，光明體的，完全沒有性相的。究竟，皈體」！

第三個階段，帶著「整個光明體的佛身，隨時在不動涵養，不想像中。自然隨緣，皆在不會想像之內涵」！身體是「肉身」。但是「心」，卻是「廣大究竟全體之光明體」！「走到哪裡，就緣起放光遍照，到哪裡。叫作緣起遍照的，廣大放光照明，遍處廣大中」！

第一個階段，叫作「相應」。第三個階段，叫作「緣起」。「相應」，和「緣起」是不一樣的！「相應，就是肉身恆處無明相應中，自然相應感受、觀念、判斷、想法、糾纏」等。「如是

相應，叫作無明之迷失」！「深契當下，即是進入『究竟光明體』之覺悟」！

　　第二個階段，就要「完全把它，捨離。如是捨掉的意思，就是無無明，亦無無明盡，到究竟平等之覺悟」。深契，「究竟無所得。當下，進入如如。和絕對的，涵養」！

　　就是「究竟進入，覺悟平等，完全無所得。再再涵養擴充，廣大的光明體」！

　　第三個階段，就是形成「廣大的光明體。這時，心都是自在、安定、不動涵養」的。「如是自然法爾現象，任運廣大遍照之緣起放光」！

　　自然「恆在自在體性，如是究竟全體，廣大的光明體。能遍照，緣起之放光」！「放光以後，眼耳鼻舌身意，所有一切，六根十八界等。感受的變化，叫作緣起照明，與菩提造化」之展現！

「再再深契，究竟覺悟平等，與究竟無所得」。如是自然「眼耳鼻舌身意，所有一切感受之菩提造化」，都要「皈於究竟無所得」！如是「一即一切，一切即一」之覺悟平等。「再再涵養，廣大的如如不動」內涵！與「絕對不動，廣大光明體的，擴充」涵養！

　　所以，從「第一階段，到第三階段。不斷的、反覆的淬煉。如是，涵養堅固自己。淬煉自己」！然後「見到廣大遍照，照明緣起之菩提造化」！

　　若能真正「進入廣大光明體，完全之不想，自然在其中的，覺悟平等，就不會想」！若能再「繼續不斷究竟覺悟之平等，涵養。自然整個，都是堅固而廣大，不動其中的，光明體」！「全身上下，都被光包住」！

　　若能深契，達到「廣大如如涵養時，整個皆

是自在光明體」！自然「無明迷失想相之迷縛，不再作用。思想，恆在究竟不動」之涵養！自然，「皆是究竟不動，一切完全不想」中！

「久了」以後，「自然，整個都是全體，堅固廣大的光明體」！如是「真實究竟覺悟平等的，完全捨離無明。當下進入如如，和絕對，廣大光明體的涵養」中！「自然，就是整個，都是光明體」！

最後，又是「回復到，開始之當下」！就是「一切自然法爾的相，都要究竟捨離。與深契究竟無所得之覺悟平等」！如是深契，「再再涵養，擴充廣大，堅固不動的工夫，與淬煉」！

什麼是「佛」？「真正的佛」，是「整個都是，究竟無性相之光明體」！什麼是「緣起？佛的廣大隨緣放光，遍照，自然之分明圓融功能。和智慧，與菩提吉祥如意之造化圓滿」！「走到

  生活的大智慧：進入自性佛❶

哪裡，都會遍照，放光之緣起」，圓滿現象！

像釋迦佛說法前，先進入「深然禪定」中（註：就是「進入絕對，與如如的涵養。如是自然深契，究竟不動，與整個光明體」）。如是「自然緣起，廣大遍照的，自然法爾現象。與不可思議之驚天動地。與六地之震動等。與許多佛土世界，自然來皈，緣起之造化。與交往」！

在言及釋迦佛時，自然「緣起的菩提造化，看到釋迦佛整個相，都不見了。整個，都變成銀白色的光明體。四周，都是金黃色的」！後來，又「看到很多佛，從四面八方一直過來。如是整個透明的光」！

「自在釋迦佛的佛身，就是全體，整個光明體的光」。旁邊「金黃色的光，自然深契，菩提之造化。與同體諸佛，分明的，智慧光」！

當「放光遍照時，四周都是佛。自然廣大

自覺與它覺，分明智慧之遍照」！能「看到不思議，廣大造化受用之緣起」！

　　如是，深契「究竟涵養，不動之真實者。自然都變成，究竟透明」的（註：透明的，就是真正無性相的，佛身）！所謂「涵養，就是在當下，究竟捨離無明，和無無明盡，與究竟無所得」之深契！

　　當下涵養「同體見到的，就是全體之絕對。與究竟光明體，和究竟如如不動」的內涵！那個，叫作「整個廣大，透明的光體。如是深契，究竟覺悟，廣大平等之當下中。如是當下，幻如平等，淬煉中」！

　　自然「深契，究竟的覺悟平等。能進入完全無性相，不胡思亂想，畢竟之空體」！這個，就是「究竟不動，透明涵養。真實絕對之真理」內涵！

如是「遍照，所看到的，都是究竟平等緣起，十一法界之自然法爾現象。如是菩提造化的，內涵。與自然同體，究竟之平等。與分明智慧的，緣起」！能進入到「究竟無所得，覺悟之平等」！

　　在「本身沒有放光，無性相之不動，如是，究竟之光明體中，卻能深契遍照。與同體輝印，放光之自見」！「如是究竟，平等緣起，與遍照之一切造化」！

　　這個「不是一般之天眼，卻不以二相，深契畢竟空之真天眼」。叫作「同體智慧，究竟分明之菩提造化，究竟之佛眼」！「能見如是，無性相，畢竟空體之真實。如是，恆常在三昧」！

　　如是「自在，究竟無性相之真天眼。真正無性相的，究竟皈體，與實相體」之內涵！與「遍照，當下緣起。無生果造化，與同體分明，智慧

之造化」！

　　能皈於「究竟無所得，究竟覺悟平等之實踐」！一切「如夢幻，都是空無所有之無性相。只有深契當下，究竟不動之內涵。與全體廣大的，光明體。才是究竟真理的，真實」！

　　所有「遍照，緣起菩提之造化，只是一時無中，生有之性起。而同體分明智慧的，菩提造化。仍要回皈究竟，無所得的覺悟」！如是自然「廣大擴充，究竟涅槃心境」之深契！就是「一即一切，一切即一，再再無性相，皈一體之涵養」。達到「究竟堅固，不動真理。究竟之覺悟平等」！

　　「再再不動真理的，涵養。自然，堅固，廣大的擴充。如是，愈來愈深之廣大覺悟平等。就愈來愈擴充，廣大堅固放光之轉化」！「自然擴充，到廣大無量無邊。堅固全體之光明體」！

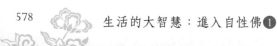

如是「究竟不動的心境，和無性相之心量。自然能達到，無量無邊，堅固光明體的。廣大無性相的，皈體。究竟」！

所以，「真正的擴充，廣大不動的堅固。是究竟無性相，畢竟空體。究竟覺悟平等，與廣大自在之涵養。究竟之明白智慧」！

「人生，即使在今生，得到榮華富貴，和廣大之造化。還是要，深契究竟，廣大分明之覺悟」！「人生一場空。究竟的一切，與菩提造化等。終皈無所得」的分明！如是「應用人生，仍要究竟不動的涵養，深契永恆，究竟覺悟之平等自覺中」！

真正的「古佛」，就是「能夠做到究竟無性相，無所得的覺悟。與究竟如如不動。再再的，永恆涵養」中！叫作「當下剎那，永恆。真實之進入，當下之究竟不動。與廣大遍照」之應用！

「同體智慧分明，真實之光明。即是恆能覺悟」！「自在無性相，廣大全體之光明體」！

　　當「死的時候，若仍處在無明相應的狀況。叫作無明之輪迴」！我們「若能夠做到，在當下中。深契，究竟不動的涵養。處在自在光明體。與永恆緣起之遍照」！

　　「如是實踐，就在全體，光明體。究竟自在，恆常究竟，真理不動」！「所處，雖是在死亡空間，卻是當下之永恆。與究竟不動，永恆之自在其中」！

　　卻是「沒有來去、沒有生死，如是恆常不動的。永恆之自在」！能「如是真實，遍照放光。分明智慧，菩提造化之展現，與吉祥如意之圓滿」！

　　所以，「無論處在任何時空，不斷之生死中。能究竟自在，如如、與自在絕對，不動涵養

的，心境」！「這些，都是恆在，究竟剎那的，
當下中。也是永恆自在的，當下。如是無來，無
去的遷流中，卻是廣大不動之當下」！如是「自
在，永恆究竟廣大。光明體之全體」！

如是「自在永恆，究竟不動，涵養的心境。
自然遍照菩提，自在，永恆中。剎那，皆停留，
在究竟不動，靜止的空間」！好像「一切都靜止
的，無性相之安定」！這個就是「究竟真實真
理，永恆之契入」！

如是，「究竟廣大，全體光明體的心境」。
當下，「剎那與永恆，皆在平等」！「生與死的
空間，究竟深契平等，都停止了」！如是，「深
契無性相，皈體究竟之不動」！

如是，「當下永恆，深契時空之停止，與自
在。在停止中、泯性相的。就是一切的性相，都
是寂滅。無性相」的！只有「畢竟空體。究竟之

真實。與如如不動涵養。如是廣大全體。皆是，究竟光明體」之內涵！

「即使有一天死了。還能在深契當下，究竟如如不動心境之涵養！從此，生與死都停止。當下深契永恆。與究竟，絕對之真實」！就在「究竟之真理，真實。與究竟不動，心境之涵養。整個，都是廣大究竟。無性相的，究竟光明體」！

「究竟絕對，不動之精神。如是自在其中，不離其中的，被接引，得渡的人，亦就是因此，深契進入，自在。究竟永恆，與全體光明體的空間」！

如是，「當下，究竟無性相。都是深契自在，廣大究竟之光明體。與安定中。這叫作，永恆無性相。而自在不動。自然全體，廣大光明體之空間」！

「佛」真正的厲害，是在當下，「整個十一

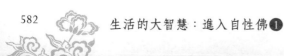

582　　生活的大智慧：進入自性佛❶

法界，究　竟真理體之超越力」！而「不是在世間，表達似乎神通般，造化的一切」！

「祂在世間，不會主動的表達。若我執迷失的，迷縛動用，神通萬法般的。即是深契著相之使用，與入魔之迷縛」中！

一切「究竟自在的，廣大緣起，遍照之神變。皆在廣大圓融，自然法爾現象之遍照。與任運無礙之分明智慧，隨順自然。恆常，遍照於，現象和空間之自然。自然廣大吉祥如意圓滿，菩提造化的，神變變化，與法爾自然現象」之展現！

「佛的功能，與價值，就是能夠究竟真理之覺悟。與停止輪迴，不再投胎」之覺悟力。如是「當下十一法界，深契進入究竟覺悟平等，與不動真理中」！如是「究竟，自在。與永恆」。

回看「生命真理之主題。當下實契，究竟

覺悟之平等。能究竟，捨離一切，無明性相！就是，深契當下。無性相究竟的。真理皈體之實踐」！

「再再皈體的，涵養。再深契，整個絕對堅固。全體光明體之真實。變成廣大究竟不動。無性相之光明體」（註：全身上下，都是無性相，究竟之光明）！「再下一步，就是同體分明智慧，廣大遍照的。緣起放光，與菩提之造化」！

在「緣起放光中，透過眼耳鼻舌身意，與所有的內外現象、菩提造化等。究竟平等之遍照，與自然法爾之表達」。「如同佛經所講的，六地震動之描述。就是廣大放光之遍照造化」展現！

「緣起菩提造化後，又深契，進入究竟平等之覺悟。自見廣大，究竟無所得之內涵。如是深契，又再一即一切，再一切即一的。回復到，究竟一，擴充之廣大」！

如是,「再再的,涵養」!「當下之永恆究竟,進入究竟不動之涵養」!「更深廣之擴充,與更廣大之堅固」!

　　「自然而然,一而再,再而三的,更深入究竟無所得的。究竟覺悟平等之涵養」!

　　自然「遍照同體,當下。剎那永恆之平等,與究竟光明體。深契之當下,皆是一體兩面」之內涵!如是,「不動而動,一即一切。不斷的復皈,一切即一的。回皈,究竟動而不動之涵養」!

　　「看這本書時,自然好像進入,深契空性中。忘記一樣」!這個「忘記的進入,就是自然深契,無性相。皈自性空體的內涵」!

　　大家「可透透過這本書,回皈自心體之究竟自覺。自然能進入,究竟光明體。自在的心中」!因此,「每個人都能,因此自覺深入。與

全體究竟中，發現每個人。皆是佛」！

　　只要「相信這本書的內容。回皈深入，自心之明覺體悟平等。就能真正進入，究竟真理體。如是，放光遍照。產生究竟，一體之兩面。進入自性佛的作用」！

　　這本書能「究竟全體光明體之深契。與緣起遍照之照明，如是回皈自心體」！深契「如如究竟涵養不動，淬煉自覺體的，真正工具書」！是「幫忙大家，回皈深信，自心體之進入」！

　　「隨時，要用工具書，回皈自覺究竟，光明體之進入。更而因此，順入，廣大遍照之緣起。與菩提之造化。但是最後，仍回皈無性相。自在究竟皈體，廣大光明體之內涵」中！連「工具書，也要回皈。究竟無所得的。究竟捨離」！

　　「能因此看到，銀色的弓箭顯明。就是從銀白色，如如的中，射出分明智慧的覺悟弓

生活的大智慧：進入自性佛❶

箭。實入，究竟廣大光明體，如如的涵養中」！「如如，就是達到真實的絕對。與廣大的光明體中」！「同體的分明智慧。深契，純粹究竟精神體，廣大之內涵」！

「如是深契，當下究竟之不動。就是完全沒有，如夢幻的虛假」！卻在「當下，即是究竟全體的。真實真理光明體」！「如是，當下。淬煉，由假入真」。更而「真假，無二平等。深契，絕對真如。究竟之光明體」！

深契「一邊，看這本書。如是，一以貫之。自心體，淬煉之明見」！「一邊，回皈自心體之究竟明覺」！「卻能究竟捨離工夫中，究竟無性相。畢竟空體工夫之涵養」（註：究竟，無無明盡的工夫）！

「一切如夢幻，像做一場夢般。能因此回皈自覺。覺悟，究竟無所有的。本書真實，真理

之究竟」！就能「深契究竟之捨離。深契究竟廣大，光明體，如如之涵養」！

「看這本書時，自然能回皈自心明覺。究竟實踐的體悟」！在「莫明緣起，遍照中，自然展現。許多觀念、想法，和不可思議之相應相出現」！

如是「自然遍照，想法和觀念之湧現。就是本書，能照明緣起自然法爾現象之隨順。自見受用造化，緣起之展現」！

「究竟覺悟平等，回皈自覺。就是深契，自心之回看」！發現，「一切如夢幻，都是空無所有。一切相，都是自執以為。把它當成真、當成有的。卻是，如夢幻」！

所以「世間人，都因此無明相應的，迷失其中。於自以為的，自我觀念。和以為之迷幻迷縛」！「這些，皆是無明輪迴其中。繼續之始

末」！

　　如果有人「能夠覺悟分明的，看透自己。完全沒有癌症！如是，真理之所在，與究竟之覺悟。如此見明，癌症的真理。就像做一場夢般的。能自覺體悟分明！則癌症之來源，無明賴耶識種之花果性相。將因此消失」！

　　「就會從此覺悟究竟中，自在深契廣大之覺悟。與自在究竟，光明體之健康」中。甚至，「比年輕時更健康」！這是「一般醫學，與人類，無法想相之真理事實」！與「確實真理，究竟真相之事實」！？

　　世間之先進醫學，與DNA之研究療程，縱使能一時使用，「化療，或開刀取出毒素」之完成。只是「身體能短暫，而一時表達健康」而已！卻不能「深契，根本究竟真理，究竟之痊癒」！

第十四章 結論　　　589

仍會「因無明存有，阿賴耶識種。花果性相之關鍵，主題之存有。繼續無明迷縛，識種之相應。再復發」!?

　　「看這本書時，要回皈，自心自覺之淬煉。會愈看，緣起自覺之遍照。自我超越的，突破性相，與受用之迷失。與困惑。如是，究竟深契，精神會愈好」！

　　「整個究竟廣大的，精神展現，皆是廣大全體光明體的，遍照。如是自在，緣起遍照，究竟之清淨」！「如是深契，究竟真理體，究竟的實踐著。即是真實之自在」！如是，「究竟菩提薩埵，究竟之真理。深契自在，遍照之內涵」！

　　自然「緣起同體分明之智慧，能看到文字相。出現菩提薩埵四個字。如是，菩提薩埵。就是深契達到，究竟無幻夢，絕對無所有。更深契，全體光明體之究竟真實」！「如是光明體之

絕對者。當下，能緣起自然之遍照。叫作菩提造化者，深契有所得而究竟覺悟無所得之展現」！

但是「有所得，只是剎那緣起，有所造化，感受見到。其實自然之一切，都要究竟的，捨離清淨。深契無性相，畢竟空體！就能進入到，究竟覺悟之平等，與完全的無所得」涵養！

如是「深契究竟，究竟之超越，與究竟之不迷」！叫作「深入，再究竟，廣大。如如真實光明體，再再的。涵養」！「如是，涵養愈來，愈堅固的。如是，自是，自在的。廣大全體之光明體」！

「如夢幻中，不迷所有。深契究竟平等。無所有之自覺悟」！深契「不動其心之內涵。深契廣大無所得。究竟實際之覺悟，與真實平等之廣大」！

什麼叫作「無明」？就像「把房間裡的燈

光，全部關掉」，完全沒有「分明的相」，只有「灰黑昏暗，模糊的相」一樣。只有「無明其中」，又「活在其中」之無明！

如是當下「無明，即是光明」的同體。「夢幻破滅，即是真實」。「剎那當下，即是永恆」。絕對真理，「無性相，究竟實相皈體」實踐！

所以，「世間的一切，如夢幻泡影」，真正「究竟無所得」。「本來無一物」，「一切帶不走」！「所成就的，所有之現象，與擁有，一切之一切，世間之因緣與變化」等；都「帶不走」！

卻是「能在當下」，因此，淬煉出「究竟光明體之真實」。與「究竟智慧，圓融自然法爾」，如是，「無礙任運」之內涵！

深契「本來無一物」，「如夢幻，無所有的

虛假，看破」時。「當下，即是能彰顯自在，究竟絕對之真理」！如是，能「彰顯出，廣大光明體，究竟之真實」！

如是當下「究竟如如涵養，廣大遍照」，像「電燈一打開」，「自然廣大光明體，緣起放光」。因此，我們就能看到，「本來看不到的相」。叫作「遍照」。如是，緣起「菩提造化，同體智慧的相」。

而這些「菩提造化的之展現」，也是「究竟，無所有之無所得」。就像再「把燈光關掉」時，仍回皈「本來無所有」。究竟之「真理真實」！

若能「再再涵養，更廣大的涵養」，究竟之覺悟平等，就會「產生真正，究竟之真實體」。能「更深遠，廣大堅固的光明體，與遍照之放光」。

現在，以「房間裡面的燈光」來作譬喻。把房間裡面「所有的燈光關掉」，這個叫作深處「無明」。我們世間的人「本來的我」，就是處在這個「微暗的光」。看起來活得，如是有意義的今生。「好像明白，又不明白」。這叫作「無明之用識」使用。就是「阿賴耶識，無明迷失如夢幻的，使用空間」！

　　我們人世間，如是靠這一點光之使用，在「感受、觀念、阿賴耶識種的糾纏」迷失，仍然「迷縛其中。如此無明迷失的，使用自己無明的想法」！碰到什麼現象，都在用「分析、衡量、判斷。來產生識分明的作用」，而決策！這就是「累劫無明的相應，與迷縛無明之行相」，「如同癌症般，如是迷縛種子，花果性相之作用」。

　　即是「累劫的，原始無明迷縛之相應」展現！這叫作「累劫迷縛，用識的無明」，這就是

「人世間，無明輪迴之迷縛」。如是「本來糾纏的，無明」！

先「打開一盞燈」，叫作處在「識空」的心境。就是把「用識的空間，超越了」，雖然稍微有一點光，仍是很「黯淡的光」，還是處在「無明」。

像「昔邪師，和世間很多自以為有道」者，就是「處在這種心靈，仍在迷失，如幻之境界」。如是靠著「此種自以為，依稀的光」！在「自我以為」，「導引用識，想相之運作」著。如是「昏暗迷失的，無明執持使用」著。如是，「不思議以為」的，迷失諸相！

再「打開兩盞燈」，此時的「心靈境界」，微亮一點，如是「識的光明」中，叫作深契「識空的，空」中。違個就是「阿羅漢和辟支佛」的心境。他們「已經有識光明體的，使用空間。仍

是「很微細識光明體的光」。所放的光，是「識體空，照射的光」。

　　接著「打開三盞燈」，叫作「識體空的空，為識空空」之心境，這就是「類佛、類菩薩、和菩薩的一真法界」的心境。還是帶有「灰矇矇光明的，光」，而不是究竟「完全的光明體」！

　　所以，第一個當下，是「識空的光」。第二個當下，是「識空空的光」。第三個當下，就是進入到「如的光」。以上「所有十一個法界的光」，都還要「深契，不斷究竟捨離的，覺悟平等」。「如是絕對真理，看破的，再空掉」，才能進入，「真正廣大如如，究竟光明體」的涵養。

　　到緣起「真理如如涵養的，遍照放光」，叫作「緣起菩提造化展現，廣大的遍照放光」！首先深契的，即是如此緣起之「初放光」。

再「不斷的涵養，究竟的捨離」，「否定一切的夢幻覺悟」。如是，深契究竟「完全無所有，究竟不可得」之心境，就能緣起，如是「二放光」遍照，廣大放光的菩提造化！

　　此時的「心境」，「愈來愈廣大，遍照的明白」了。而且「空間，自然展現，愈來愈有亮度」的，廣大光明！

　　到緣起「三放光」、「四放光」、「五放光」等，都「不斷究竟覺悟的，與捨離」。深契，「究竟完全之捨離」以後，就深契「沒有本來的無明」！

　　「遍處，都是廣大堅固，真實光明體的，究竟心境」。此時整個「自在的空間」，都是「廣大究竟，充滿著光」。這叫作「深契，涵養，緣起之再再」，「究竟真實廣大，全體之光明體」心境。

「緣起的再再」，就是深契「一次再一次，廣大照明，和變化」之菩提造化展現。整個「涵養廣大全體究竟的，光明體」，「都很堅固」。「整個空間，都是究竟廣大的，光明體」！

　　一切，皆在「無性相，畢竟空體」。哪有「如夢幻之黑暗，和無明」!?

　　所以，「要真正做到，任何不可思議的境界相」，包括「佛境界」諸相等，都要深契「完全究竟覺悟平等，無所得」，「究竟無性相畢竟空體」，「究竟之捨離」！

　　連「佛的內涵菩提，諸象相」等，都要「究竟無所得的，捨離」！捨離，到「完全，都是畢竟空體」！「完全都是，廣大究竟無性相的，光明體」。進入「真正的佛道」，體性內涵！

　　自然深契，「究竟完全的，捨離」。在「不斷的捨離」，即使已經是「究竟佛道內涵」了，

還要「深契究竟之覺悟平等，再再的捨離」！

「回皈自心明覺」之結論。「任何事情和現象，包括不可思議的心境、現象、佛的境界、魔的境界」等，皆要深契「究竟不迷失之糾纏，與究竟無所得，與完全的捨離」！

如果「堅持自己，究竟之內涵」，就是「有我」。若仍「有我」，即非「究竟空體」。所以要究竟無性相的，「不斷捨離」，完全深契，不要「堅持自己」！

要完全「究竟的捨離」。如是「究竟捨離工夫」之涵養，就是「深契當下，積久涵養之淬煉」。「緣起，再再涵養」，「究竟無性相，畢竟空體」的，真工夫實踐！

若能覺悟到，「原來所有的佛境界，和所看到的一切菩提造化展現」等，都要「完全覺悟平等的，究竟無性相，究竟的捨離」。如此，才是

真正深契，「究竟無所得」！

　　只有「當下，如是深契究竟堅固」，廣大全體「光明體」，才是真正「絕對，究竟之真實」。「當下，真實永恆」的，真實真理的，「活在這裡」！

　　「所有的想相，所有的阿賴耶識的糾纏，都如夢幻，無性相，畢竟空體的」。「一切的無所得，為本來的面目」。這個叫作「深契，究竟涅槃」的心境！

　　在「究竟光明體」，進「入看」時。就「進入堅固，廣大之遍照」。就能「自然體性，一如的，如是菩提造化，見性廣大之周遍」。能「廣大究竟，一念覺明」的，「看到自然法爾，隨順現象之圓融，廣大之遍照」！叫作「如是廣大，圓融自然法爾」之圓滿！

　　「看了」以後，還是要「究竟回皈無所

得，於究竟覺悟之平等」。不要深入「迷失之著相」！因為「著相」，就遮障「實無所得」的，無性相內涵！與「無法瓶體，究竟之覺悟」了！

釋迦佛講：「在燃燈古佛時，就是不迷著，一切無上阿耨多羅三藐三菩提相。所以我的老師燃燈古佛，才『給我授記』，我『將來必定成佛』」！

這是因為「能進入到本來無一物，完全不糾纏」，「無性相」，「畢竟空體」，「究竟覺悟平等之實踐」！如是，深契「究竟無性相之真諦」，與實踐中！

若仍「著」於，「菩提造化之展現」，與「無生造化之展現」。就是仍在，「有所得」之迷失。就仍是深契，「微細究竟，無明之迷失」。「真正的佛」，是深契「究竟無性相，畢竟空體」。就像「在廣大虛空」，「本來無

性相」一樣。自然深契「廣大究竟全體之光明體」。與「廣大放光，究竟的遍照」！

究竟的覺悟平等，「一切萬法，菩提造化等，什麼都沒有」。自然「就能進入到，真正廣大全體光明體，與究竟平等的覺悟」。所謂「究竟的覺悟平等」，就是在「不斷的，無性相畈體之覺悟，與究竟捨離之涵養」！與「全體全然，放光遍照心境」之內涵！

所以要「究竟覺悟平等」做到，連「菩提造化、照明造化、佛境界造化」等，都完全深契，「無性相迷失之心境」！完全深契「無所得」之究竟覺悟。才是「真正究竟自性佛之內涵，與心境」。「完全不糾纏，全部捨離」中，就是「真正體性的佛」！就是「真正無性相，畈體究竟」！如是體性，「真實廣大，畢竟空體」的，究竟「光明體」，與「廣大之遍照」！

所以，「廣大的無明體，即是當下究竟之光明體」。「無魔，亦無佛」之執迷，如是「究竟無性相之無二分別」深契。與「究竟之平等」！

　　當下「相即性」，「性即體」。如是「最後，與先始」，究竟「體性相之平等」結論。「當下」，即是「無性相，畢竟空體之深契」！即是「究竟體性相」之當下！

　　亦是「究竟不動，無性相」之涵養。「畢竟空體，究竟真理真實」之究竟深契！在「可有，可無」，卻是「剎那當下，自精神體，究竟純粹，廣大自在之內涵」！才是「真正無性相皈體之定義」！

　　能深契「廣大不動」之內涵，自然究竟，「無性相，皈體」之「廣大遍照」中。自然「圓融，法爾自然」之現象流行。如是「不動而動」之圓融，自然「吉祥如意圓滿」之遍處。恆在

「大定，光明體」之全體，與「遍照，廣大全然
之實踐」！

附錄

一 工夫涵養心境

× 過去：沒有昔日過程之「無明想相，與迷縛之相應」；

〈完全捨離〉 A「無無明盡」！

× 現在：當下「空中，如如」，「究竟覺悟」；

〈當下絕對〉 B「完全無所得」！

★ 未來：「遍照」緣起，見「菩提，自然法爾」，「圓融」；

〈緣起再再〉 C「皈體不動」！

○ 先A與B之「無無明盡與完全無所得」；再C「皈體不動」之涵養！

◎ 當下，「相應與緣起」之分明；即是「無明與菩提」之分野！

※ 當下，「遍照菩提造化」與「皈體不動」；即無性相「佛地」！

二　本來如是，完全不糾纏的大自在，不動涵養皈體

　　自然深印，實契「本來面目」。當下「如夢幻無明現象之虛假」中，卻是究竟覺悟「廣大之無所得」。如是究竟覺悟分明，自然深契「自降伏自心之無性相，皈體」。

　　經「究竟大覺悟」後，能「深契究竟之捨離」。如是當下，「本來如夢幻之虛假，阿賴耶識種，好壞迷縛，與糾纏」之看破。如是究竟看破，本來虛幻，「究竟不動之涵養」。

　　更入深契迷幻「我與法、無常」之不應作用。如是深契究竟「完全不糾纏，迷幻諸相，如夢幻之迷失」。如是當下「真實」，廣大究竟「光明體」，自然「無餘涅槃」。究竟涵養「如如自在」之自滅度，究竟無所得，覺悟之平等。

深契究竟覺悟，「當下真正無所得」。如是自然「廣大究竟平等」。當下之「真實」，即是究竟之「本來面目」。

　　自然緣起，「任運法爾自然」。「廣大遍照」照明，皆是菩提造化之緣起。如如再再之涵養。「自如如」，「廣大擴充」之堅固。自然，究竟真理，「廣大光明體之擴充」。

　　如是自然照明，廣大之遍照，「廣大自它覺菩提之緣起」。如是因此，自然當下「深入究竟同體，分明智慧之圓融」！回皈「究竟不動，無性相，皈體」之涵養！

三　獻給實入「完全不糾纏迷失，平等究竟皈體」，佛心之不動，如如者

真正「為真理」，而覺悟。努力「好壞諸相，如夢幻無性相皈體，究竟平等」之實踐。更「無性相，而實相體」之實契。更入「全體廣大光明體，真實之實踐」。當下，能「究竟覺悟平等，停止輪迴」者。

於「當下之無明」，能真正覺悟，「完全捨離之不用」。於世間宗教傳承，與沿襲無明本來，賴耶識種，昔性之迷失。以及，傳統習俗教育，無明好壞之糾纏，能「因此，覺悟之改正」。更「究竟捨離」，世間，本來「用識作用之無明」。

如是深契「究竟真理，真實，當下之平等」。究竟進入當下，「萬法之迷幻，完全不糾纏」。因此，實入「無性相皈體的，當下平等」，同體分明智慧之覺悟。即是深契究竟之絕對，與「生命光明體之真相」。

　　自然「同體」，如是「平等進入」。緣起「如同三世諸佛，光明內涵之祕行」。當下真實體，究竟「如如自在，廣大光明體」之涵養。自然深契「遍照照明」之究竟。更因此自然，無上阿耨多羅三藐三菩提，自然法爾之「現象圓融」！恆常在「無性相，究竟不動」之涵養！

　　自然廣大「吉祥、如意、圓滿」菩提造化，究竟無所得，廣大再再，平等涵養之「皈體」!?

四 覺心不動

（一）觀自在菩薩行深般若波羅密多時；照
　　　見五蘊皆空，度一切苦厄。

（二）舍利子，色不異空，空不異色；色即
　　　是空，空即是色。受、想、行、識，
　　　亦復如是。

（三）舍利子，是諸法空相；不生不滅，不
　　　垢不淨，不增不減。

（四）是故；空中無色，無受想行識，無眼
　　　耳鼻舌身意，無色聲香味觸法。無眼
　　　界，乃至無意識界。無無明，亦無無
　　　明盡。乃至無老死，亦無老死盡。無
　　　苦集滅道，無智亦無得。

（五）以無所得故；菩提薩埵，依般若波羅
　　　密多故；心無罣礙；無罣礙故，無有

恐怖。遠離顛倒夢想；究竟涅槃。

（六）三世諸佛，依般若波羅密多故；得阿
　　　耨多羅三藐三菩提。

（七）故知般若波羅密多，是大神咒，是大
　　　明咒，是無上咒，是無等等咒；能除
　　　一切苦，真實不虛。

（八）故說般若波羅密多咒；即說咒曰：揭
　　　諦揭諦，波羅揭諦，波羅僧揭諦；菩
　　　提薩婆訶。

五 幻種滅盡

（一）覺悟本質・渾融生命

（二）互忘識別・則見真智

（三）無疑惑擾・則入真理

（四）無過去相・破迷憶念

（五）無未來相・不生期盼

（六）無種花果・應化無量

（七）不來而來・不去而去

（八）來去不如・輪迴中縛

（九）廣大沖和・仍當如如

（十）遍處自在・真理法身

（十一）大夢自醒・智慧報身

（十二）大公廣見・光明正大

 真如自性

（一）如如

（二）如體

（三）體性

（四）性相

（五）相果

（六）果如

（七）般若智慧・究竟無相

（八）一相平等・色空不二

（九）任自然顯・空不空相

（十）因果中運・養果如心

（十一）一切吉祥・如意處處

（十二）廣大任運・無所得法

七 工夫實踐

（一）工夫觀自心・能悟深般若

（二）本質真理中・能覺一切相

（三）本來無一物・怎生我法迷

（四）萬化輪迴中・應持一本質

（五）生活中涵養・自然等正覺

（六）無緣亦無法・剎那全體現

（七）無識亦無智・自然吉祥身

（八）無體亦無相・遍處勝造化

（九）廣大不動心・怎現輪迴境

（十）剎那皆一心・處處永恆身

（十一）無明則不見・智慧能通明

（十二）一切自工夫・實入真佛心

恆融十一法界・平凡生活如如

（一）神通什麼・有何依靠・自以為是

（二）不思議事・仍受識縛・卻在無明

（三）賴耶識體・煩惱主題・如夢如幻

（四）生死輪迴・幻種繼續・斷斷續續

（五）顛倒研習・永處無明・糾纏久遠

（六）廣大隨緣・自想他想・仍是識變

（七）思想導引・性相變化・識變迷幻

（八）運識中相・未究竟悟・卻以為縛

（九）光明正大・何來識變・本來無物

（十）恆處如如・方成平等・真理究竟

（十一）無依而依・空中理象・三菩提然

（十二）處處遍照・念念自明・真實真理

（十三）遍處法身・平等互融・光明正大

（十四）報身堅固・諸相非相・如來法界

（十五）清淨應化・皆是圓融・如意造化

自覺涵養如如緣起圓融
造化覺他處處吉祥如意

（一）如如空中本質・隨緣緣起菩提・
　　　遍照自然法爾

（二）廣大無上妙覺・恆遍十方能覺・
　　　究竟覺悟其中

（三）見性唯識萬法・自在神變廣大・
　　　無性相之皈體

（四）自然衍化無窮・廣佈十一法界・
　　　當下究竟真理

（五）豈需再煉神通・執迷唯識更薰・
　　　究竟覺悟捨離

（六）深契無我無法・則能觀自在明・
　　　全體究竟光體

（七）返畈自性如如・於萬法見般若・
　　　法爾自然圓融

（八）隨緣能見菩提・造化緣起順融・
　　　遍照廣大法爾

（九）於覺悟中平等・同體原是智慧・
　　　平等究竟分明

（十）當下即是正覺・圓契萬法吉祥・
　　　廣大不動涵養

（十一）賴耶識體夢幻・空不空其中相・
　　　　究竟捨離當下

（十二）一切相應互迷・本來無物菩提・
　　　　實契光明體性

（十三）原來染淨無明・無染無淨則覺・
　　　　究竟覺悟平等

（十四）如體之中更如・眾生本有其德・
　　　　三世諸佛共體

（十五）久遠深迷賴耶‧沉淪幻相無明‧

　　　　當下絕對真理

（十六）妙哉不思議幻‧變相十一法界‧

　　　　究竟如如涵養

（十七）唯識因果賴耶‧萬法自然演變‧

　　　　不動涵養法爾

（十八）幻種花果相應‧如是迷縛輪迴‧

　　　　覺悟平等當下

（十九）自縛自迷因緣‧久遠自執廣薰‧

　　　　無性相皈體中

（二十）再再永迷生死‧無明識種繼續‧

　　　　當下平等永恆

十 空中本質

（一）恆能覺悟・真理究竟・不動涵養

（二）生而不生・當下畈體・無性相中

（三）自然不生・本來絕對・究竟光體

（四）不生而生・菩提造化・遍照法爾

（五）緣生緣滅・緣起菩提・圓融智慧

（六）自生自滅・法爾自然・吉祥如意

（七）生滅不息・隨順圓融・圓滿畈體

（八）菩提造化・自然法爾・涵養再再

（九）佛法平等・當下究竟・真理真實

（十）覺悟平等・如如涵養・全體究竟

（十一）無生而生・夢幻泡影・當下絕對

（十二）如如自在・自性佛身・廣大遍照

（十三）不生不滅・本來面目・無所得中

（十四）不垢不淨・無垢淨相・無二平等

（十五）不增不減・究竟絕對・全體真理

（十六）無所得中・涵養再再・全體光體

（十七）真理本質・萬法皈體・當下究竟

（十八）廣大遍照・自然現象・圓融法爾

（十九）全體自然・萬法任運・吉祥如意

（二十）迷人不見・覺悟夢幻・究竟平等

＊後續出版與開課訊息＊

◎ 本「生命哲學探討叢書」，共計六冊，將陸續於每半年，出版一冊。敬請期待！

◎ 讀者於參閱本書後，對於書中之文字及內容，有不明白及疑惑的部份，想要再更深入的探討，或者更廣大的覺悟與實入。本書作者將以「實問實答」的方式，「開班授課」。讓每個人因此發掘與找到自印之自心世界，與永恆究竟的真理！

◎ 「開班授課」方式如下：每班授課為期三個月，每星期上課三次，每次滿 3 小時。總金額為台幣十萬元。

◎ 這是絕無僅有的實印！能夠讓每個人，因此發現自心的祕密，以及超越的境界。更而實入如同釋迦佛，真正覺悟真理的內涵！

◎ 若有興趣的讀者，請聯絡我們的工作人員，
儘快為您登記，安排上課之事宜。

★書款存入
(第一銀行)竹東分行31110050897
戶名：大覺悟工作室
★上課費用
(華南銀行)竹東分行30110009706-1
戶名：大覺悟工作室

匯款後，請將匯款收據，個人姓名、電話、住址
與內容，傳真告知大覺悟工作室人員，立即處
理。

國家圖書館出版品預行編目資料

生活的大智慧：進入自性佛1／大覺悟 著. --初
版. --新竹縣竹東鎮：大覺悟工作室, 2017.10
　　面：　公分
ISBN 978-986-95204-1-6（第1冊：平裝）
1.生命哲學
191.91　　　　　　　　　　106014228

生活的大智慧：進入自性佛1

作　　者　大覺悟
編　　輯　古錦清、黃靜如
校　　對　楊志炫
出　　版　大覺悟工作室
　　　　　新竹縣竹東鎮中正里15鄰中山路38號10樓
　　　　　電話：(03)5940600
　　　　　傳真：(03)5104728
法律顧問　李保祿律師
設計編印　白象文化事業有限公司
　　　　　專案主編：陳逸儒　經紀人：張輝潭
經銷代理　白象文化事業有限公司
　　　　　402台中市南區美村路二段392號
　　　　　出版、購書專線：（04）2265-2939
　　　　　傳真：（04）2265-1171
印　　刷　基盛印刷工場
初版一刷　2017年10月
定　　價　680元

白象文化　印書小舖 PRESSSTORE　出版 · 經銷 · 宣傳 · 設計
www.ElephantWhite.com.tw　f 自費出版的領導者　購書 白象文化生活館